KB203418

전설의 기록

안 치 환

1판 1쇄	2024년 6월 28일
펴낸곳	도서출판 답
기획	손현욱
촬영	이충우
인터뷰어	박준흠
인터뷰이	안치환
사진	구본희
디자인	나인본 스튜디오(NINEVON STUDIO)
출판등록	2010년 12월 8일 / 제 312-2010-000055호
전화	02. 324. 8220
팩스	02. 6944. 9077
ISBN	979-11-87229-82-7

이 도서의 국립중앙도서관 출판예정도서목록(CIP)은 서지정보 유통지원시스템 홈페이지(http://seoji.nl.go.kr)과
국가자료 종합목록 시스템 (http://www.nl.go.kr/kolisnet)에서 이용하실 수 있습니다.

RECORD of a
LEGEND

자유

안치환

답

CONTENTS

CONTENTS

'박준흠이 만난 아티스트 vol.2 안치환'은 도서출판 답과 온 테이블(영화기획사)에서 제작. 진행하는 '전설의 기록' 시리즈 프로젝트의 두 번째 편입니다.

본 '전설의 기록' 시리즈 프로젝트('Record of a Legend' Series Project)는 대중음악 아카이브를 위해 아티스트 인터뷰 단행본, 다큐멘터리, 공연, 음반이 묶이는 '다원 아트 프로젝트' 성격입니다. (※단행본 외에 다큐 등은 아티스트의 선택사항입니다) 저는 이 프로젝트에서 도서출판 답과 저자 계약 하에 인터뷰 단행본 진행을 맡고 있습니다.

도서출판 답과 온 테이블에서는 향후 총 30명의 아티스트 인터뷰를 진행하려고 하고, 시리즈 1차로 10명의 인터뷰를 담은 단행본 발간을 계획하고 있습니다. 현재 엄인호(신촌블루스), 안치환, 김민규(델리스파이스), 김창기(동물원) 네 분의 인터뷰를 마친 상태입니다. vol.3 김민규, vol.4 김창기도 잎이 떨어지기 전에는 발간될 것입니다.

개인적으로 1997년 11월-2009년까지 꽤 많은 아티스트 인터뷰를 진행했습니다. 그리고 2010-2014년에는 대중음악 SOUND 10권을 만들면서 음악산업으로까지 범위를 넓혀서 대중음악 기획자, 정책가, 기업대표, 재단 대표, 협회 회장 등과의 인터뷰도 진행했습니다. 지금 생각해보니 월간 음악전문지 '서브'와 인터넷 음악방송국 '쌈넷', 대중음악 웹진 '가슴' 운영에 매진하던 1997-2004년에 많은 아티스트 인터뷰를 진행했는데, 안치환은 1998년에 5집 [Desire] 나온 후 2000년에 6.5집 [Remember] 나온 후 각각 인터뷰를 가졌습니다.

특히 1998년 3월에 가졌던 안치환과의 인터뷰가 저에게는 강렬한 기억으로 남아서 2000년에 다시 한번 인터뷰를 가졌을 것입니다. 안치환은 김창완(산울림), 이정선, 한대수, 정태춘, 이주원(따로또같이), 신중현, 이근형(카리스마), 신대철에 이어 만났고, 제 인터뷰 경력에서 아주 초반에 만났던 경우였습니다. 인터뷰 일시를 따져보니, 심지어 3월 10일 같은 날 1-3시(목동 CBS)에 신대철과 만난 후 4-7시(목동 파리공원과 주점)에 안치환을 만났습니다.

그리고 아주 흥미로운 사실을 깨달았는데, 인터뷰 당시 아티스트 나이를 따져보니 김창완(43세), 이정선(47세), 한대수(50세), 정태춘(44세), 이주원(47세), 신중현(60세), 이근형(32세), 신대철(31세), 안치환(33세)이었습니다. 아! 내가 40대 당시의 김창완, 이정선, 정태춘, 이주원 그리고 무려 30대 당시의 이근형, 신대철, 안치환을 인터뷰했다니….

한대수, 정태춘 선생도 그랬지만 특히 안치환은 혈기 왕성했던 시기였습니다. 불후의 명반 [안치환4]가 나온 지 불과 3년이 지난 시기였고, '안치환과 자유'를 막 결성해서 록밴드 리더가 된 시기였고, 음반 프로듀싱을 막 알아가는 시기였고, 창작은 점점 더 완숙해지는 시기였으며, 아직 나올 음반들이 더 많은 시기였고… 한 마디로 두려움 없이 음악을 만들고 세상과 맞설 수 있는 때였습니다.

2022년에, 물경 22년 만에 안치환과 3번째로 인터뷰를 진행하면서 안치환에 대해서 새롭게 생각하게 된 부분들이 있습니다. 챕터3 디스코그래피를 보시면, 안치환은 그간 무척 많은 앨범을 발표했다는 것을 알 수 있습니다. 13장의 정규앨범과 함께 2장의 시인 헌정 앨범(김남주, 정호승), 2장의 라이브앨범, 2장의 노스텔지어 앨범, 다시 녹음한 [1+2] 앨범, 노찾사 2집은 모두 정규작에 가깝습니다. 심지어 2014년에 발매된 6CD Box Set [안치환 Anthology : Complete Myself]도 다시 부르기

성격입니다. 2014년에 암투병하기 전까지는 부지런하게 음악 작업을 한 편입니다.

2001년 7집 [Good Luck!]까지는 계속 이어진 창작의 동력으로, 2003년에 본인의 녹음실 '참꽃 스튜디오'를 만든 후에는 아티스트로서의 성실함과 실험정신이 앨범을 만드는 동력이었던 것 같습니다. 그리고 여기서 다시 주목할 점은 '아티스트로서의 성실함' 부분입니다. 모든 아티스트들의 딜레마가 '창작의 샘'이 마른 후에는 어떻게 앨범을 만들 것인지에 대한 문제입니다. 안치환의 경우 창작에서의 분기점이 9집이 아니었느냐고 짐작합니다. 2010년 10집 [오늘이 좋다]부터는 더 이상 이전의 '들끓는' 느낌은 없습니다.

그럼에도 안치환은 '아티스트로서의 성실함' 부분을 포기하지 않으려고 노력했습니다. 2012년부터는 디지털 싱글 작업을 추가로 하고, 2020년 코로나 시기에는 유튜브 채널 '안치환 TV'를 만들어서 자신의 노래 아카이브 작업을 하고, 2022년에는 소극장 '연남스페이스'를 만들어서 지속적인 공연을 추구하면서 예전에 지속해 앨범 발표할 때처럼 음악을 통해 세상에 말을 거는 작업을 멈추지 않으려고 합니다. 그렇다면 그는 왜 이런 태도를 보이는 것일까요?

  안치환 인터뷰를 통해서 추측할 수 있는 부분은, 젊은 날에 '저항음악가로서의 맹세' 같은 것을 스스로 했고, 그는 아직도 이를 지키고 싶은 것이 아닐까 합니다. 또한, 노래운동 진영을 벗어나서 1990년부터 개인적인 음악 활동을 해 온 것은 '자기 노래'를 추구하려는 아티스트로서의 어쩔 수 없는 결정이었지만, 한편으론 그간 말할 수 없었던 마음의 짐 같은 것도 있지 않았을까 합니다. 이런 점들이 그가 '아티스트로서의 성실함' 부분을 포기하지 않으려고 한 이유가 아닐까 합니다. 물론 개인적인 추측입니다.

다시 안치환의 디스코그래피를 살펴본다면, 많은 이들의 청춘과 같이 한 수많은 노래가 있습니다. 저 역시 안치환의 노래들과 30년 넘게 같이 살아왔습니다. 그래서 이 시점에서 '우리시대 뮤지션' 안치환을 재조명하는 인터뷰 단행본을 작업하게 된 것이 기쁩니다.

아울러 '전설의 기록' 시리즈 프로젝트를 기획한 도서출판 답에도 감사드립니다. 이 엄혹한 시절에 이런 프로젝트를 기획한다는 것은 쉽지 않은 결정이었을 것입니다. 또한, 단행본 작업을 하는 데 있어 여러모로 도움을 준 maniadb.com이 앞으로도 잘 운영되기를 바랍니다. 그리고 동글이 작가의 건강과 건승을 기원합니다.

2024.4.17 박준흠

I   서문

01
1973-1993년, 한국 민중음악 / 저항음악과 안치환

1) 김민기의 〈금관의 예수〉(1973년) -
기독교 민중가요의 시초격인 노래

〈금관의 예수〉는 김지하 시인의 희곡이자 도입부에 나오는 시이다. 암울하던 1970년대 '낮은 곳'을 비추어야 마땅한 종교가 제 역할을 하지 못하는 모습을 그린 연극으로 종교가 쫓겨난 사람들을 거두기는커녕 오히려 권력과 금력이 빌붙어 잇속을 차리는 데 열중하는 상황을 비판하는 내용이 담겨있다. 그런데 이런 내용을 담고 있는 이 연극이 최초로 공연된 곳은 1973년 원주 가톨릭회관이었다. 이는 정황상 당시 가톨릭 쪽에서의 자기반성이 있었음을 짐작하게 할 수 있는 대목이다.

1장의 내용만 요약해서 보면 청회색의 음울한 하늘을 배경으로 예수상이 실루엣으로 보이고, 무대 중앙 탁자에는 검은 표지의 성서를 올려놓도록 대본은 지시한다. 이는 하느님의 말씀을 전하는 공간에서 예수님이 내려다보는 가운데 이루어지는 성직자의 대화라는 것을 상징한다. 여기서 신자라는 건축업자는 한 푼만 달라는 걸인에게는 "내가 골이 비었냐?"라고 비웃음을 보내지만, 예수상을 향해서는 "그 금관은 제가 낸 헌금을 골자로 만들어졌다는 사실을 잊지 말아달라"면서 "교회의 대소 공사를 맡겨주면 아예 전신을 금덩이로 만들어 드리겠다"라고 '기도'한다.

　〈금관의 예수〉는 위의 희곡의 첫 도입부를 토대로 1973년 작곡(원주로 가는 버스 안에서)된 김민기의 작곡/노래로 '기독교 민중가요의 시초격인 노래'다. 민주화운동의 투쟁 현장은 물론 교회 안에서도 많이 불린 노래다. 후렴으로 반복되는 "오 주여, 이제는 여기에"라는 간절한 호소는 독재에 신음하던 우리 민중의 간절한 기도로 들리기도 했다.

리브레 위키

얼어붙은 저 하늘 얼어붙은 저 벌판

태양도 빛을 잃어 아 캄캄한 저 가난의 거리

어디에서 왔나 얼굴 여윈 사람들

무얼 찾아 헤매이나 저 눈 저 메마른 손길

오 주여, 이제는 여기에, 오 주여, 이제는 여기에,

오 주여, 이제는 여기에, 여기에 우리와 함께.

오 주여, 이제는 여기에, 오 주여, 이제는 여기에,

오 주여, 이제는 여기에, 우리와 함께 하소서

아- 거리여 외로운 거리여

거절당한 손길들의 아 캄캄한 저 곤욕의 거리

어디에 있을까 천국은 어디에

죽음 저편 푸른 숲에 아 거기에 있을까

김지하 시 / 김민기 작곡

2) 서울대 노래패 '메아리' 창단 (1977년) - 창작 중심의 대학 노래패의 시작

"1979년 여름, 메아리의 골수들은 우리의 노래들을 테이프에 담아 보급해보자는 계획을 세우고 방법을 찾기 시작했다. 김민기 선배의 [공장의 불빛]이 이른바 불법 테이프의 놀라운 가능성을 일깨워준 지 불과 몇 달이 지난 시점이었다. 당시로는 여러모로 위험천만한 작업이기도 했고 무엇보다도 가진 것이라곤 맨 몸뚱어리와 젊은 열정, 그리고 기타 몇 대가 전부이던 우리에게 그것은 매우 무모한 시도였음이 틀림없다. 노래와 반주야 늘 하던 식으로 몸으로 때운다고 하더라도 우선 녹음할 장소가 마땅치 않았다. 명색이 상업적(?) 보급을 위한 첫 출발인데 서클룸에서 카세트 레코더로 녹음할 수는 없는 노릇이었다. 그때 내가 봉천동의 한 카페를 추천했다. (중략) 지금 생각하면 어처구니가 없을 정도로 열악한 녹음실이었지만 당시 우리는 그저 릴 녹음기에다 에코 효과를 빵빵 넣어가며 녹음할 수 있다는 사실만으로도 충분히 감격했었다. 이 카페의 정기휴일을 빌어 녹음했다. 16곡의 레퍼토리를 녹음하는데 아침부터 저녁까지 꼭 한나절이 걸렸다."

'메아리 1집 복각판에 부쳐' - 김창남, 78학번, 문화평론가

1977년 서울대 문승현, 한동헌으로부터 시작된 학내 노래패 '메아리'는 구성원들이 밥 딜런, 존 바에즈, 피터 폴 앤 메리 등 영미권 포크 음악을 좋아하는 취향을 내재하면서도 서울대 선배인 김민기와 자유로운 영혼을 가진 히피 한대수를 전범으로 한 창작 음악을 만들고자 했다. 사실 해외 유명 번안곡들이 버젓이 음반으로 녹음되었던 1970년대 당시에 여타 가수들처럼 국내외 대중음악/포크 명곡들을 카피해서 부르는 '취미 음악동호회' 활동으로 머무를 수 있었음에도, 초기 메아리 구성원들이 왜 대중음악 창작에 관심을 기울였는지는 추측만 할 수 있을 뿐이다.

첫 번째 추측은 1975년 6월 긴급조치와 12월 대마초 파동의 여파로 신중현, 이장희뿐만 아니라 김민기, 한대수 등. 록과 포크 계열의 뛰어난 창작자들이 활동을 중지하면서 공공영역에서는 더 이상 그들의 음악을 들을 수 없게 된 환경이 이유가 되었을 수도 있다. 바야흐로 '뽕록'과 '트로트'가 대세가 되는 시절을 맞으면서 김민기, 한대수, 양희은, 송창식, 서유석, 사월과오월, 김정호, 이장희 등이 대학가와 음악카페, FM 심야 라디오를 장악했던 1968-1974년의 '포크송 무브먼트' 시기를 그리워 했을 수 있다.

두 번째 추측은 1971년 김민기 1집으로 촉발된 '한국말'로 만든 포크 음악의 창작 가능성을 확장하고 싶었던 욕구가 있지 않았을까 한다. 영어 가사의 노래를 즐겨 듣고 애창하다 보면 한국말로 가사를 쓰는 것에 대해 어색해 하고, 심지어 한국말은 포크/힙합 가사 운율에는 적합하지 않다거나 감정 표현에 어색하다고 생각하는 경향이 생기기도 한다. 이 부분에서 선구자적인 행보를 보인 뮤지션이 김민기였고, 파격적인 노랫말과 가창을 보여준 뮤지션이 한대수였다. 당시 20대 초반의 문승현, 한동헌 등은 이에 대한 충분한 문제의식을 느꼈으리라고 본다.

세 번째 추측은 1950년대 말 미국의 우디 거스리, 피트 시거에 이어서 밥 딜런, 존 바에즈 등이 계승한 '프로테스탄드 포크(protestant folk, 저항 음악, 비록 음악으로 세상을 바꾸지는 못할지라도 세상의 변화에 기여하겠다는 지향을 가진 음악)'를 한국에서 발현하고 싶었을 것이다. 이는 남미 등 제 3세계 국가에서도 벌어진 노래운동이기도 한데, 이에 대한 국제적인 연대 성격도 있었을 것이다. 한국 '저항음악 창작'의 역사는 앞서도 얘기한 김민기의 〈금관의 예수〉(김지하 시)로 보기도 한다. 즉, 메아리는 〈금관의 예수〉가 보여준 민중음악/저항음악 창작의 가능성을 실험하고픈 욕구가 있었을 것이다.

마지막으로 1977년 한국 대중음악계 상황이다. 정치 사회적인 이유로 신선한 창작 음악이 나오지 않는 상황에서 등장한 'MBC 대학가요제'에서는 아마추어리즘을 바탕으로 한 대학생들의 신선한 창작 음악이 기존 대중음악계를 강타했다. 또한, 전대미문의 삼 형제 록밴드 '산울림'이 데뷔앨범을 발표했는데, 〈아마 늦은 여름이었을 거야〉, 〈아니 벌써〉, 〈불꽃놀이〉, 〈문 좀 열어줘〉와 같은 듣도 보도 못한 스타일의 노래들을 쏟아내서 세간에 충격을 줬다. 창작/세션 측면에서 보면 산울림 1-3집은 한국뿐만 아니라 전 세계 어디서도 음악적인 유사점을 찾기 어려운 독보적인 음악이었다. 그래서 서울대의 엘리트 청년들에게는 새로운 음악창작에 대한 동기 부여가 되지 않았을까 한다.

그래서 1979년 여름에 봉천동 한 카페에서 역사적인 메아리 1집 [고뇌하는 마음으로 노래를]을 녹음하고, 불법으로 유통한다. 메아리 1집 (원래 카세트테이프로 제작)이 녹음된 1979년 여름은 유신정권의 조종이 울리기 몇 달 전이었고, 숨 막힐 것 같은 사회의 압제적인 분위기가 사람들을 무기력하게 만들었던 시기였다. 칙칙한 회색의 계절만이 끝도 없이 이어지던 시기라고나 할까. 그때 봉천동의 한 카페에서 녹음된 이 조악한 노래들은 사실 놀라운 면이 있다. 김창남이 부르는 김민기의 〈금관의 예수〉를 잘 듣고 있으면 카페(녹음실) 밖에서 아이들이 뛰어노는 소리가 들려서 웃음이 나는데, 이 '한가로운' 상황이 알고 보면 숨어서 숨죽이며 노래하던 상황이라는 점이 기가 막힌다.

난 1970년대 현경과영애의 〈아름다운 사람〉과 같은 노래를 들을 때마다 아름답다기보다는 '체념'이나 '허무'의 정서가 강하게 느껴져서 당혹스러운데, 김창남이 부르는 〈금관의 예수〉나 〈기지촌〉을 듣고 있으면 그런 면에서의 절정이다. 갓 스무 살이 지난 나이의 청년들이 부르는 노래들은 답답한 시대에서의 '절규'로 들린다. 그래서 이 음반을 듣고 있으면 섬찟할 때가 있다. 한동헌이 부르는 〈노래〉는 김광석이 부른 것과는 다른 매력이 있다. 노래야 김광석이 더 잘하지만, 개인적으로 이 원래 버

전이 더 마음에 든다. 기타 연주에 김현민, 이영웅, 문승현이, 하모니카 연주에 양현수가 참여한 이 음반은 1997년 4월에 복각되었다.

아울러 1980년 여름에 LAB STUDIO(서라벌 스튜디오)에서 녹음된 메아리 2집에는 한동헌의 〈신개발지구에서〉 등이 실렸다. 기타 연주에 문승현, 김창남, 이영웅, 김보성, 노승종, 박윤우, 장성도가 참여했고, 김민기와 문승현이 프로듀서를 맡은 것으로 되어 있다. 역시 1997년 4월에 복각되었다.

3) 최초의 전문노래 운동 집단 '새벽' (1984년) - 노찾사 1집 발매

"1983년 10월 무렵 이제 우리끼리 만나면서 뭔가를 도모해야 한다는 의식이 있었어요. 5공의 이 암울한 시절이 언제까지 가는지 모를 시점에서 어쨌든 뭔가를 해야 한다는 생각에서 1983년부터 계속 만났어요. 우리끼리 스터디도 하고 탈춤 대본 갖다 놓고 연습도 해보고 그랬죠.

김민기 형이 1984년 봄에 다시 올라와서 혜화동에 사무실을 내고 김석만 선배하고 뮤지컬 작업을 시작했어요. 우리는 그 사무실을 자주 이용했는데 지금 문화상품권 하는 김준묵 선배가 한울 출판사에 있으면서 악보집과 테이프를 같이 내자는 거예요. 처음엔 시리즈로 계속 내자고 했는데 내 생각에는 검열 통과할 수 있는 게 열 몇 개밖에 안 될 거라 그랬더니 열 몇 곡이라도 채워서 음반을 내보면 어떻겠냐고 그러더라고요. 그건 가능하겠다 싶어서 김민기 형을 찾아갔고 김민기 형이 한번 해보자, 대신 자기도 어차피 뮤지컬 작업하려면 도와줄 사람들이 필요하니까 같이하자고 해서 김민기 형 뮤지컬 음반하고 우리 음반을 같이 진행한 거죠."

김창남, 성공회대 신문방송학과 교수

위 인터뷰는 아직 노래모임 '새벽'도 '노래를 찾는 사람들'도 존재하기 이전에 노찾사 1집(1984년)을 만들게 된 과정에 관한 이야기다. [노래를 찾는 사람들] 음반에는 서울대 '메아리', 고려대 '노래얼', 이화여대 '한소리' 등 대학노래패에서 활동했던 일군의 청년들이 참여하는데, 이때의 '노래를 찾는 사람들'은 팀명이 아닌 앨범 타이틀이었다. 이 음반은 노래 운동진영에서 만들어진 최초의 합법적 앨범이 된다.

당시에 노찾사는 이 집단의 공식적인 명칭이 아니었으며 앨범이 만들어진 이후 한동안은 '새벽'이라는 이름으로 비합법 공간을 중심으로 활동을 전개했다. 그러다가 1987년 합법적 공간으로 활동 영역을 넓히며 음반의 제목으로 이미 세간에 알려졌던 노찾사를 자신들의 공식명칭으로 사용하기 시작했다. 당시 민중문화협의회 소속 단체로 '또다시 들을 빼앗겨'라는 일종의 노래극 공연을 하고 그게 민문협의 테이프로 제작되면서 '새벽'이라는 이름이 생긴다. 결국, 노찾사라는 음반을 낸 주체가 새벽이라는 이름으로 공연을 한 것이다.

▶노찾사 1집

노래 : 김광석, 김보성, 김삼연, 김병준, 노승종, 문승현, 박미선, 설문원, 이창학, 임정현, 장효정, 정재영, 조경옥

세션 : 조원익(베이스), 안기승(드럼), 노승종(기타), 문승현(기타), 김광민(건반), 김광석(하모니카), 김영동(대금), 김광복(피리), 장종민(북)

4) 노찾사 첫 번째 공연 (1987년) - 〈녹두꽃〉으로 민중음악 스타가 된 김광석

안치환이 '새벽'에 가입한 1986년에는 홍대 교문 옆 효정 음악학원 연습실에 이어서 상도동 지하실을 사무실로 썼고, 1987년에는 망원동에 '21세기 음악 연구회' 간판을 건 사무실을 운영했다. 그러다가 7월에 물난리가 나면서 사무실이 잠기는 사태가 났는데, 한 달 뒤 정식으로 공연해보자는 얘기를 나누게 된다. 새벽은 비합법 활동을 해왔던 노래 운동 집단으로서의 정체성이 있으니까 그걸 유지하고, 이번에 하는 공연은 '합법적인 영역'에서 하는 거니까 명백하게 분리해야 한다는 생각에서 '노찾사'로 공연을 기획하게 된다.

10월 13일 기독교 백주년기념관으로 날짜와 장소를 정한 후 여름부터

연습에 들어갔는데, 여기서 김광석은 〈녹두꽃〉, 〈이 산하에〉 독창을 준비하고 안치환의 소개로 박기영이 피아노 반주자로 참여한다. (같은 시기에 김광석은 김창기, 유준열, 박경찬과 유준열의 안산 별장에서 동물원 데모 20여 곡을 녹음하기도 한다) 음악감독을 문승현이 맡았는데, 당시 문승현은 김광석의 가요적인 가창을 '광장'에 어울리는 가창으로 바꿔주기 위해 혹독하게 발성 훈련을 시켰다고 한다. 그 결과 우리가 아는 김광석 가창이 이때 완성되었고, 10월 첫 번째 노찾사 공연에서 김광석은 발군의 가창을 보여준 〈녹두꽃〉으로 민중가요 스타로 탄생한다. (하지만 김광석의 마음은 이미 노찾사에서 동물원으로 옮겨간 상태였고, 10월 말부터 동물원 1집 녹음이 시작되어 1988년 1월에 동물원 1집이 발매된다.)

1,000석쯤 되는 기독교 백주년 기념관 공연장에서 이틀 동안 공연이 진행되었는데, 관객이 미어터진다. 줄을 종로 5가까지 섰다고 한다. 공연은 감동 이상이었고, 관객들이나 가수들 모두 눈물을 흘리면서 노래를 불렀다고

한다. 공연의 대성공으로 노찾사는 '공연 타이틀' 성격에서 정식으로 팀명이 된다.

공연 이후 하나의 팀으로 운영하겠다는 생각으로 새벽에 있던 김광석, 안치환 등을 배치하고 권진원 등도 결합한다. 1988년 초부터 안치환은 노찾사 멤버 오디션을 진행했다고 한다.

5) 노찾사 2집 발매 (1989년) – 1980년대 민중음악 베스트 모음집

"노찾사 2집은 진보적 노래운동의 성과가 상업적 대중가요 음반 시장 안에 의도적으로 진입하여 성공한, 우리나라 대중가요사상 최초의 기념비적 음반이라 할 수 있다. (중략)

창립 이후 노찾사는 공연 때마다 매진 행진을 계속함으로써, 대중가요와 전혀 다른 경향의 노래인 민중가요가 얼마나 강한 호소력을 발휘하는, 감동을 주는 노래인지 증명하였다는 점에서, 이 음반은 발매 이전에 이미 준비된 '대박 상품'이기도 했다. 결과는 예상보다 훨씬 대단한 것이어서, 1년 사이에 50만 장을 돌파하였고 그 후 1990년대 초중반까지 80만 장 이상 판매되었다. 〈솔아, 푸르른 솔아〉는 텔레비전 가요순위 7위에 올랐다.

이 음반의 수록곡은 9곡 모두 노래모임 '새벽' 멤버들(문승현, 문대현, 안치환, 류형수)이 지은 작품으로, 당시 상당한 인기를 끌고 있던 유명 민중가요였다. 음반은 노래 발표의 시작이 아니라, 그 화려한 유통의 기록이었을 뿐이다. 그런 점에서 이 노래는 당시의 검열 기준에 비추어 보자면 너무도 과감한 표현들로 뒤덮여 있다. '민주의 넋', '창살 아래 네가 묶인 곳', '피에 젖은 유채꽃', '우리 노동자의 긍지와 눈물을 모아', '살아이 한 몸 썩어져 이 붉은 산하에' 등의 구절은 다른 대중가요였다면 엄두도 낼 수 없는 표현들이다. 이미 사람들의 입에 수없이 오르내렸고 공연을 통해 박수갈채를 받았던 이 작품들을 지켜보는 대중들의 눈이 무서워, 엄혹한 검열 당국도 손을 대지 못했을 것으로 추측된다.

 편곡을 비롯하여 음악 전체를 담당한, 따로또같이 출신의 나동민은, 키보드를 중심으로 한 매끈하고 윤기 있는 질감을 만들어내어, 노래모임 새벽의 비합법 음반에서와는 다른 노찾사만의 대중적인 색깔을 만들어내었다. 노찾사 가수들은 개인의 색깔 대신 노찾사라는 집단의 색깔만을 보여주었지만, 그래도 〈광야에서〉와 〈잠들지 않은 남도〉를 부른 안치환과 〈저 평등의 땅에〉와 〈사계〉의 솔로 부분 권진원의 목소리를 확인하는 것은, 1990년대 언더그라운드 스타들의 전사를 보여준다는 점에서 흥미로운 들을 거리이기도 하다."

이영미, 한국 대중음악 100대 명반

6) 정태춘 [아, 대한민국…] (1990년) - '가요 사전심의 철폐' 운동의 시작

"정태춘의 7번째 정규앨범 [아, 대한민국…]은 무엇보다 한국 사회에서 오랫동안 견고하게 작동하던 사전심의제도에 공식적으로 저항한 첫 번째 음반이라는 점에서 대단히 무겁고도 각별한 의미를 지닌다. 그것은 한국 대중음악사에서 1996년 사전심의제도의 폐지라는 결정적 장면으로 가는 시작점이었다. (중략)

 대한민국 현대사의 일대 전환점이었던 1987년 6월 민주화운동과 노동자 대투쟁은 정태춘의 음악 활동에도 커다란 변화를 가져왔다. 그는 각성했고 달라졌다. 1988년 양심수를 위한 음악회와 1989년 전교조 지원 노래극 '송아지 송아지 누렁송아지'에 참여하는 등 민주화운동과 시위의 현장에 적극적으로 모습을 드러냈다. 노래에 담아내는 메시지도 강렬해졌다. 전작인 [戊辰 새 노래]에서부터 선보인 날 선 가사는 [아, 대한민국…]에 이르러 더욱더 직접적이고 선명해졌다. 그의 노래는 이제 한국 사회의 치부와 부조리를 드러내서 베는 날카로운 칼이었다.

　1990년 정태춘은 더 나아가 공윤과의 전면전에 나섰다. 앨범 발매를 앞두고 사전심의에서 또다시 대규모 수정지시를 받자 그는 이에 반발해 아예 사전심의 자체를 거부하고 음반을 불법으로 배포해 버렸다. 카세 트테이프로 제작해 자신의 공연장과 대학가 등 제한된 경로를 통해서만 판매하는 비합법 경로를 선택한 것이다. 이는 방송국 신인 가수상을 수 상하며 화려하게 데뷔해 나름대로 꾸준히 대중적 인기를 누려온 대중가 수로서는 상상하기 어려운 선택이었다. 불법 음반 제작 및 유포는 자칫 실형을 살 수도 있는 위험천만한 일이었지만 정태춘은 기꺼이 그 길을 택했다. (중략)

　형식적인 면에서 이 음반의 수록곡들은 대중가요와 민중가요의 접점에 위치한다. 담고 있는 메시지는 여느 민중가요를 뛰어넘는 치열함을 지녔 으면서도 대중가요의 형식을 수용해 확장을 꾀했다. 민중가요 발라드의 형식을 따른 〈형제에게〉 정도를 제외하면 군가풍, 행진곡풍 운동권 가요 의 전형성은 찾아볼 수 없다. 여기에 〈황토강에서〉와 〈인사동〉을 비롯한 다수의 수록곡에서 들리는 국악기 소리는 정태춘이 오래전부터 천착해 온 국악과 대중가요의 만남을 위한 노력이 계속되고 있음을 확인시켜 준다."

정일서, 정태춘. 박은옥 40 헌정 출판 - 다시, 첫차를 기다리며

7) 안치환 [Confession] (1993년) -
대중음악 안에서 '저항음악'의 새로운 모습

1993년에는 노래운동 진영에서 몇 가지 변화가 있었고, 저항가요가 새로운 국면을 맞은 시기다.동 집단이라고 얘기할 수 있는 '새벽'이 1993년 2월에 학전소극장에서 '러시아에 대한 명상' 공연을 진행한 이후 모임을 해체했다. 이는 저항음악 역사에서 많은 아쉬움을 남기는 대목이다.

7월에는 안치환이 대중음악 안에서 '저항음악'의 새로운 모습을 보여준 3집 [Confession]을 발표했다. 변화하는 시대를 따라가지 못한다는 얘기를 듣던 민중음악 진영에서 나온 '미학적인 해답'으로까지 얘기할 수 있는 이 음반으로 안치환은 민중음악을 넘어서 대중음악에 안착했다. 아울러 1990년대 록 음악 어법을 민중음악 뮤지션이라고 얘기되는 그가 제시한 점은 특기할만하고, 1993-1995년에 노찾사 출신인 그와 김광석이 조동익과 함께 당대 명반들(안치환 3-4집, 김광석 4집과 다시 부르기 1.2)을 연이어 만든 것도 주목해야 한다.

10월에는 정태춘·박은옥 8집 [1992년 장마, 종로에서]가 발표되는데, 전작 [아, 대한민국…]에 이어 사전심의를 거치지 않은 채 비합법 음반으로 유통되었다.(1996년 6월에 사전심의제도가 철폐된 이후 두 음반 모두 정식으로 다시 발매됨) 정태춘은 [92년 장마, 종로에서]에서 우리가 살아가는 '시대'를 음유시인의 역량으로 표현하고자 했다면, 안치환은 새벽, 노찾사라는 민중음악(저항음악)의 엘리트 집단 출신임에도 오히려 '나, 내 음악'에 천착하는 모습을 보여준다. 자신의 이야기를 통해서 세상을 노래하겠다는 태도다.

11월에는 최초의 민중음악 록밴드 '천지인'이 1집 [민중음악의 신세대 - 天地人]을 발표했다. 〈어쨌든 우리는 살아가니까〉, 〈청계천8가〉와 같은 의미 있는 노래들이 수록되었다.

또한, 노찾사가 3집(1991년)과 4집(1994년)을 발표하는 와중에 '꽃다지'는 1992년에 비합법 1집 [首善全圖]를 발표한 데 이어서 1993년에는 비합법 2집 [내일엔 내일의 태양]을 발표한다. 이들은 합법 1집 [민들레처럼]을

1994년에 발표한다. (꽃다지는 1991년에 노동자노래단과 예울림이 통합되어 만들어진 노동음악 노래패다. 예울림은 안치환도 활동했던 연세대 '울림터' 83-85학번들이 중심이 되어 1989년에 결성된 노래패다.)

안치환은 3집 [Confession]에 대해서 다음과 같이 자평한다.

"나는 가장 대표적으로 잘한 게 〈자유〉와 〈소금인형〉 같아요. 왜냐하면 〈자유〉는 기존의 내용적인 일관성을 지켜내면서 음악적으로 완벽한 변신을 이어가거든요. 나는 운동권 음악이라고 하는 저항가요에 있어서 〈자유〉는 굉장히 중요한 노래라고 생각해요. 그런 면에 있어서 음악적으로 따진다면 고루한 운동 저항가요의 틀을 완전히 깨부순 노래라고 생각해요. 김남주 선생님이 감옥에서 나와서 같이 공연하러 다니는데 '다시 서는 봄'이라는 거였어요. 순회공연을 다녔는데 맨 처음에 풍물하고 무대가 열리면 김남주 선생님이 딱 나와서 '자유'를 암송해요.

'자유. 만인을 위해 내가 일할 때 나는 자유.' 매번 가서 옆에서 지켜본 선생님이, 바바리코트 딱 입고 안경 쓰고… 그게 얼마나 멋있던지. 얼마나 대단한 사람, 얼마나 위대한 시인이 살아 돌아와서 저기서 이야기하고 있는지… 나는 그걸 뼈저리게 느끼는 사람이에요. 그 억양, 그 운율이 그대로 노래가 됐다고 생각해요. 그게 〈자유〉예요. 그래서 저항가요를 얘기할 때 그 고루하고 맨날 똑같은 4분의 4박자, 행진곡풍 아니면 러시아 발라드풍의 재미없는 진행과 그냥 질질 끄는 그러한 걸 벗어난, 나름대로 하나의 획기적인 노래라고 생각을 하는 거예요.

그다음에 〈소금인형〉은 다른 노래도 그렇지만 시를 가지고서, 그 응축된 시를 내가 그렇게 표현했다는 것이 나도 잘 모르는 내 능력인 거 같아요. 시를 내가 품는다. 아무튼, 그것 때문에 〈소금인형〉이 많이 유명해졌던 것 같아요.

그리고 그 무엇보다 가장 중요한 건 〈고백〉이에요. 〈고백〉에서 내가 이야기하는 그 가사가 그때 그 과정에 있는 나의 어떤 절절한 마음을 표현한 가사들이에요. 3집이 그런 겁니다."

안치환

02
안치환에 대한 개인적인 기억들

〈너를 사랑한 이유 A〉와 〈내가 만일〉로 인기를 얻었던 안치환의 4집을 처음 들었던 것은 대중음악 전문지 '서브'에서 글을 쓰기 시작했던 1997년 겨울이었다. 난 지금도 그 겨울, 차 안에서 넋 놓고 안치환의 본 앨범을 들었던 순간을 잊지 못한다. 아무런 기대 없이 들었던 그의 노래들은 그때까지 내가 가지고 있었던 민중음악 뮤지션들에 대한 선입관을 한 방에 날려버렸고, '노래를 따라 부르게끔' 할 정도로 감동적이었다. 나는 차에서 내리지 않고 음반을 한 번 더 들을 정도로 충격적인 경험을 했다. 이는 본 앨범이 발표된 지 2년 뒤의 일이었다.

하지만 의아했다. 한국의 대중음악에 대해서 폭넓은 경험과 정보, 그리고 통찰력을 가지고 있다고 자부했던 내가 왜 유독 안치환에 대해서 그리도 무지했을 수가 있었을까? 80.90년대 한국 대중음악의 잡사雜事까지 꿰고 있으면서 왜 90년대의 대표적인 음악창작자라고 할만한 안치환에 대해서는 철저하게 무시로 일관했을까?

이유는 음악마니아의 관점에서 민중음악의 음악성(음악적 특성)을 이해하기 어려웠다는 점과 함께 90년대 중반에 천지인 이후 생겨난 민중음악과 록 음악의 교배 작업에 실망했다는 점이다. 난 그들이 공공연히 보여준 '대안적인 대중음악'을 실천하는 운동가 이미지에 공감하지 않았다. 왜냐하면, 나중에 '재발견한' 안치환 이전에 행해졌던 '대안적인 대중음악'의 다수는 동시대의 음악마니아가 듣기에 솔직히, 다소 구렸기 때문이다. 그래서 당시 민중음악 관련 대중음악 뮤지션들에게는 어느 순간 이후로 전혀 관심을 두지 않았다.

 안치환은 노찾사 2집(1989)에 참여하면서 '대중음악계'에서 공식 경력을 시작한 민중음악 가수였다. 1990년에 솔로 1집을 발표했고, 민중음악 진영에서 '록 음악 담론'이 얘기되던 1993년에 록 음악을 투영한 3집 [Confession](1993)을 내놓았으며, 이 음반부터 가수로서의 정체성을 찾기 시작했다고 할 수 있다. 당시 여타 '대안적인 대중음악'을 고민한 민중음악가들과 달랐던 점은 간단하게 말해서 고민을 '제대로' 했다는 점이고, 이는 '3집을 만들기 전에 내 노래에 대한 답답함이 있었다. 노래는 가수에게도 짜릿함이 있어야 하는데, 나 자신을 너무 가두고 있는 느낌이었다. 그래서 음악적인 변화를 시도했다. 록은 리듬의 음악이지만 록 하는 사람들은 한국적인 어법을 고민했어야 했다'라는 그의 말에서도 드러난다. (후략)

박준흠, 한국 대중음악 100대 명반

　위의 고백은 1998년 3월에 안치환을 인터뷰한 이유이기도 하다. 김창완(산울림), 이정선, 한대수, 정태춘, 이주원(따로또같이), 신중현에 이어서 인터뷰를 진행했으리만큼 그에 관한 관심은 컸다. 그런데 김창완이 위는 세미 정장을 입었음에도 아래는 주황색 운동복 바지를 입고 등장해서 당황케 한 이후, 안치환도 복장으로 다시 한번 놀라게 했다. 당시 목동 파리공원에서 인터뷰를 잡았는데, 자전거를 타고 건널목을 건너오는 모습이 검은색 모자에 점퍼 상의와 운동복 바지 차림이었던 같다. 인터뷰 장소를 파리공원으로 잡을 때부터 이상했는데, 아마 신변잡기 문답 중심의 일반적인 신문잡지 인터뷰로 생각했던 것 같다. 대충 얘기하고 사진도 뮤지션 쪽에서 제공하는 방식을 생각했던 것 같다.

그런데 의외로 음악 중심으로 깊게 질문을 이어가자 30분 정도 진행하고는 근처 조용한 주점으로 가서 나머지 이야기를 하자고 했다. 그리고 2시간 정도 더 얘기를 나눴던 것 같다. 당시 그의 나이가 30대 중반이어서 그런지 그의 태도는 활화산 같았고, 거침없이 말들을 쏟아냈다. 한국에서 저항음악가는 어떤 생각을 하고 있는지를 알 수 있게 한 대표적인 인터뷰라고 생각한다.

(※ 사운드네트워크 https://soundnetwork.kr에서 관련 인터뷰를 보실 수 있습니다.)

Ⅱ 안치환 인터뷰

01
어린 시절

"고1 때 수원의 유신고등학교에서 매탄동 우리 아파트(외삼촌 댁)까지 걸어가는 중간에 음악사가 하나 있었어요. 거기 야외에 조그마한 스피커에서 바브라 스트라이샌드의 〈Woman in Love〉 그 노래가 항상 나왔어요.

그래서 그 노래를 들으면 그때로 확 들어서는 느낌.

그 시절, 수원에 와서 어디 기댈 데 없고, 정처 없고, 불안하고, 미래가 안 보이던 그런 시기. 그리고 "everybody needs a little time away-"(시카고 〈Hard to Say I'm Sorry〉) 이 노래가 나오면, 고3 때의 신림사거리로 확 이동해요.

신림사거리의 현대음악사라고, 거기에 어떤 누나가 있어요. 조그마한 누나가 그걸 운영했는데, 그 누나 주변에 우리 고등학교 친구 놈들이 다 꼬이는 거예요."

1) 경기도 화성군 우정읍 매향리, 쿠니 **Koo-Ni** 사격장

박준흠 : 안녕하세요. 인터뷰를 22년 만에 다시 하게 되었습니다. 시간이 20년이 넘게 흘렀습니다.

안치환 : 그러네요. 지나고 나면 시간은 빠르게 느껴지는 거니까. 별일 다 있었겠지만 살아 있어 다행이다, 죽지 않아서… 난 가끔 그런 생각을 해요. 인간이 너무 오래 사는 것 같다고. 내가 오래 살지 못하고 일찍 죽는다면 속상하겠지만, 이렇게 지나고 나서 보면 와- 진짜 사람이란 오래 산다.

박준흠 : 생년월일과 고향이 어떻게 되나요?

안치환 : 1965년생이고, 음력 10월 24일입니다. UN데이. 경기도 화성군 우정읍 매향리인데, 지금 화성시로 바뀌었죠.

박준흠 : 부모님과 고향 얘기를 먼저 해주시겠습니까? 아버님 성함이 안의영 님이시고, 어머님 성함이 이경님 님으로 알고 있습니다.

안치환 : 엄마가 나랑 30년 차이. 그러니까 지금 88세이시고. 아버지는 엄마보다 5살, 6살 많으세요. 우리 고향은 거의 시골이지만 서울에서 멀지

않죠. 그런데 정말 별거 없는 바닷가 마을이에요. 산도 없고 강도 없고, 별다른 거 없는, 그냥 바다. 지금은 기아자동차 화성공장이 들어와서 완전히 정나미 떨어지는, 시골 경치가 다 파괴돼 버린 그런 고향이고. 이전에는 '쿠니(Koo-Ni)사격장'이라고 미군 비행기 폭격장이 있던 곳 바로 옆이 우리 집이고. 그래서 어릴 때부터 비행기 폭격 소리 등에 너무 익숙했어요.

쿠니사격장 (사진제공 화성시)

박준흠 : 비행기가 날아와서 폭탄을 떨어뜨리는 걸 본 건가요?

안치환 : 그렇죠. 매향리 바다 앞의 '농섬'에 폭격 연습을 하는 거죠. 폭격기, 전투기가 계속 돌면서 몇 대가 계속 쏴요. 바로 우리 집 위에서, 낮게 날면서 바로 팍 쏴요. 대단히 시끄럽죠. 동네 사람들은 그 소음에 익숙해서 그런지 목소리들이 커요. 우리 집 50m 뒤가 철조망이고, 바다 끝까지

그 철조망이 이어져 있어요. 그리고 바닷가 쪽 폭격장에다 쏴요. 비행기가 바로 우리 집 위에서 쏘는 거죠.

박준흠 : 집에서 보면 비행기가 크게 다 보였겠네요?

안치환 : 다 보이죠. 폭격기에서 폭탄이 날아가는 게 보이는데요. 어떤 때는 엄청나게 큰 소리가 나요. 내가 초등학교 들어가기 전인가, 엄마 아버지 할아버지 할머니 다 일하러 들에 가셨는데, 나 혼자 마당에서 놀다가 비행기 폭격 소리, 그 소리가 엄청나게 커서, 거기에 압도돼서 막 울고 그랬던 기억이 나요. 무서워서. 그리고 거기는 폭탄 사고가 상시 일어나서 우리 집 위에 미군 부대 폭격장 사설 경비원들이 있었어요. 사람들이 들어가지 못하게 초소가 있어요. 한 평, 두 평이나 될까. 그 초소에서 보초를 서는 경비원 아저씨들이 있어요. 한 사람은 윗집에 살던 아저씨. 또 한 아저씨는 인천에서 온 분이에요. 인천에도 미군 부대가 많잖아요. 어쨌든 이런 식으로 흘러와서 주변에 항상 살았어요. 나 어릴 때 윗집 아저씨는 늘 취해 있었고 일상적인 대화를 해본 적이 없어요. 이유를 나중에 알았는데, 그 아저씨 본처가 만삭 때 폭탄에 맞아서 죽었다고 하네요.

박준흠 : 오폭誤爆으로요?

안치환 : 예. 비행기가 쏘는데 항상 거기 포격장 표적에만 쏘는 게 아니잖아요. 잘못 쏴서 죽는 사고가 있었어요. 그중에 한 명의 희생자가 그 아저씨 본처였어요. 그래서 그 아저씨한테 보상으로 그 경비원 자리를 준 거죠. 그 아저씨는 제정신으로 사는 게 아니고, 돈벌이 땜에 사는 거죠. 그 이후에 재혼한 아줌마 자식하고 내가 알고 있는 거죠.

박준흠 : 미군 사격장이 언제까지 있었나요?

안치환 : 쿠니Koo-Ni 미군 사격장. 쿠니가 옆 동네 고온리예요. 7집 (2001년)에 〈매향리의 봄〉이 수록되었으니까, 아마 그때쯤 폐쇄됐었을 겁니다. 거기에 어린이야구단이 연습하러 오는 야구장들이 쫙 있었는데, 아무튼 거기가 내 고향입니다. 지금 옆에 기아자동차 공장 있고, 별 볼 일 없는 바닷가가 있고.

박준흠 : 하루에 얼마나 폭격 연습을 했나요?

안치환 : 하루에 서너 번요. 거기에 황색기가 날리면 못 들어가요. 오후 다섯 시인지 몇 시인지 모르는데, 딱 깃발을 내리면 동네 청년, 어른들이 그 안으로 열심히 뛰어 들어가요. 막 뛰어들어서 곡괭이, 삽 들고 뭐 하는 줄 알아요? 힘센 장정들은 땅을 파요. 거기서 오폭 된, 그러니까 표적 주

변에 '박매탄'이라고 해서 땅속에 처박혀 터지지 않은 폭탄이 있어요. 그걸 파요. 하나 파면 돈이에요, 돈. 그걸 사 가는 사람들이 있어요. 그리고 애들은 탄피를 주워요. M16 탄피부터 시작해서 더 두꺼운 것도 있는데 그걸 주우면, 람보처럼 하고… 껍데기 연결하는 것도 다 있으니까. 어릴 때 보면 멋있죠. 서울에서 애들 와도 그거 딱 차고 있으면 그거 하나로 최고였어요. 거기는 파주 휴전선보다 더해요. 그냥 그게 일상이었죠.

박준흠 : 터지지 않은 불발탄이잖아요? 그거 파다가 터져서 죽고 그랬을 거 아니에요?

안치환 : 우리 집에서 일하는 일꾼 아저씨, 친척 형이었는데… 집에서 불발탄 만지다가 터져서 다리 병신이 됐어요. 다리 절면서 살다가 얼마 전에 돌아가셨어요. 진영이 아저씨. 그곳은 그런 일은 다반사였어요. 내가 나중에 생각해보면, 나는 그런 화 안 당하고 살아서 참 다행이다 싶은…

박준흠 : 재밌는 기억도 있나요?

안치환 : 내가 정훈희, 하춘화를 언제 처음 봤는지 알아요? 그때가 초등학교 1학년인지 2학년인지 모르겠어요. 하루는 소문이 퍼졌어요. 경비원 아저씨가 그러는데 정훈희, 하춘화가 온대요. 그때는 최고의 가수였어요.

박준흠 : 아, 쇼를 하러…

안치환 : 여기 온다는 거예요. 그래서 구경 갔어요. 어디서 하는 줄 알아요? 그 황량한 벌판에 미군 부대가 있는데, 미군 부대 옆에 아스팔트인지 아스콘인지 해서 헬리콥터 내려오는 착륙장 있잖아요. 거기에 미군들 한 백여 명 정도 앉혀 놓고 헬기가 와서 거기서 정훈희랑 하춘화가 내리는 거예요. 그 백여 명의 미군들을 위해서 공연을, 노래를 해요. 그걸 우리 같은 동네 꼬마들이 몰래 들어가서 미군들 뒤에서 같이 좋다고 구경하고 있는데… 미군도 애들이니까 경계는 안 하잖아요.

박준흠 : 개구멍으로 들어가서 봤다는 얘기예요?

안치환 : 철조망에 아무도 못 들어가요. 그런데 동네 애들, 꼬마들은 그냥 놔뒀어요. 거기가 야외니까 바람 불고… 끈 달린 드레스 입고 노래하는 모습이 기억나요. 미군이 나와서 같이 춤추고… 그러고 나서 다시 갔던 기억이 나요. 그때 처음 봤어요. 정훈희, 하춘화 씨를.

박준흠 : 악단도 같이 왔나요?

안치환 : 악단은 없었던 것 같아요. 뭘 틀어놓고 했는지… 하여튼 악단이

있었는지 기억이 잘 안 나는데, 두 명? 아마 그때도 MR이 있었는지 모르겠지만.

박준흠 : 100여 명의 미군을 위해서 위문 공연을 한 거네요. 무슨 월남전 다루는 영화에 나오는 한 장면 같이?

안치환 : 그렇죠, 그런 장면이죠. 한국 최고의 여가수들이… 그게 미국인 거예요. 그게 우리나라고.

박준흠 : 4집(1995년)에 있는 〈고향집에서〉가 고향 집 풍경을 정겹게 그린 노래잖아요. 그때도 미군 사격장은 있었고요.

안치환 : 그런 것도 맞아요. 거기에 뭐 틀린 말 있어요? 추석 전날을 그린 내 고향 집일 뿐이죠. 아름다운 것만 얘기하죠. 그러나 노래에 사격장 얘기는 없는 거죠.

박준흠 : 저는 그 노래 나왔을 때는 미군 사격장이 폐쇄된 것으로 생각했어요.

안치환 : 그렇다고 해서 그것이 일상인 사람이 그것을 그렇게 얘기 안 하

잖아요. 폭격장 투쟁할 때 노래 하나 만든 게 〈매향리의 봄〉이고, 노래가 좀 구리죠. 하여튼, 그런 부분들에 대해서 별로 말하고 싶지 않았던 것 같긴 해요. 성주星州를 보면 얼마나 아름다운 고향의 풍경이 있겠어요? 그렇지만 거기에 사드THAAD가 배치돼 있다고 노래하겠어요?

박준흠 : 〈고향집에서〉는 누렁이까지 등장하는 아주 아름답고 정겨운 모습이 연상되는 노래라서 미군 사격장은 생각나지 않기는 합니다. (웃음)

안치환 : 그것도 우리 고향의 모습이에요. 한 모습이죠. 언덕만 올라서 보면 철조망도, 폭격장도 일상적인 일입니다.

2) 대서소代書所 안 주사主事

박준흠 : 부모님은 농사를 지었던 분들이겠네요?

안치환 : 우리 아버지나 엄마 다 초등학교 나오셨다고 하는데, 우리 아버지는 농사꾼이면서도 대서소 하셨어요. 대서소代書所 안 주사主事. 그러니까 바로 위에 면사무소가 있고 그 밑에 아버지 대서소가 있었고.

박준흠 : 옛날에는 한문, 국문을 모르는 사람들이 있어서 대신 써주는 곳이 있었죠.

안치환 : 그런 거부터 시작해서 글씨를 잘 쓰셨고, 그게 아버지의 직업이었어요. 거기서 심근경색으로 돌아가셨어요. 아무튼, 아버지는 그 일 하고 저녁에 막차 타고 들어오면, 여름에는 아직 해가 저물기 전이니까 뭐 농사 하시고. 그리고 한참 일을 많이 해야 할 때는 우리 집에 일꾼이 있었어요.

박준흠 : 어느 정도 사신 거예요?

안치환 : 그게 뭐 시골에서 어느 정도 살아봤자, 벼농사 좀 하는 거랑 그러니까 일손 도와주는 정도 되는 일꾼이었고요. 할아버지 계셨고, 아버지는 육십몇 세 때 그냥 갑자기 심근경색으로 돌아가셨고. 그런 양반이 아들 네 명을 대학공부를 가르쳤어요.

박준흠 : 형제분이 어떻게 되시죠?

안치환 : 남자만 4명이고 다 2년 차이예요. 난 막내고.

박준흠 : 어머니는 어떤 분인가요?

안치환 : 거기는 바다가 있다고 했잖아요? 아저씨들, 남자들은 반농, 반어촌이니까 농사도 짓고 바닷가 쪽 사람들은 배를 탔어요. 아줌마들은 뭐 하냐면, 여름엔 바지락 잡고 겨울엔 굴을 까요. 바지락 잡고 굴 까는 게 아주 큰 부수입이었어요. 남들 나가는데 본인은 안 나갈 수 없잖아요. 그때 당시에 그 돈이 몇만 원인데… 하루도 안 나가는 날이 없었고 그렇게 일을 하셨던 분들이죠. 다들 나이 들어서 몸 망가지시고. 아무튼, 그렇게 해서 내가 초등학교 2학년 때 4형제를 서울로 다 유학을 보냈어요.

박준흠 : 안치환 씨도 유학을 갔나요?

안치환 : 맞습니다. 초등학교 2학년 때 제기동으로 갔는데, 저는 6개월만 있다가 다시 내려갔어요. 있고 싶지 않아서. 그러니까 서울에 안 가겠다고 떼쓰고 그랬어요. 여름방학 때 집에 내려갔다가 안 간다고 울고불고 난리를….

박준흠 : 굳이 초등학생들까지 서울 유학을 보낸 이유가 있나요?

안치환 : 교육열이죠.

박준흠 : 형제들이 초등학교 2학년, 4학년, 6학년 그리고 중학교 2학년 때 한꺼번에 서울로 유학 갔다는 얘기인데.

안치환 : 예. 할머니가 따라와서 밥해주고. 할머니는 맨날 술만 드시다가 나중에, 암에 걸려 돌아가셨어요.

박준흠 : 어디 초등학교로 전학 가셨나요?

안치환 : 제기동 홍파 초등학교. 거기 6개월 다녔는데 아무것도 생각 안

나고, 정문에서 바라본 학교 전경만 생각나요. 거기서 살던 집도, 대문만 생각나지, 아무것도 생각 안 나요. 거기가 너무 싫었나 봐요. 형들은 계속 있고, 나만 막내라서 다시 내려왔어요. 나는 그게 다행스러운 일이었다고 생각해요. 나의 정서적인 바탕을 이루는데 굉장히 다행스러운 일이었다고. 나도 계속 서울에서 살았으면 지금과는 다른 사람이지 아니었을까.

박준흠 : 중학교 3학년 때까지 화성에 계셨고, 그러면 중학교는 혹시 이름이?

안치환 : 삼괴 중학교. 우정읍 조암리에 있는 학교예요.

박준흠 : 화성에서 다닌 초등학교는 어떻게 되나요?

안치환 : 서울로 전학 가기 전에는 읍내의 장안 국민학교. 장안에 다닐 무렵에는 우리 엄마 아빠가 시골집에서 나와서 따로 살림을 차려서 거기서 엄마가 조그만 도매상 같은 걸 했어요. 그런데 서울서 6개월 다니고 나서 내가 다시 돌아왔을 때는 읍내 말고 시골집, 할아버지가 있는 원래 시골집에서 석천 국민학교라는 데를 다니게 됐어요. 거기 졸업하고 삼괴 중학교 가고, 삼괴 중학교에서 시험 쳐서 수원 유신고등학교에 들어갔어요.

박준흠 : 남강고등학교를 졸업한 것으로 알고 있었는데.

안치환 : 유신고등학교에 2개월 다니다가, 서울로 전학 가서 남강고등학교에 들어갑니다. 그때는 형들이 다 관악구 봉천동에 와서 살았거든요. 거기에 집이 있으니까 거기서 제일 가까운 고등학교가 남강고등학교였던 것 같아요. 서울대에서 가장 가까운 고등학교. (웃음)

박준흠 : 〈고향집에서〉에 있는 가사처럼, 형님들은 그때 서울로 간 이후로는 계속 서울에서 생활하신 거네요.

안치환 : 엄마 아버지도 장사하던 것 처분하고 시골로 가셨죠. 할아버지 계신 곳.

박준흠 : 할머니는 서울에 와서 밥해주시고.

안치환 : 그래서 엄마는 일주일에 한 번씩 시골에서 반찬 가지고 오셨어요. 서울로 매일 왔다 갔다 했어요. 자동차도 없이 대중교통을 이용하려면 온종일 걸려요. 거기서 한 시간마다 한 번씩 오는 버스를 타고 나와서 수원으로 가서, 수원에서 또 서울로 와서 서울에서 시내버스 타고 왔다 갔다 하는데, 그게 얼마나 힘든 일이었겠어요. 그런데 엄마에게는 자식

들을 보는 일이었기 때문에.

그렇게 고생한 양반이… 하여튼 그런 엄마가 지금은 요양병원에 계세
요. 모든 기억을 잃고. 거의 뇌 기능 정지. 그 전에 엄마가 발을 다쳐서 발
가락이 부어서 움직이지 않고 집에만 있다 보니까 점점 몸 근육이 빠지
고 안 좋은 방향으로… 어느 날 말을 못 하시고, 어느 날 기억을 잃고 자리
보전하시고. 그래서 한참 동안 집에서 치료하다가 도저히 안 돼서 지금
은 동네 요양원에 계세요. 내가 최근에 발표한 노래가 있어요. 〈이 감 덩
어리가…〉 그게 얼마 전 그 시기에 만든 노래예요. 하여튼 엄마는 그런
식으로 고생해서 자식들을 키웠고, 그 시대의 부모라는 게 그렇죠. 다 교
육열이 있잖아요.

3) 어릴 적 기억 "노래하면, 안치환"

박준흠 : 초등학교 들어가기 전에 기억나시는 거는?

안치환 : 나는 많죠. 뭘 얘기해 줄까요?

박준흠 : 재밌는 얘기.

안치환 : 어릴 때부터 난 노래를 잘했어요. 부모님이 읍내에 나와서 살 때 얘기인데, 그때 엄마는 조그마한 가게 도매상 같은 걸 했어요. 그때 그 동네 골목에 심심한 아줌마들이 모여서 날 불러서 노래시키고는 했어요. 학교에서도 나를 불러서 노래시켰고. 소풍 가서 노래시키면 내가 노래해서 연필 같은 거 타서 나눠주고… 아니, 내가 다 가졌나? 중학교 때 보이스카우트 같은 거 할 때도, 안양에서 전체적으로 모임 한 번 하면, 캠프파이어 때 노래하고. 고등학교 때도 학교에서 축제할 때 선생님이 날 불러서 네가 밴드 만들어서 공연하라고 그러고.

박준흠 : 그게 고등학교 3학년 때죠?

안치환 : 예. 그러니까 "노래하면, 안치환"이라고 얘기하는 거죠.

박준흠 : 혹시 어렸을 때부터 가수가 되고 싶다거나 그런 꿈이 있었나요?

안치환 : 글쎄, 나는 가수의 꿈, 그런 건 없었어요. 그런데 대학가요제에 나가고 싶은 꿈은 있었어요. 중학교 때인지 언제부터인지 나는 일반 대중가요보다 대학가요제, 강변가요제, 젊은이의 가요제, 그런 데서 부르는 노래들을 더 좋아했던 것 같아요. 조용필의 노래도 좋아했지만, 대학 가면 그런 가요제 한번 나가보고 싶다는 생각도 했던 것 같아요. 그런데 가수가 되겠다는 생각은 아니었고.

박준흠 : 초등학교 6학년 때 강당에서 〈빈대떡 신사〉를 불렀다고 하는데.

안치환 : 그날이 졸업식 전 전날인가? 시골의 조그만 강당일 거 아니에요? 마룻바닥이고 그래서 부모님들도 오시니까 청소해야 하는데… 옛날에 어떻게 했는지 알죠? 바닥을 양초로 칠하면 빛나잖아요. 그걸 하고 있었어요. 애들이 힘들어서 막 그러니까 교장 선생님이 그때 나보고 나와서 노래하라고 그랬어요. 그때 폼 잡고 노래하는 것보다 왜 〈빈대떡 신사〉를 했는지는 모르겠

어요. 그 노래가 재밌고 좋았나 봐요.

박준흠 : 가사가 재밌죠.

안치환 : 학교 운동회 때 이야기. 시골 학교 운동회라는 게 뭔지 알죠? 부모들 축제거든요. 교장 선생님이 그때 풍물을 준비했는데 날 보고 상쇠를 하라고 시켰어요. 상쇠는 꽹과리 치면서 풍물놀이를 끌고 가는 사람. 그런데 우리 집 밑에 인숙이 아버지라고 계시거든요? 지금도 살아 계세요. 인숙이 아버지가 꽹과리 치며 노는 거 한번 봤는데 기가 막히게 치더라고. 그때 당시에 우리 고향 시골에도 그런 사람들이 있었어요. 꽹과리, 사물 갖고 노는 사람들이. 그냥 명절 때면 놀이를 잘하는 거예요. 몸에 붙어 있어요. 진짜 잘 치는 거야. 나도 배웠지만 이게 리듬을 타고 논다는 게 그런 건가 봐요.

박준흠 : 어려서부터 남들 앞에서 노래하거나 쇼하는 걸 좋아했나 보네요.

안치환 : 어쩌면 내가 어릴 때부터 그런 재미를 알고 그랬나 봐요. 정식 무대는 아니지만, 그냥 남 앞에서 노래했던 거죠. 그런데 이게 사실 직업이 되고 나서는 남 앞에서 노래한다는 게 편치만은 않더라고요. 노래라는 건 아마추어 때 정말 즐길 수 있는 거지, 이게 전문가다운 직업이 되면

다른 거예요. 그래서 무대에 서는 게 한동안 좀 떨리고… 한 10년은 그랬던 것 같아요. 굉장히 긴장하고 특히나 카메라 갖다 대면 나 같지 않고. TV에 나와서 하는 것을 싫어했다기보다는 너무 힘들어했던 거죠. 그런데 알리기 위해서는 안 할 수 없잖아요.

박준흠 : 긴장이 되면 첫 곡이 잘 안 나오는 거죠?

안치환 : 첫 곡뿐만 아니라 그냥 전체적으로 TV에서 나와서 뭐 할 때마다…

박준흠 : 안치환 씨는 이전에 광장廣場에서도 노래를 불렀는데.

안치환 : 광장과 TV는 다른 거예요. 광장에서는 긴장은 되지만 마음은 편한데, TV는 어떤 기분 나쁜(?) 긴장감 같은 게 있어요. 뭔가 정리가 안 되는? 그런데 이제는 시간이 흘러서 그러려니 하죠. 여러 가지가 불편했던 것 같아요. 그러니까 소리, 음향이라든지, 그다음에 표정이라든지 옷이라든지, 이런 것들이 TV에서 요구하는 게 좀… 〈열린음악회〉라는 프로에 처음 나왔을 때 나한테 턱시도를 입고 오라고 그랬는데… 처음에는 입었어요. 그런데 열린음악회에서 청바지를 제일 먼저 입은 사람이 누군지 알아요? 접니다. 내가 양복을 안 입으니까 스태프 것을 가져다주기도 하고, 그래도 안 입고.

그러한 허위의식과 싸우는 게 쉽지는 않았어요. 그건 내가 부숴버린 어떤 적폐積弊일 수도 있어요. 내가 안 하겠다는데, 그러면 방송 펑크 나게? 뮤지션의 힘이죠. 싫으면 관둬, 이거지. 그러니까 그런 걸 요구하지 마라. 내가 옷을 무슨 거지 같이 입고 다니는 것도 아니고 나름 신경 써서 깨끗하게 입고하겠다는데, 웬 양복이야? 같지 않게. 그냥 클래식 하는 사람들이나 그렇게 입든지, 왜 대중 가수한테 양복을 입으라고 그러냐고요. 그런데 요새는 가끔 양복 입어요. 나이 들어서 더 일부러 양복 입을 때도 있어요. 품위 있게.

박준흠 : 어린 시절 얘기를 좀 더….

안치환 : 시골에서는 내가 항상 반장하고, 학업성적이 좋고 그랬거든요. 그 이유가 뭔지 알아요? 내가 공부 열심히 해서 그런 거로 알겠죠. 물론 내가 공부도 열심히 했겠지만, 다른 친구들은 방과 후에 일을 해야 했어요. 농사일을 도와야 했고, 뱃일을 도와야 했고. 그런데 나는 우리 부모님이 농사일을 안 시켰어요. 그냥 공부하라고. 난 내가 잘나서 그런 줄 알았는데, 다른 애들은 할 일이 너무 많아서… 난 집안일도 없고 농사일도 없고 그래서 내가 애들보다 시간이 많아서 더 잘했는지도 몰라요. 그리고 나는 국민학교, 중학교 다닐 때 9년 동안 서울 말고는 항상 반장을 했어요. 6학년 때는 전교 회장을 했고, 중3 때도 전교 회장을 했어요.

그런데 깡패, 양아치 쪽에 이것(엄지 척)도 있잖아요. 나는 그런 놈들이랑 맞붙어 싸우는 걸 별로 두려워하지 않았어요. 싸움을 잘했어요. 싸워서 이기는 거야. 까지고 건들건들해서가 아니라 전학 가면 덤비는 놈들 있잖아요. 그중에 제일 뚱뚱한 놈 쥐어패 버리고 그러면 끝. 중학교 때도 이쪽 양아치 중에 최고 잘 나간 그놈, 그놈이랑 전교생은 아니지만 뼁 둘러보는 데서 둘이 맞짱을 떴어요. 교복 찢어지고… 그 친구 오늘도 나한테 문자 보내요.

박준흠 : 무슨 문자요?

안치환 : 무슨 문자냐면, "이 세상에 내 것이 어디 있나, 사용하다가 모두 버리고 갈 것을… 그러니 잘 먹고, 입고, 즐기며 베풀고, 감사하며 살아가요. 행복하세요." 매일 이런 문자 보내는 사람, 이런 거 있잖아요. 아침인사같이 단체 카톡 이런 것처럼. 그런데 단체 같지 않은데, 내가 잘 지내나 가끔 궁금한 거죠. 얘가 그때 나랑 맞짱 붙었던 친구거든요. 수원에서 깡패 짓하다가 감옥 갔다 와서 시골에서 그냥 착하게 사는 놈이에요. 친구들이 그래요. 남들이 봤을 때는, 저놈은 뭐 맨날 회장 하고, 무게 잡고… 그때 그거 있잖아요? 선도반하고, 막 괜히 그러는… 그게 참 나쁜 짓이죠. 그러니까 권력, 개 같은 권력이죠.

그런데 수원까지만 해도 괜찮았어요. 내가 전교 9등까지 하고 서울로 딱 왔어요. 그런데, 전교 등수를 따질 수가 없네? 너무들 잘하는 거예요. 서울 애들은 왜 이렇게 공부를 잘하는 거야? 그때부터는 내가 아주 평범한 학생이 돼버린 거예요. 맨날 반장, 회장이었다가 그런 거는 다른 놈들이 하고. 그때 내가 드는 생각이, 아… 시골에서 애들이 나를 얼마나 아니꼽게 생각했을까? 그리고 나이 들어서 시골 가도 잘났다고 하는 놈들만 만나게 되지, 정말 그때 나한테 좀 당했거나 나한테 맞았거나 그런 놈은 나이가 들어서도 나를 피한다니까. 시골 가서도 친구들을 안 만나는 게 편해요. 만날 수 있으면 몇 명만 만나지만. 그때 내가 그걸 알았어요. 그 꼴같잖은 완장腕章이라는 것이 얼마나… 난 그거 굉장히 일찍 알았어요. 그래서 지금은 내가 그런 걸 너무 싫어하고.

박준흠 : 어렸을 때의 기질이 지금까지도 계속 있는 거네요.

안치환 : 있지 않을까요? 그런데 하나 딱 변하지 않는 거는 있더라고요. 음악. 노래하면 안 싸워요. 그러니까 서울 가서도 잘 나간다는 깡패 같은 놈들도 날 좋아하는 거예요. 다들 치환이는 공부도 잘하고 우리하고도 잘 놀고 그런다고.

박준흠 : 중고등학교 때 좋아했던 노래가 뭐예요?

안치환 : 조용필 노래랑 대학가요제 같은 데서 하는 대학생 노래.

박준흠 : 조용필은 혹시 같은 고향이라서 더 좋아하신 건가요?

안치환 : 아뇨. 그때는 전혀 몰랐어요. 나중에 알았죠. 화성시 송산면 출신이란 걸.

박준흠 : 중학교 다닐 때 조용필 모창해서 칭찬받았다는 얘기를 들었는데.

안치환 : 〈창밖의 여자〉를 조용필보다 잘 부른다는 얘기도 들었어요. 조용필 노래가 정말 노래 실력 뽐내기에는 최고 좋은 노래들이잖아요. 다른 노래는 대충 불러도 그냥 부를 수 있는 노래가 많지만, 조용필 노래는 〈한오백년〉부터 시작해서 〈창밖의 여자〉도, 이렇게 꺾고 탁성을 내는 이런 것들이 쉬운 게 아니거든요.

박준흠 : 노래를 배운 적이 있나요?

안치환 : 〈노찾사〉 끝나고 판소리를 한 달 수강한 적 있어요. 흥부가 중의 한 대목.

박준흠 : 어렸을 때는요?

안치환 : 그런 거 없어요. 중학교 때 예쁜 음악 선생님이 나 데리고 성악 대회 나가겠다고 해서 한동안 가르쳤는데, 나갔다가 떨어진 적이 있어요. 긴장돼서, 또 노래도 성악을 하고 그러니까.

박준흠 : 그 여선생님이 대회에 나가도 될 정도로 노래를 잘한다고 생각 했던 건가요?

안치환 : 아휴, 잘하는 애들이 없었겠죠. 그냥 내가 노래 잘한다니까 한 번 시켜봤는데, 어-(성악 소리) 이게 되나. 성악 같은 걸 하는 게, 벨칸토 발성을 한다는 게 아니었던 것 같아요. 그리고 성악을 배운다기보다, 나 중에 성인이 되고 활동을 막 시작하고 그럴 때 서울대에 이건용 교수님 이라고 계셨어요. 그 선생님이 성악을 한번 가르쳐 보고 싶다고 하셔서 한두 번 서울대 선생님 방에 갔고, 그 선생님이 피아노 치면서 이거 한번 불러보라고 해서 불러본 적도 있고.

박준흠 : 그게 언제인가요?

안치환 : 정확하게 기억이 안 나네요. 그때 한참 '구로동 연가'니, 문호근

선생님이랑 강준일 선생님이랑 클래식계 사람들이 모여서 진보적으로 노래극 같은 걸 한 적이 있어요. 그때가 문호근 선생이 연출, 음악은 이건용 강준일 선생. 혹시 〈배웅〉이라는 노래 알아요? "어서 가거라 내 아들아-" 이건용 선생이 한참 김해화 씨의 시를 가지고 가요풍으로 노래를 만들기 시작했었는데 그중에 몇 곡을 내가 그때 불렀거든요. 클래식 작곡가의 노래를 내가 부른 거죠. 말하자면 노래극 같은 거를 대학로 문화회관 소극장 같은 데서 공연하고, 장기공연 몇 번 했었죠. 그때 내가 노래하는 역할이었고, 연기하는 사람이 있고… 그런 거 많이 했어요. 거기서 연극을 하는 사람들이랑 한동안 놀고, 그 사람들 음악 하는데 음악 필요하면 해주고.

또 서울연극제 나왔던 어떤 연극의 음악을 내가 맡아서 한 적도 있어요. 〈내 가는 이 길 험난하여도〉라는 노래가 있어요. 그게 그 연극의 주제곡이었어요. 그 노래를 좋아하는 사람이 많았는데, 그때 했던 배우가 최민식 영화배우. 최민식 씨가 한참 젊어서 잘 생기고 멋있었죠. 또 지금 악역으로만 나오는 송영창 씨. 하여튼 그때 다 만났어요. 그래서 그쪽 세계를 대충 좀 알아요.

4) 고등학교. 캔자스, 바브라 스트라이샌드 그리고 시카고

박준흠 : 고등학교 때부터 팝송을 좋아했나요? 캔자스(Kansas)의 〈Dust in the Wind〉 같은 노래들.

안치환 : 고등학교 때는 팝송을 잘 몰랐어요. 내가 좋아했던 게 다 국산 노래잖아요. 서울 오기 전까지 국산 노래만 불렀어요. 고1 때 수원 유신 고등학교에서 매탄동 우리 아파트(외삼촌 댁)까지 걸어가는 중간에 음악사가 하나 있었어요. 거기 야외에 조그마한 스피커에서 바브라 스트라이샌드(Barbra Streisand)의 〈Woman in Love〉 그 노래가 항상 나왔어요. 그래서 그 노래 들으면 그때로 확 들어서는 느낌? 그 시절, 수원에 와서 어디 기댈 데 없고, 정처 없고, 불안하고, 미래가 안 보이는 그런 시기. 그리고 "everybody needs a little time away-"(시카고 Chicago 〈Hard to Say I'm Sorry〉) 이 노래가 나오면, 고3 때 신림사거리로 확 가요. 고3 때 신림사거리의 현대 음악사라고, 거기에 어떤 누나가 있어요. 조그마한 누나가 그걸 운영했는데, 그 누나 주변에 우리 고등학교 친구 놈들이 다 꼬이는 거예요. 음악을 듣고 좋아했던 친구들하고.

박준흠 : 레코드 가게 얘기죠?

안치환 : 예. 그때 당시는 테이프에다 녹음해서 팔기도 하고 그랬잖아요. 거기서 다 모이는 거죠. 고 3 때 시험 끝나고 발표하기 전의 황량한 그때, 정처 없는 어린 영혼들이 왔다 갔다 했던 그때 들리던 그 음악 소리… 겨울에는 특히나.

박준흠 : 고등학교 때 서울 생활하면서 팝송을 듣게 된 거죠?

안치환 : 내가 노래를 잘하잖아요. 그러니까 음악 좋아하는 놈들이 같이 친구가 되는 건데 이 녀석들이 음악을 들려주는 거예요. 딥 퍼플(Deep Purple) 알아? 이런 식. 이때부터 이제 시작된 거예요. 너, 딥 퍼플의 〈April〉 알지? 십몇 분짜리 이런 음악이 있어요. 레드 제플린(Led Zeppelin), 로니 제임스 디오(Ronnie James Dio) 알아? 이렇게… 말하자면 스펀지처럼 그런 음악들이 확 당기는… 혁이라고 미술 한 친군데, 걔가 집에 가서 그거 녹음해서 나한테 들려주면…

박준흠 : 그때 충격적으로 그런 노래들을 들었다는 얘기예요?

안치환 : 그렇죠. 내가 어디서 그런 노래를 들어요. 아, 전영혁 DJ 방송 뭐 이런 밤에 하는 게 있었지. 그런데 그때까지 내가 음악을 듣고 그러진 않았어요. 공부하고 그랬지. 난 뭘 들으면서 공부하는 사람이 아니라서요. 아무튼, 뭐랄까? 아트록이나 정말 처음으로 그 씬 최고의 록, 그런 걸 접하기 시작한 거죠.

박준흠 : 고3 때 밴드 결성해서 남강고등학교 축제에서 공연했다고 했는데, 하필 왜 고3 때 밴드를 했어요?

안치환 : 3학년이 최고 학년이니까 우리가 했었죠.

박준흠 : 고3 때는 원래 안 시키는데.

안치환 : 그건 며칠 하는데 뭘. 또 선생님들이 시키는 거죠.

박준흠 : 지난번 말씀하신 이두헌(다섯 손가락) 씨가 와서 연주했다는 공연이겠네요. 이두헌 씨는 그때 대학생이었는데.

안치환 : 일렉기타가 없으니까 그때 잘 나가기 시작했던 두헌이 형한테 부탁했던 거죠. 같이 해달라고. 그래서 그게 그냥 이두헌 공연이 돼버렸죠.

박준흠 : 밴드 이름이 뭐였어요?

안치환 : 이름 없어요. 그냥 〈남강제전〉 때문에 만든 우리들의 일회용, 학교 축제용 밴드였어요.

박준흠 : 레퍼토리가 뭐였어요?

안치환 : 레인보우(Rainbow)의 〈Temple of the King〉 이런 노래했던 것 같고, 국산 노래, 인순이 노래 〈밤이면 밤마다〉 이런 거 했던 거 같고. 한 3-4곡 했던 것 같아요.

박준흠 : 이두헌 씨가 남강고 몇 년 선배인가요?

안치환 : 1년 선배예요. 두헌이 형이 그때 다른 건 제대로 안 하고 자기 노래만 제대로 딱 하더라고요. 애들은 뿅 가고. (웃음) 두헌 형이 기타 잘 쳤죠.

박준흠 : 이후에도 밴드를 했나요?

안치환 : 두헌이 형이랑 우리 그쪽 지역 고등학교에서 음악 좀 한다는 사람들이 있잖아요? 그런 사람들이 나중에 모여요. 이두헌은 이제 떴고, 그렇게 뜨니까 자기들도 해보고 싶어서 록밴드를 만들었어요. 내가 〈노찾사〉 시절 전인지, 그때가 몇 년인지… 그래서 잠깐 모여서 했고, 연습실도 있고 그랬어요. 그때 기타 쳤던 형이 배영길이라고 지금 〈동물원〉 활동하고 있고, 베이스를 쳤던 형은 고등학교 1년 선배였고, 건반 하는 형 있었고, 드럼은 이형복이라고 〈노찾사〉같이 했고.

박준흠 : 이형복 씨가 안치환 솔로 2집까지 참여했잖아요.

안치환 : 맞아요. 어쨌든 이런 사람들하고 밴드를 만든 게 있었어요. 이름은 우리끼리는 그냥 '맥'이라고 했는데, 연습실이 봉천동에도 있었고 선릉역 근처 지하에도 있었어요. 두 번을 옮겼는데, 내 기억으로는 한 번인가 노래했어요. 유한공전인가 거기 가서 공연한 적 있어요. 드럼 치는 형이 그 학교였거든요. 그래서 5만 원 받아서, 그걸로 밥 먹고 끝났던 것 같네. 아무튼, 그러고 나서 한 번도 공연해 본 적이 없었어요. 왜냐면 레퍼토리 갖고 맨날 자기들끼리 싸우고 했으니. 우리가 연습 레퍼토리를 한 번도 해본 적이 없어요. 트라이엄프(Triumph)라고 알아요? 캐나다 밴드?

박준흠 : 3인조 밴드죠.

안치환 : 그렇게 어려운 노래들을 연습하자고 해놓고 한 번도 해본 적이 없어요. 맨날 싸우고, 결국 내가 그 팀을 〈노찾사〉에 끌고 들어가요.

박준흠 : 그래서 〈노찾사〉에서 배영길 씨나 이런 분들이 세션을 한 거군요.

안치환 : 〈동물원〉도 만나고 뭐도 만나고 또 이렇게 하면서.

02
대학, 울림터, 새벽, 노찾사

"그때가 1987년 6월 항쟁이 다가올 때였어요. 거리에서 사람이 막 죽어 가고, 매일 연세대에서 시위가 벌어지고. 그때는 연대가 시위의 메카였어요. 그래서 나는 매일 거기서 그 현장을 보고 시위하고, 어떨 때는 친구 하숙집에서 자기도 하고 술 먹고… 막 그렇게 피 끓는 청춘들의 그러한 한때를 보내고 있을 때였죠.

어느새 '서럽다 뉘 말하는가. 흐르는 강물을' 이 멜로디가 떠오르더라고요. 이걸로 만들어 가면서 친구 하숙방에서 완성했어요. 그 친구 놈이 바로 일산의 '마실'이라는 카페를 운영하는 친구 놈이에요.

하여튼 그놈 방에서 〈마른 잎 다시 살아 나〉를 완성하는데, 노래 제목 뭐로 할까 그랬더니 '낙동강에서' 그러는 거야. 내가 '낙동강에서'는 아닌 것 같은데 어떻게 해야 할까 하다가, 〈마른 잎 다시 살아 나〉 이렇게 만든 거예요."

1) 캔자스의 〈Dust in the Wind〉로 '울림터' 가입

박준흠 : 1984년에 연세대 사회사업학과에 들어갔습니다. 입학한 연세대 사회사업학과가 신학대학 안에 있는 건가요?

안치환 : 그때는 신학대학 안에 신학과, 사회사업학과가 있었어요.

박준흠 : 사회사업학과에서는 어떤 걸 배워요?

안치환 : 사회복지학과죠. 사회복지학이 사회사업학인데 연대는 사회사업학과라고 했고, 지금은 사회복지학과로 바뀌어서 아마 사회과학대학 쪽에 있을 거예요.

박준흠 : 〈숨 엔터테인먼트〉(협력업체)의 유수훈 대표는 연대 신학과를 나왔다고 하는데, 그때 안 건가요?

안치환 : 나같이 중요한 사람이 그런 평범한 사람을 알았겠어요? (웃음) 농담이고, 그때는 몰랐어요. 같은 단과대학이라도 뭐 만날 일이 있나? 과가 다른데. 1년 선배죠.

박준흠 : 사회사업학과를 간 이유가 있나요?

안치환 : 1지망이 신문방송학과였는데 떨어졌어요. 그때 2지망이 있었거든요. 2지망이 사회사업학과인데 붙어서 간 거죠. 맨 처음에는 실망했죠. 다니다 보니까… 내가 대학 가서 공부를 별로 안 했거든요. 노래 팀에 들어가서 어쩌다 음악만 하게 됐어요.

박준흠 : 대학교 신입생 오리엔테이션 때 "연대 노래패 '울림터'가 부른 〈언덕에 서서〉라는 노래를 들은 다음에, '울림터'의 문을 두드렸다"라고 돼 있는데, 노래가 그렇게 충격적이었나요?

안치환 : 내가 대학에 들어갔을 때 밴드에 들어가려고 그렇게 찾았거든요? 그런데 내가 참 순진한 놈이지. 생각해봐요. 1984년이면, 그 전년도까지 학내에 경찰들이 상주했던 때예요. 우리가 학교에 들어왔던 때부터 학내 경찰이 나갔지만, 대학의 분위기가 살벌했어요. 내가 생각했던 무슨 대학가의 낭만? 그런 거 없었어요. 언제 터질지 모르는 시위와 긴장감 속에서 사는데, 난 전혀 그런 걸 모르고 거기에서 대학가요제 나가야겠다고… 그런데 그룹사운드가 있어야죠.

박준흠 : 연대에도 학내 밴드가 있지 않았나요?

안치환 : 학내 밴드가 없었어요. 마그마는 응원단 소속이었어요. 그때 나는 응원단에서도 들어오라고 그랬고, 오르페우스 클래식 연주회에서 들어오라고 그랬고, 연극반에서 선배들이 끌고 가려고 했고.

박준흠 : 왜 그리 인기 폭발이었나요? (웃음)

안치환 : 신입생 오리엔테이션 때 내가 노래를 했는데, 캔자스(Kansas) 의 〈Dust in the Wind〉와 그때 처음 배운 〈기도〉라고 하는 노래였어요. "눈을 감고 잠잠히 기도드리라-" 그게 노찾사(노래를 찾는 사람들) 1집 (1984년)에 있어요. 그걸 노래책으로만 배웠는데, 하여간 그 노래들을 신학대학 선배들 있는 데서 내가 기타 치면서 부르는데 다들 뻑(?)간 거지. 저놈 누구야? 이렇게 된 거죠. 그래서 선배 중에는 클래식 기타반에 있는 사람도 있고, 연극반에 있는 사람들도 있는데 서로 끌고 가려고 막 그랬죠. 내가 선택한 곳은 그때 처음 생긴 울림터였어요. 그런데 울림터를 왜 선택했냐면 그룹사운드가 없어서 거기로 간 거예요. 그리고 신입생 오리엔테이션 때 전교생한테 서클 소개하고 보여주는 게 있었어요. 다 나와서 얘기하는데 노래팀이 나온 거예요. 한 대여섯 명이 나와서 양 옆에서 기타치고 서너 명이 이렇게 서서 노래하는데, 〈언덕에 서서〉라는 노래도 있었고….

박준흠 : 연대 울림터가 그때 만들어진 건가요?

안치환 : 예. 1984년 그때 처음 만든 거예요. 그냥 만들고 거기서 시작한 거죠. 그 전에 모임은 어떻게 했었겠지만 그렇게 된 거죠. 그걸 보는데 처음 듣는 노래들이었어요. 내가 지금까지 들어본 노래들이랑 전혀 다른 느낌의 노래들이잖아요? 가사도 그렇고. 그래서 서클룸에 갔더니 나는 등록번호 2번. 박노선이라고, 나보다 먼저 온 놈이 있었어요. 걔가 1번. 거기서부터 시작된 겁니다. 들어가서 오디션을 한다고 노래 좀 불러보라고 해서 〈Dust in the Wind〉 그 곡을 기타치고 그랬더니, 주변에서 이런 거죠. "분위기 모르네, 여기서 〈Dust in the Wind〉? 어디 살벌한 운동권 가요 하는데서"… 그러더니 딱 잘라 말하는 거야. "야, 너는 기타 치면 되겠다." 그러더라고요… 그래서 1학년 때부터 기타 쳤어요.

박준흠 : 그때도 기타 잘 쳤나요?

안치환 : 잘 친 편이었죠. 그냥 선배보다 잘 쳤던 거 같아요. 나보다 두세

살 많은 선배, 회장 형은 록 일렉기타를 좀 치는 형이었어요. 그런데 통기타는 좀 달라요.

박준흠 : 그러고 보니까, 응원단에 있었던 마그마라는 밴드. 거기는 들어갈 생각 안 해봤나요?

안치환 : 그쪽은 응원단이라 별로 가고 싶지 않았어요. 딱 보기에도 왠지 양아치 날라리들 같아서. 난 굉장히 촌스러운 놈이었거든요. 음악은 알차지만 촌스러운 놈이었는데, 그쪽은 양아치 같고 좀 뭐랄까, 반들반들한 것들을 내가 별로 안 좋아하니까.

박준흠 : 울림터 들어간 후 얼마 뒤에 사람들 앞에서 〈진달래〉를 처음으로 불렀다고 하는데.

안치환 : 4.19 기념 공연에서 처음 불렀어요.

박준흠 : 들어가서 한 달 만에 부른 거네요.

안치환 : 그게 울림터 들어가고 얼마 안 돼서 그날 공연을 해야 하는데, 어쩌다 내가 〈진달래〉를 부르게 된 거예요. 그때 공연장이 우리 서클룸

에서 건너편에 있는 상경대 강의실이었어요. 한 500-600명 들어가는 곳이었을 거예요. 그때만 해도 완전히 꽉 막힌 세상이잖아요. 그러니까 저항, 금지곡 그런 거 하면 사람들이 엄청나게 모였어요. 뭘 하면 학생들이 엄청나게 모였어요. 그때 〈진달래〉를 부르는데, 아마 내가 그렇게 오랫동안 박수를 받은 게 처음이자 마지막일 거예요. 그때 기억이 그랬었는지 모르지만, 진짜 박수가… 어우, 나도 부른 사람으로서 놀랄 정도로요.

박준흠 : 그래서 혹시 스튜디오 이름도 '참꽃'으로 지으신 건가요?

안치환 : 그건 또 다른 거예요. 〈노래마을〉 쪽 형들이랑 백창우 씨랑 친하게 지냈는데, 지금은 스님이 된 진원이 형이라고 있어요. 판화 그리고, 그림 하는 그 형이 나한테 준 판화가 있어요. 거기에 보면 엄마가 아이를 이렇게 안고 있는 모습인지 뒤에 업고 있는 모습인지… 그런 모습인데, 그 판화 제목이 '참꽃'이에요. 참꽃 모양도 있고, 흑 판화가 아닌 컬러 판화였어요. 그래서 그거 보고 내가 그냥 '참꽃'으로 하자고 얘기하고 쉽게 지은 거예요. 참꽃이라는 말이 나중에 알고 보니 배고플 때 먹는 꽃이고, 진달래고, 여러 가지 의미들이 있었지만, 그때는 그런 의미로 생각한 건 아니었어요. 그냥 벽에 판화 그림이 붙어 있길래, 바로 편하게 지은 거였죠. 세상에 그런 일 있잖아요. 가끔 이게 별거 아닌 것 같고.

박준흠 : 새벽 활동은 언제부터 했나요?

안치환 : 2년 정도 울림터 활동을 하고 나서 지루하다… 활동 안 하겠다고 그랬더니 회장 형이 어느 날 방학 때인지 언젠지… 날 데리고 어딜 가는 거예요. 말도 안 하고. 그게 〈새벽〉이었어요. 각 대학에서 음악 좀 잘하는 사람들 모아서 진짜 전문적인 저항 운동가요를 하는 팀을 만들자해서 모인 거예요. 거기에 김광석 형도 왔어요.

　그때 사무실이 없어서 홍대 교문 옆에 효정 음악학원이라고, 음악학원을 연습실로 썼어요. 뚱뚱한 아줌마인지 누나인지 아무튼, 우리 중에 선배 누구랑 아는지, 거기를 연습실로 빌려주고 했어요. 거기서 연습하고 그러다가 사무실을 얻은 게, 저기 상도동에 아주 깊이 들어간 지하였는데 거기에 장판 깔고, 볼펜으로 꾹 누르면 물이 이렇게 올라오고, 계란판 붙이다가 다들 본드에 취해 가지고….

박준흠 : 1987년에는 망원동으로 이사한 거 아닌가요, 그때 사무실에 물난리가 났으니까.

안치환 : 예. 거기서 데모 테이프 만들고 좋다고, 이대 앞에 있는 카페 갔다가 거기서 엄인호(신촌 블루스) 씨를 만났던 것 같고…

박준흠 : 엄인호 씨에게서 한 소리 듣고요.

안치환 : 우리 테이프 듣는데, 머리가 긴 여자 같은 특이한 사람이 "아니, 좀 꺼주세요", 그랬어요. 우리는 최고의 음반을 만들었다고 해서 듣고 있는데… 나중에 생각해보니 그분이 신촌블루스의 엄인호 씨였어요.

박준흠 : 1985년 연세대 100 주년 가요제 얘기입니다. 예전에 김광진(81학번) 씨가 인터뷰할 때 한 얘기인데, 1등이 본인이고, 2등이 김창기(82학번), 3등이 안치환이었다. 그때 어땠어요?

안치환 : 맨날 광진이 형이 나와서 그런 얘기 하잖아요. 다들 야사野史 얘기할 때 나도 얘기하고 그러죠. 그때 가요제를 한다는 거예요. 대강당에 우리 서클룸이 있었어요. 성준이라고, 나랑 대학교 때 계속 같이 해바라기 노래 연습도 하고 음악적으로 가장 잘 놀았던 놈인데, 걔는 노래도 만들었거든요. 〈그곳으로〉가 걔가 만든 노래예요. 그 녀석이 천재지. 공부도 잘하고, 연애도 잘하고 다 잘했는데, 하나 안 되는 게 사업이 잘 안 돼

요. 그때 걔가 나가자는 거예요. 〈그곳으로〉란 곡으로 연습해서 나갔죠. 그때 다 창작곡이었거든요.

1등 한 김광진 씨는 진짜 천재예요. 아직도 입에 멜로디가 떠오르는 거 보면. 이런 말랑말랑한 운동가요가 나중에 알려지고 부르지는 않았지만. 그리고 창기 형은 기억이 잘 안 나는데 아마 그게 난쏘공, 〈난장이가 쏘아 올린 공〉이었을 거예요.

박준흠 : 김창기 씨 노래 중에 그런 노래가 있나요?

안치환 : 발표 안 했겠죠. (웃음) 그때 그 형이 가요제에 나왔는데 하여튼 순수하게 재미로 했던 것 같아요. 그런데 그게 1, 2, 3등이 아니라 민주상, 민족상, 민중상 이런 식이었어요.

박준흠 : 그래서 민중상 받은 거예요?

안치환 : 민주상이 1위였나? 하여튼 학번대로 받은 거였죠.

박준흠 : 3등 한 게 아니라 학번대로 받았다고 지금 주장하시는 거죠? (웃음)

안치환 : 3등인데, 학번으로 받았다고 그래요. (웃음)

2) 저항가요 대학노래패 '메아리'의 탄생과 문승현, 한동헌

박준흠 : 당시 대학가에서 창작을 잘하는 사람들이 좀 있었나요?

안치환 : 글쎄요, 그때는 문승현 형이 있었잖아요. 승현이 형이 어찌 보면 김민기와 저항가요의 역사를 잇는 다리 역할을 했던 사람이라고 난 생각해요. 또 그사이에 창학이 형이나 서울대 메아리 출신이 있었고, 그러고 나서는 내가 있었고. 승현이 형은 7… 몇 학번이거든요.

박준흠 : 원래는 77인데 다시 학교 들어와서 78학번이죠.

안치환 : 김민기 씨의 음악과 그다음 세대를 잇는 가장 확실한 역할을 했던 사람은 문승현이예요. 음악적으로도 굉장히 탁월했고, 사람이 이렇게 좀 정붙일 사람은 아닌데 뛰어난 사람이었어요. 그런데 승현이 형이 계속 그런 음악을 하지 않고 어느 날 소련으로 가버리는 바람에 그 공백들이 나중에 있어요. 그 뒷감당을 남은 사람들이 했지만, 분명히 그 중간에 1980년대 노래운동의 역사와 1970년대 그 노래운동의 뿌리를 잇는 가교 구실을 했던 건 문승현인 것 같아요. 우리는 그런 노래뿐만 아니라 한돌 노래도 했었고, 한대수 노래도 했었고 또 〈나의 노래〉 이런 거 만들었던 형. 동헌이 형 같은 좀 특이한 존재들이 있었죠. 한동헌은 굉장히 특

이한 음악적인 재능이 있었던 사람이라고 생각해요. 사람은 약간 4차원이고. 그런데 음악적으로 굉장히 탁월했던 사람이거든요. 문승현이 어떤 고지식한 계보를 잇는다면 한동헌은 굉장히 자유로웠던 한대수 같은 느낌이랄까.

박준흠: 그런 말이 있더라고요. 김민기파의 문승현과 한대수파의 한동헌.

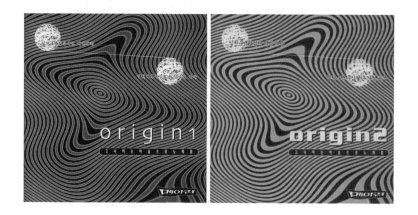

안치환: 음악적인 흐름을 보면, 김민기 노래가 좀 교과서적이잖아요. 문승현이 그래요. 그다음에 한돌 노래는 무슨 애들이 만든 노래 같은데, 엄청난 대중성을 갖고 있고 잘하잖아요. 그런데 한동헌도 고지식하지 않아요. 〈나의 노래〉(원제는 1979년 메아리 1집에서 〈노래〉)가 있으면 무슨 〈신개발지구에서〉(1980년 메아리 2집 수록)도 있고… 노래가 다 달라요. 굉장히 다양한 노래들을 했어요. 그래서 한동헌이 대단하다는 생각이 들죠.

박준흠 : 개인적으로 〈신개발지구에서〉를 굉장히 좋아합니다.

안치환 : 굉장히 특별한 작곡가라는 생각이 들어요. 그러니까 자유로운 영혼인 것 같아요.

박준흠 : 문승현 씨는 어떤 식으로 활동을 하신 분이었어요?

안치환 : 노동운동 판에서도 있었고, 노동운동 그쪽 판에서 뭘 했는지는 구체적으로 잘 몰라요. 그리고 항상 바빴어요. 어느 날 〈새벽〉을 만들고, 새벽은 또 승현이 형 밑에 이창학(이성지)이나 몇 명이 살림을 꾸려서 그 후배들 여러 명이 같이했던 거고. 승현이 형은 가끔 와서 뭐 이렇게 조언하고, 또 뭘 하자, 그러면 또 와서 곡도 만들고. 그때 〈사계〉도 만들었고. 그리고 〈그날이 오면〉은 그전에 만들었던 것 같은데… 시대가 요구하는 어떤 조직을 만들거나 이럴 때 항상 승현이 형이 있었어요. 그리고 그 밑에 다른 후배들이 같이했었고, 나중에 내가 후배였던 거고. 그러니까 창작자로서 보면 승현이 형하고, 새벽에는 이창학 형이 있어요. 〈사월, 그 가슴 위로〉등 몇 곡이 있고. 그 형 자료 찾아보면 많이 해놓은 게 있을 거예요.

박준흠 : 문승현 씨는 독집 음반이 있던가요?

안치환 : 없어요. 그런데 승현 형 집이 부자예요, 문대현 형이랑 형제이고요. 나 같이 돈 없는 사람은 생각지도 못하는 일이었는데, 어느 날 러시아로 유학을 가버리고 이런저런 사람들 다 유학 가고 외국 가고 그러더라고요. 김광석과 나 같은 사람은 남은 게 아무것도 없고, 음악밖에 없고 그래서 김광석과 내가 그런 면에서 통하는 거예요. 자기 음악에 모든 걸 담고 할 수밖에 없는 사람과, 이거 아니면 딴 거 하는 사람. 다른 거죠.

박준흠 : 러시아에 유학 간 거는 좀 궁금하긴 한데, 왜 갔는지.

안치환 : 음악 공부하러 간 것 같던데. 그런데 왜 러시아냐? 이념의 고향일 수도 있죠. (웃음) 러시아, 마르크스 레닌의 나라 러시아. 그래서 갔나 보죠.

박준흠 : 서울대의 〈메아리〉는 1977년에 문승현, 한동헌 씨가 주도해서 만든 노래패잖아요. 원래 75학번 선배분들이 있었는데, 그분들은 도와주는 정도였고. 메아리의 흐름이 1990년대까지 대학가에서 계속 이어졌으면 좋았을 거라는 생각이 드는데, 좀 안타까운 부분이 있어요.

안치환 : 당연히 메아리가 가지고 있는 영향력이 컸죠. 왜냐하면, 가장 먼저 생겼고, 그다음에 이대의 〈한소리〉가 있었을 거 같고, 성대에 소

리… 뭐더라?

박준흠 : 소리사랑.

안치환 : 그다음에 연대의 〈울림터〉가 있었고, 서강대의 〈맥박〉이라고 있었는데 활동이 좀 없었고. 서강대는 〈에밀레〉한테 밀렸지. 그러니까 1984년부터 각 대학에 노래패들이 막 생기기 시작하면서 메아리 중심에서 바뀌기 시작한 거예요.

박준흠 : 그런데 약간 좀 다르지 않나요? 메아리 같은 경우는 음악창작에 방점을 찍었던 것 같은데.

안치환 : 1986년에 내가 연대에서 처음으로 창작해서 〈솔아 솔아 푸르른 솔아〉하고 〈잠들지 않는 남도〉, 〈마른 잎 다시 살아 나〉 이런 노래가 계속 나와요. 노래패에서 공연을 처음으로 노천에서 하는데 그걸 노래패들이 각자 다 보러 오잖아요. 노래패들이 바꿔서 자기들끼리 막 불러. 학교에 다 퍼져요. 〈솔아 솔아 푸르른 솔아〉 같은 노래들은 음반 나오기 전에 대학가에서는 미리 다 퍼진 거죠. 그때는 노래들이 그런 식으로 유통이 됐어요. 그러니까 그전엔 메아리 중심이었다면 그때부터는 또 흐름이 바뀐 것일 수도 있죠. 그런데 메아리는 그런 걸 되게 열심히 하는 것

같아요. 자기들 모임 같은 거. 그런 걸 계속 얘기하고 그러는데 연대는 그런 거 안 해요.

박준흠 : 연대에 울림터가 아직도 있나요?

안치환 : 있는 것 같아요.

박준흠 : 메아리도 서울대에 계속 있는데, 보니까 밴드 형식으로 바뀐 것 같아요. 몇 년 전에 '메아리'에 관한 다큐멘터리를 만든 게 있어요. 1986년 '새벽'에는 어떤 분들이 있었나요?

안치환 : 노래를 잘하든 음악을 잘하든 싹수가 있는 사람들을 모았어요. 그게 승현이 형하고 그다음에 고대의 표신중이라고 있었는데 죽었어요. 그 형이 나이 제일 많았고, 그다음에 승현 형이 있었고, 그리고 다 83학번들, 81학번들, 저기 창학이 형, 이성지라고 하죠. 페이스북 보면 맨날 옛날얘기만 하잖아요. 그걸 꼭 무슨 현역처럼 이야기해요.

박준흠 : 음반하고 책이 얼마 전에 나왔죠.

안치환 : 창학이 형하고 내가 되게 친했어요. 형은 서울대 원자핵공학과

(81학번)이고. 항상 내가 좀 챙겨주려고 하고 형도 나 챙겨주려고 하고…
음악 하는 사람들이 좀 그런데, 그 형은 그런 걸 잘하는 편이었으니까.

박준흠 : 1986년도면 문대현 씨가 만든 〈광야에서〉라는 노래가 대학가
에서 알음알음 많이 퍼졌던 때였잖아요. 그리고 안치환 씨는 〈솔아 솔아
푸르른 솔아〉를 창작한 시기고. 그전에도 다른 노래를 만든 게 있는데,
그게 가장 많이 알려진 노래로서 첫 번째라는 의미인 거죠?

안치환 : 내가 처음으로 운동권 가요로 만든 노래죠. 그전에는 그냥 들국
화 풍의 노래를 몇 곡 만들었는데 운동권 노래는 처음 만든 곡이죠.

박준흠 : 문대현의 〈광야에서〉라는 노래를 들었을 때는 어땠나요?

안치환 : 그때 대현이 형도 새벽에 있었어요. 문대현은 새벽에 처음부터
있었던 게 아니라 나중에 들어왔어요. 그러니까 〈광야에서〉가 문대현
이 만든 건지 문대현이 가사를 쓴 건지… 성대 다닌 내 동기 녀석 보면 가
사는 자기들이 썼다고 그러고 그건 형도 짜깁기해서 했다고 그러는데, 하
여튼 문대현 이름으로 된 거죠. 자기들이 다 같이 만든 노래라고 얘기해요.
그런데 〈광야에서〉를 내가 불렀다고요. 당시에 대현이 형이 내가 노래 부
르는 거 보고 이건 치환이 노래다, 그랬던 거죠. 왜냐면 약간 가요풍이잖아

요. 노래가 마이너가 아니고 메이저의 약간 가요풍이었던 거예요.

그때 우리가 들으면 싼 티 나고, 그냥 가요네… 이런 식의 느낌이었는데, 내가 그걸 내 나름대로 부르니까 형이 이건 치환이 노래라고 그렇게 얘기를 하더라고요. 그 가요풍의 노래를 나한테 잘 어울릴 거로 생각해서 시킨 거죠. 그러니까 쟤는 가요 같은 것만 잘 부르니까. 무슨 얘기인지 알죠? 거기에 성악가들도 많고 그랬으니까. 우리 팀, 새벽에 서울대 성악과 여자들이 2명 있었어요. 계숙이 누나랑 어떤 누나랑 있었는데, 누나들이 발성도 가르치고 또 한동안 서울대 작곡가 애들도 와서 있었고. 또 형수. 밥만 먹여주면 노래가 나오는 자판기예요. 〈저 평등의 땅에〉라는 노래를 만든.

박준흠 : 류형수 씨.

안치환 : 그러니까 우리 팀에 서울대 멤버들이 있지만 나는 연대에다가 좀 자유분방하다고 얘기하는데, 자기들하고 좀 다른 색깔을 가진 사람이라고 생각하는 거죠. 하여튼 뭐 그랬어요.

박준흠 : 1986년에 〈솔아 솔아 푸르른 솔아〉라는 히트곡을 만들었는데, 음악창작을 배운 적이 있나요?

안치환 : 그냥… (웃음) 누가 창작을 배워서 하나요?

박준흠 : 그 당시에는 어떻게 창작을 했어요? 예를 들면 떠오르는 노래를 카세트테이프 같은 데다 녹음하고 그랬던 건가요?

안치환 : 대학교 운동권 가요 노래책 있잖아요. 메아리가 가장 잘 만들었고, 그 메아리 노래책을 베껴서 또 울림터가 내고, 소리사랑이 내고, 다 그렇게 그런 식으로 했던 거죠. 메아리의 글씨체가 너무 예쁜데 그런 측면에서 해보려고 글씨 진짜 열심히 쓰고… 이렇게 만들어요. 한 150P 정도일지는 모르겠는데, 그 노래들을 매일 부르고… 한 2년 부르면 지겨워요. 너무 지겨운 거예요. 똑같은 노래만 부른다는 게. 그냥 속에서 슬슬 새 노래 좀 만들어 불러 볼까. 내가 한번? 이러한 엄청난 욕망이 끓어오르기 시작하는 거죠. 그때 들국화가 엄청나게 인기를 끌 때였어요. 그런데 내가 들국화 공연을 한번 본 적이 있어요.

박준흠 : 신촌에서 보셨다고 했죠.

안치환 : 예. 하여튼 들국화를 좋아했어요. 〈그것만이 내 세상〉을요. 대학교에 운동권 가요가 있지만, 운동권 가요만큼 불러도 부담이 없는 노

래들이 있잖아요. 무슨 이상한 말 같지 않은 사랑 노래 부르는 게 아니라, 〈그것만이 내 세상〉. "세상을 너무나 모른다고-" 이런 누구나 딱 와 닿을 수 있는, 그런 노래 불러도 뭐라고 안 그랬잖아요. 그만큼 사랑을 받을 수 있었죠. 그래서 노래를 한번 만들고 싶었어요. 사실은 내가 습작으로 그냥 대중가요 풍으로 한 두 곡 만들어보다가 대학가요제 예선에 만들어서 나갔거든요? G, G Minor7, G7 이렇게 넘어가는 코드 진행, 약간 야릿한 그런 거로 만들어보고. 사랑 노래였어요. 어떤 인생에 대해서, 생의 의미를 찾아서. 4집에 있거든요? 〈생의 의미를 찾아서〉. 그때 노래를 만들어봐야겠다 해서 만들고 그러고 나서 노래 풍들이 그냥 그게 그거 같고 그렇잖아요. 신선하지 않았어요. 이제 저항가요를 한번 만들어보고 싶다. 그랬는데, 그때 제가 대학교에서 제일 친한 형이 감옥에 갔어요. 그 기간을 그냥 지나다가, 어느 날 갑자기 형이 생각이 나는 거예요. 우연히 책장에서 "민중 시"라는 책이 보였는데, 그 시집을 보다가….

박준흠 : 박영근 시인?

안치환 : 맞아요. 〈솔아 솔아 푸르른 솔아〉가 눈에 띄는 거예요. 그래서

만들기 시작한 거죠. 그걸로 후렴구부터 "솔아 솔아 푸르른 솔아- 샛바람에 떨지 마라" 이렇게 만들어본 거죠.

박준흠 : 그 멜로디는 어떻게 떠올랐나요?

안치환 : 그냥. 맨 처음에 시를 보고 그 시에다 멜로디를 붙여 보는 거죠. 시를 노래를 만드는 건 처음 해본 거예요. 〈솔아 솔아 푸르른 솔아〉를 만든 후 새벽에서 서울대 성악과 누나들한테 한번 들려주면서 "이 노래 어때요?" 했더니 피아노 치면서 불러 보더라고…. "노래 좋다, 얘!" (웃음)

박준흠 : 〈솔아 솔아 푸르른 솔아〉 만든 과정을 자세하게 알려주세요.

안치환 : 시라는 게, 그대로 다 안 되잖아요. 이상하게 "솔아 솔아 푸르른 솔아- 샛바람에 떨지 마라" 그다음에 가사가 마음에 안 드는 거예요. 여기서 짜깁기, 저기서 짜깁기하다가 결국 만들었는데, 처음에는 앞이 진행이 안 돼요. 또 해보는 거죠. 혼자서 막 상상을 하는… "거센 바람이 불어" (웃음) "어머님의 눈물" 이게 논리가 안 돼. "거센 바람이 불어와서 / 어머님의 눈물이 / 가슴속에 사무쳐 우는 / 갈라진 이 세상에 / 민중의 넋이 주인 되는 / 참 세상 자유 위하여 / 시퍼렇게 쑥물 들어도 / 강물 저어 가리라-" 이게 노래에 들어간 거예요. 그러니까 영근이 형한테 미안한데

영근 형 시가 반, 내게 반. 물론 지금은 작사가 반반씩 돼 있지만, 그때는 그냥 내 작사로.

아무튼, 그렇게 해서 노래가 됐는데… 그 얘기 알아요? 우상호 씨가 총학생회장 나왔을 때 우상호 반대편이 안호영이었어요. 지금 더불어민주당 무안, 진안 지역 국회의원인데. 이 사람이 총학 선거 당시 2번인가 그랬어요. 그땐 알지도 못했는데 선배가 나와서 부르라고 해서 그 노래를 부른 거예요. 그런데 총학 선거에서 떨어졌어요. 그런 상황이 됐는데, 우상호는 자기 취임식 때 그 노래를 불러 달라고 그런 거예요. 그때도 우상호는 정치인이에요. 하여튼 그래서 그때 〈솔아 솔아 푸르른 솔아〉 부르니까 사람들이 따라 불러요. "솔아 솔아-" 그리고 한 달 후에 지하철 타러 가는데 술집에서 누가 고래고래 노래를 부르는데, 어디서 많이 듣던 그 노래인 거죠. 웃기죠?

음반으로 나온 것도 아니고, 진짜 깜짝 놀랐어요. "노래라는 게 이런 거다. 노래가 가지고 있는 힘이 이런 거다. 노래에 대해서 똑바로 정신 차려라. 노래를 만든 사람이 노래를 어떻게 만들어야 하는지를 분명히 기억하자." 그런 순간이었어요. 그리고 그때쯤에 언젠가 공연 때 그 노래 하면서 〈잠들지 않는 남도〉 하나 만들고, 〈마른 잎 다시 살아 나〉 만들고.

박준흠 : 〈잠들지 않는 남도〉, 〈마른 잎 다시 살아 나〉는 창작이 1987년
인가요?

안치환 : 나는 그렇게 기억해요. 그때 나는 학교 노래패 '울림터'를 안 하
고 '새벽' 활동을 할 때였어요. 어느 날 학교 갔더니 학생회 선배가 나를
딱 잡고 책을 주면서 5월 대동제의 주제곡을 네가 만들어주었으면 좋겠
다며 책을 한 권 내미는 거예요. 그 책이 이산하의 '한라산'이었어요. 4.3
을 처음으로 접하게 된 거죠. 그때 나는 4.3도 몰랐고 책을 읽으면서 배
우고 가사도 추리고 해서 만들게 된 노래가 〈잠들지 않는 남도〉입니다.

〈잠들지 않는 남도〉, 〈마른 잎 다시 살아 나〉를 만든 때가 시기적으로
너무나 절박하고 뜨거웠던 시대지만 뮤지션이라는 측면에서 보면 축복

받은 현장과 시대를 나는 만났다고 생각해요. 그런 시대를 살았기 때문에 그나마 그런 노래라도 만들 수 있었던 것이니까.

박준흠 : 〈마른 잎 다시 살아 나〉는 어떻게 만들었나요?

안치환 : 그때가 1987년 6월 항쟁이 다가올 때였어요. 거리에서 사람이 막 죽어가고, 매일 연세대에서 시위가 벌어지고. 그때는 연대가 시위의 메카였어요. 그래서 나는 매일 거기서 그 현장을 보고 시위하고, 어떨 때는 친구 하숙집에서 자기도 하고 술 먹고… 막 그렇게 피 끓는 청춘들의 그러한 한때를 보내고 있을 때였죠.

 어느새 "서럽다 뉘 말하는가 흐르는 강물을" 이 멜로디가 떠오르더라고요. 이걸 가지고 만들어 나가면서 친구 하숙방에서 완성했어요. 그 친구놈이 바로 일산의 '마실'이라는 카페를 운영하는 친구 놈이에요. 하여튼 그놈 방에서 〈마른 잎 다시 살아 나〉를 완성하는데, 노래 제목 뭐로 할까? 그랬더니 '낙동강에서' 그러는 거예요. 내가 '낙동강에서'는 아닌 것 같은데 어떻게 해야 할까 하다가, 〈마른 잎 다시 살아 나〉 이렇게 만든 거죠.

그때는 정말 집에 갔다 왔다 하면서 시위하고, 집에 잘 안 들어가고 정말 격변기였던 것 같아요. 어찌해서 이 노래 제목은 〈마른 잎 다시 살아 나〉

로 하고. 이 노래를 언제 발표했더라? 언제 발표했는지 기억이 잘 안 나는데, 왜냐하면 그때 이미 이한열 열사가 최루탄에 맞아서 사경을 헤매고 있을 때 내가 추모곡을 만들었는데, 그때 비슷한 시기에 만들었죠.

그런데 추모곡은 달라요. "그대 떠난 빛고을에 세찬 바람이 불어올지나/ 그 바람 맞서 의연히 서는 우리의 투쟁 보아주소서" 그런 노래예요. 나중에 〈마른 잎 다시 살아 나〉가 이한열 추모곡처럼 돼버렸는데, 그건 아니고 〈이한열 추모가〉가 따로 있어요. 유튜브에서 보면 안치환 TV에 〈이한열 추모가〉가 있어요.

  그리고 나중에 한참 음악 활동하면서 문호근 선생님을 만났는데 아버님인 문익환 목사님이 방북하셨을 때, 평양 봉수교회에서 '민중의 부활'을 염원한다. 그러면서 찬송가가 아니라 〈마른 잎 다시 살아 나〉를 불렀다고 하더라고요.

3) '새벽'에서 '노찾사'로

박준흠 : 〈새벽〉에서 〈노찾사〉로 간 얘기를 듣고 싶습니다.

안치환 : 내가 새벽에서 2년 있다가 '노래를 찾는 사람들'의 음악적인 책임을 나보고 맡으라고 해서 내가 노찾사로 갔어요. 더군다나 너는 대중음악 같은 것에 대한 취향이 있고 능력이 있는 것 같으니까 거기로 가라. 그러니까 말하자면 이게 조직에서 어디에 차출하고 파견하는 것처럼 그런 느낌의. 그래서 내가 노찾사로 갔던 거죠. 내가 원하기도 했지만. 노찾사로 갔더니 별별 사람들이 다 와서 음악 하겠다고 하더라고요.

그때 당시에 대중들이 저항가요, 금지곡에 대해 듣고 싶어 하는 열망들이 폭발적으로 터져 나올 때 그것을 책임져줄 팀이 새벽은 아니었어요. 새벽은 비합법이라고 생각했어요. 우리는 숨어서 창작하고, 그런 거 있잖아요, 비합법 노래운동팀. 대중을 상대로 하는 건 노찾사가 좋겠다. 1집이 있고 하니, 다시 만들자.

그런데 노찾사에서 내가 견디지 못한 건, 완전 프로페셔널로 해도 될까 말까 한데 직장을 다니면서 노래해요. 무슨 대학생이 학교 다니면서 노래한대요. 관객들이 돈 내고 와서 보는데, 프로페셔널 해야 하는데, 이건 무슨 같지 않은 거들먹거림이야? 내가 그것 때문에 싸운 거예요. 프로답게 하든지 아니면 관둬라. 그러니까 프로로 준비하는 사람은 나밖에 없는 거죠. 그러니 나만 없으면 문제 될 게 없는 거죠. 결국, 내가 나올 수밖에 없었습니다.

박준흠 : 제가 듣던 얘기 하고는 좀 다른 얘기네요. **솔로 가수로서 성공하고 싶은 욕심이 강한 안치환이 노찾사를 나갔다,** 이런 얘기를 들었는데.

안치환 : 솔로로 하고 싶은 욕심에? 아, 웃긴… 그때 전체를 다 모아놓고 프로페셔널하게 합시다. 하려면 하고, 아니면 나가라, 딱 그랬어요. 내가 그렇게 얘기하는데 누가 좋아하겠어요.

박준흠 : 당시에 안치환 씨는 나이상으로 어떤 위치였나요?

안치환 : 내가 어린 편이었죠.

박준흠 : 그러면 졸업한 분들이 많았나 보네요.

안치환 : 어떤 선배는 한국은행 다니면서 하고, 뭐 하면서 하고, 다 그래. 대중이 프로페셔널한 요구를 하는데, 대중이 직장 다니면서 노래하는 사람들의 노래를 듣고 싶어 하겠어요? 목숨 걸고, 존재를 걸고, 최선을 다해도 될까 말까 한 판에? 그런데 무슨 취미로 하는 동호인이야! 동호인. 노래를 찾는 사람들이 동호인 수준이었어요. 요즘 말하는 직장인밴드 수준도 못 돼요. 내가 더한 것을 요구할 수밖에 없었다고요. 왜냐? 나는 이 일만 하는 사람이거든요. 내가 온종일 그 사람들을 기다려야 해. 퇴근해서 오길 기다려서 연습시키고 노래 만들고. 돈도 못 받으면서.

박준흠 : 돈을 못 받다니요? 노찾사 공연 굉장히 잘 됐잖아요.

안치환 : 돈 얘기는 하지 말죠. 지저분하니까. 그러니까 돈 못 벌던 사람들이 돈을 벌면 사달이 나요. 노찾사도 마찬가지예요.

박준흠 : 노찾사를 언제 나온 건가요?

안치환 : 2집 녹음만 하고 나왔겠죠. 한 프로에 몇십만 원 하는 그런 녹음실에 가서 노래하고, 녹음하고. 그런데 하는 짓거리들은 아마추어 동호회야. 그런 시대니까, 그게 허락되고 가능했던 거죠. 내가 그러잖아요. '저항가요 프리미엄의 시대'가 끝나버리고 우리는 아무것도 아니었다.

박준흠 : 아마추어였다는 게 직장을 다니는 거 이외에도 연습을 게을리 한다든지, 이랬다는 건가요?

안치환 : 연습이야 당연히 남는 시간에 와서 시키는 대로 하죠. 그런데 누가 남는 시간에 음악을 해서 먹고살아요? 무슨 유토피아야? 남들은 음악

에 목숨 걸고 해도 될까 말까 한 시대에 뭐가 잘났다고. 자기가 같잖은 노래 조금 잘한다고 와서 개폼 잡고 있냐고? 그 같잖은 기득권을 갖고 뭐 하겠다는 거냐고? 오랫동안 학습하고 투쟁해서 쌓아온 무슨 경력이 있어 뭐가 있어?

박준흠 : 그래서 나가겠다고 선언한 건가요?

안치환 : 그러면 내가 나가는 게 제일 좋은 방법이겠네, 그렇게 얘기했어요. 앞으로 십 년 후에 봅시다. 당신들이 10년 후에도 계속 노래하면 내가 진짜 당신들한테 고개 숙이고 내가 틀렸다고 얘기하겠다고, 그러고 나왔어요.

박준흠 : 분위기가 굉장히 험악했겠네요.

안치환 : 예. 그런데 몇 년 뒤에 다 끝났어요. 음악이 뭔데? 같이 모여서 한다는 게 뭔데? 내가 왜 그랬겠어요. 도대체 어느 인간 하나 모든 걸 걸고 음악 하지 않아요. 그리고 자기가 진보적이야? 음악이 진보적이지.

이게 무슨 헛짓거리냐고요. 그렇게 노찾사는 끝났어요. 그런데 아직도 무슨 염치로 노찾사 이름을 걸고 무대에 서는지…

박준흠 : 아쉬운 부분을 얘기하면, 안치환이라는 솔로 가수의 출발은 반가운 일이나, 노찾사가 음악적으로는 사실 2집을 정점으로 내리막길 느낌이잖아요.

안치환 : 〈그날이 오면〉, 〈광야에서〉, 〈이 산하에〉 그런 노래들이 뭐예요? 이미 음반을 내기 전에, 몇 년 전에 일반 대중들에게 확고한 지지를 받은 노래들이죠. 저항가요에서 가장 대중성을 획득한 노래들이에요. 그 노래들을 모아서 노찾사가 날로 먹은 거죠. 그다음에 노찾사 3집(1991년)을 내려니 정리된 노래들의 퀄리티가 떨어졌어요. 노래들도 없고, 새로운 노래를 만드니 예전 같지 않고, 그런데 음반은 내야 하고. 그러다가 또 냈어요. 대중이 실망해요. 그런 것뿐이에요.

박준흠 : 본인이 만든 노래가 〈솔아 솔아 푸르른 솔아〉, 〈잠들지 않는 남도〉, 〈마른 잎 다시 살아 나〉 이렇게 세 곡입니다. 그런데 〈솔아 솔아 푸르

른 솔아〉, 〈잠들지 않는 남도〉는 신현중 씨가 부르고, 오히려 안치환 씨는 문대현 씨가 만든 〈광야에서〉를 불렀는데, 이건 어떻게 정해진 건가요?

안치환 : 나도 몰라요. 그때 나는 그냥 팀원이었잖아요. 그리고 그런 것들을 결정하는 게 내가 아니었어요.

박준흠 : 누가 결정하는 거였어요?

안치환 : 노찾사 선배들. 그러면서 이제 어떤 노래를 누가 부르고 뭐 이런 거 했겠죠. 나는 결정권자가 아니었어요. 나는 음악만 열심히 만들었던 거예요. 모든 살림은 그들이 하는 거였고, 그곳에서 나오는 '열매'들은 다 다른 사람들이 관리했어요. 그런 모든 것들에 대해 나중에 문제의식이 생겼죠.

박준흠 : 그때 어필하지 않았나요? 내 노래인데 왜 내가 안 부르는지?

안치환 : 안 했어요. 그냥 현중이 형이 나보다 나이가 많았고, 또 노래도 정성스럽게 열심히 부르는 형이어서 거기서 내가 부를게, 이렇게 얘기를 한다는 자체가… 말하자면 동호인 수준인데 그런 거 말할 때는 무슨 조직처럼 얘기해야 하나 싶기도 했고.

박준흠 : 노찾사에서 솔로로 나가기 전에 안치환 씨가 생각하는 어떤 이상적인 모델이 있었나요?

안치환 : 프로페셔널 밴드. 인티 일리마니(Inti-Illimani) 알아요?

박준흠 : 아, 그 남미 칠레 밴드.

안치환 : 그때 인티 일리마니 한참 좋아했고 많이 들었어요. 그런 걸 꿈꿨어요. 정말 멋진 프로페셔널 밴드. 밴드가 될 수도 있고, 팀이 될 수도 있고. 아, 생각해 보면 너무 화가 납니다. 그런데 프로페셔널하게 하는 사람은 아무도 없었어요. 새벽에서도 별로 신경 안 쓰고. 내가 나간 다음에 문대현 씨가 와서 또 거기서 하고.

4) 노래운동의 변화

박준흠 : 한국 대중음악 역사에서 좀 안타까운 부분들이 있어요. 1970
년대 후반이 되면 기성 대중음악판에서는 신선한 음악창작이 안 나오니
까 1977년에 MBC 대학가요제가 시작되고, 메아리도 그 시기에 창립
됩니다. 대중음악의 큰 틀에서 본다면 대학가요제나 메아리는 대중음악
창작에서 새로운 가능성을 열었다고 생각하는데, 이도 1980년대 후반
정도 되면 더는 이전과 같은 신선한 창작음악이 안 나오는 단계로 들어
가잖아요.

안치환 : 새로운 노래들이 안 나오는 건 그럴 만한 이유가 있다고 생각합
니다. 그만큼 뭐가 뜨겁지 않은 거죠. 그만큼 뭐가 끓지 않고 있는 거죠.
무언가 견디지 못하고 부글부글 끓어오르던 그 시기가 지나버린 거죠.
별로 할 말이 없는 시대에 살고 있었겠죠. 아니면 그냥 살 만한 시대였든
지. 무슨 얘기인지 알겠죠? 그러니까 새로운 창작물이 안 나오는 것이 능
력의 문제가 전부는 아닌 거예요. 그땐 다 같은 아마추어였죠. 전문가가
아니고. 그런데 몇 년 전에는 나왔는데 지금 안 나오는 건, 이제 그 용광
로가 식었다는 얘기죠. 시대가 변했거나.

　그런데 그 시기에, 나는 1990년대 초반까지 끓고 그랬어요. 왜냐하면,

민주화 과정을 겪는 1987년 이후에 더 중요했던 건, 소련이 해체되고 나서예요. 이념의 시대가 끝났다고 얘기하면서 다들 갑자기 사라져 버렸을 때… 이게 아닌가 봐요. 하던 그때, 내가 덩그러니 혼자 남았다는 기분과 이것을 어떻게 감당할까, 어떻게 해야 하는가를 고민했던 그 절박함이 계속 있었던 게 1990년대 초반까지거든요. 그래서 그 결과물이 내 3집, 4집인 거예요.

박준흠 : 노래운동을 같이 했던 사람들이 없어졌던 시기가 있었어요?

안치환 : 새벽이 없어졌잖아요.

박준흠 : '새벽'은 김영삼 정부가 탄생하고 나서 마지막 공연을 했습니다. 1993년 2월인가에 새벽의 마지막 공연이 있었다고 하던데요. (학전소극

장에서 「러시아에 대한 명상」 공연을 진행한 이후 모임을 해체) 그런데 뭔가 화
가 나는 부분이 있는 것 같습니다.

안치환 : 뭔가 좀 쿨하지 않다고 해야 하나. 항상 한 발짝을 밖으로 빼고
있는 것 같은 느낌이었어요. 그러니까 온몸을 담그는 게 아니라 발하나
빼고 있는 느낌, 내가 제일 싫어하는 것들. 여기가 아니면 빠져나갈 구멍
이 다 있는, 그렇게 빠져나갈 구멍을 마련해 놓고 활동하는 것 같은… 세
상을 변혁하고자 했던 새벽의 그 인자人子들이 다 그만두고 사라졌단 말
이죠. 대표적인 게 승현이 형은 소련으로 가버렸다나. 누구는 미국 유학
을 갔다나, 뭐를 했다나… 각자 할 일들이 다 있네? 나는 할 일이 이것밖
에 없는데… 이런 거 있잖아요. 그럼, 지금까지 다들 뭐 한 거야? 내가 약
간 화가 나는 부분들이 그런 거예요. 자기 자신을, 전체를 다 걸고 쫓지
않는다는 거예요. 뭐 이거, 아니면 아닌가 봐. 내가 되게 싫어하는 것들.

박준흠 : 노찾사 활동을 하면서 노래를 통해서 세상을 변화시킨다고 할
까, 이런 생각이 있었나요?

안치환 : 새벽 활동까지는 명확하게 그런 생각을 하고 있었죠. 노찾사는
일반 대중을 상대로 한 노래 팀이었던 거고. 그러니까 나의 수준이라고
할까, 안치환의 어떤 적성을 맞춰서 그래도 노찾사 가서 활동해 보자, 이

렇게 된 거죠. 그런데 내가 만든 노래들이 무슨 같잖은 대중가요가 아니 잖아요. 거기서 〈지리산, 너 지리산이여!〉도 만들고 여러 곡을 만들었고, 공연할 때도 정말 처음으로 밴드 구성으로 반주하고 그랬어요. 드럼, 일렉기타도 들어오고. 거기서 내가 음악에 대한 재미를 구현하고 싶었던 거죠.

박준흠 : 그러니까 프로페셔널한 저항가요로 상업성도 획득하는, 그런 걸 원했던 거예요?

안치환 : 나는 그런 걸 원했죠. 아니 대중적인 설득력이 없는 노래가 뭔 소용이 있어요? 딱 까놓고 얘기하자고. 노래라는 게 뭐예요? 나 혼자 만들어놓고 혼자서 즐기다가는 게 아니잖아요. 노래를 만들어놓고 대중들에게 들려주고 그들이 좋아해 줘야 노래의 의미도 있는 거죠.

인기가 있다는 건, 대중성이 있다는 건 다 그만한 이유가 있는 거예요. 그런데 사람들이 좋아하지 않는 이유. 그것도 있어요. 그걸 받아들이라고요. 사람들은 좋아하지 않는데, 왜 당신들은 이게 옳다고 계속 그 짓거리 하면서 사람 피곤하게 하냐 말이죠. 맞잖아요. 운동권 가요를 사람들이 좋아했던 때가 있으면 안 좋아하는 때가 있는 거죠. 그걸 인정하고, 그리고 능력이 안 되면 관두라는 거죠. 무슨 좀비도 아니고, 왜 그러고 살아야 해요? 대중가요가 아니라 **이건 운동권가요**運動圈歌謠고, **저항가요**抵抗歌謠고, **역사적 소명 의식**召命意識이 있고, **역사**歷史가 있어요. 죽을 때까지 히트곡 한두 곡 갖고 버티면서 사는 그런 싸구려 뽕짝 가수가 아니라고요. 우리는 어떤 역사가 있고 소명이 있는 그런 거라고요. 그러니 그게 안 되면, 품위 있게 떠나라. 명예롭게 해산하라.

박준흠 : 이 얘기에 관해서는 흥분을 많이 하시는 것 같아요.

안치환 : 내가 이렇게 흥분해서 얘기하는 이유가 나도 뭔지 모르겠어요. 너무 속상해요. 노찾사가 그때 정말로 프로페셔널한 자기 변혁變革을 이뤘다면, 지금쯤 전 세계 순회공연을 다닐 수도 있었다고요. 가끔 내가 얘기해요. "한국 저항가요의 역사를 고스란히 가진 노찾사"였다고.

03

민중가요, 저항가요, 노동가요

"내가 〈철의 노동자〉 만들면서 무슨 생각을 했는지 알아요?

김호철 류의 그런 투쟁가를 불러도 좀 따뜻한 투쟁가였으면 좋겠다. 싸울 때는 좋아. 그런데 싸우지 않을 때 노동자는 무슨 노래를 불러요? 그래서 만든 노래가 〈노동자의 길〉이에요. 그러니까 노동자의 정서라는 게 투쟁의 정서만 있냐? 이거죠. 그러니까 내가 하는 근본적인 질문이 계속 그거죠. 사람이 투쟁만 하면서 사나? 노동자도 연애하고, 노동자도 밥 먹고 살아야 하고, 애 낳고. 재벌이 해외여행 갈 때 노동자도 어디 태국이라도 가고 싶고, 부자가 뭐 할 때 노동자도 뭐 하고 싶고. 인간이란 그런 거 아닌가요?

〈전화카드 한 장〉 같은 노래를 들으면 참 잘 만들었다. 그게 나는 좋은 시도라고 생각하거든요. 따뜻한 노래. 노동자들에게 따뜻한 마음을 줄 수 있는…. 무슨 민들레꽃처럼 사랑한다…."

※ 안치환 씨는 '민중가요'라는 말보다 '저항가요'라는 말이 더 맞다고 생각한다. 하지만 필자는 민중가요(민중음악)를 저항가요와 노동가요를 포괄하는 개념으로 얘기하고 싶다.

1) 한국 민중가요 50년(1973-)

박준흠 : 이번 인터뷰에서 다루고 싶은 이야기로 첫 번째는 안치환의 음악과 삶이지만, 두 번째는 '한국 민중가요 50년(1973-2022년)'입니다. 그래서 따로 '안치환 인터뷰에서 민중음악(민중가요) 해석에 대한 교감을 바탕으로 서로 오해 없이 인터뷰를 진행하기 위한 용어, 논점 정리'를 써서 가지고 왔습니다.

안치환 : 그런데 내가 '민중가요'라고 하는 용어를 받아들여야 하나요?

박준흠 : 그래서 관련해서 제가 써왔습니다.

안치환 : 사람들이 언제부터 민중가요라고 그랬어요? 그러니까 노래를

찾는 사람들이 히트하고 나서 민중가요라는 말을 쓰기 시작한 건지?…
나는 있잖아요, 그 민중가요라는 말이 계속 걸려요.

박준흠 : 어떤 점에서 그런지요.

안치환 : 나는 '저항가요'를 했던 사람이고, 저항가요라는 것은 어떤 부정
의不正義한 것에 대해서, 부정의한 권력이나 체제나 이런 것에 대해서 바
꾸고자 저항하는 음악이었어요. 그래서 민중들을 고취하고 어떤 투쟁을
하나로 묶어내는 그런 정서적인 무기로서의 그것을 저항가요라고 나는
생각했는데, 언제부턴가 민중가요라고 해요. 그런데 내가 왜 걸렸냐면,
나는 저항가요하고 민중가요 둘 다 한 사람으로서 그 세대를 겪고 와서
지금까지 왔는데 계속 이를 받아들이지 못하는 이유가 뭘까? 하고 속으
로 생각했어요. 민중가요는 민중들이 즐기고 향유享有하는 노래여야 하
는 것이다. 그럼 민중民衆은 뭐지? 민중이 뭘까? 우리가 흔히 말하는 대
중은, 내가 생각하는 민중의 레인지에 적어도 80% 이상은 속해 있어요.
대중 중에는 재벌이 있고, 부자가 있고, 가난한 사람이 있고… 지식인
이 있고, 무식한 사람이 있고, 노동자가 있고, 농민이 있고. 자기는 노동
자가 아니라고 허위의식에 살아가는 그러한 회사원이나 근로자들이 있
고… 그런 모든 사람이 포함됐지만, 그 대중이라고 하는 개념이 그대로
민중으로 100% 들어가기는 어려울 거다. 그런데 대중가요, 대중이 있

어요. 그러면 민중가요는 민중이 향유한다? 자, 비근한 예를 하나 들자면, 혹시 KBS '전국노래자랑' 봐요?

박준흠 : 거의 안 봅니다.

안치환 : 전국노래자랑에서 무슨 노래 부르죠?

박준흠 : 여러 가지 노래 부르죠. 트로트도 부르고.

안치환 : 나는 전국노래자랑에 나오는 사람들 거의 99%가 민중이라고 생각해요. 그들은 왜 우리가 생각하는 민중가요를 부르지 않을까? 왜 모를까? 그런데 왜 우리는 굳이 우리가 해왔던 그 저항의 역사와 그 같잖은 성과를 가지고 계속 전체 민중을 들먹이면서 민중가요라고 주장을 하는 그런 못된 고집들은 도대체 뭘까? 나는 이런 생각이 들거든요. 그러니까 우리가 민중가요라고 얘기한다면 민중이 누리고 즐기는 노래가 돼야 하는데, 우리가 민중이라고 생각하는 전국 노래자랑에 나온 사람들은 '민중가요'를 부르는 걸 못 봤어요. 내 노래 중에서 〈사람이 꽃보다 아름다워〉를 민중가요라고 얘기한다면, 저항가요라 한다면 그 노래 부르는 건 봤어요. 그러나 〈철의 노동자〉를 부르는 건 못 봤고.

박준흠 : 〈노동자의 길〉 같은 노래도…

안치환 : 그 많은 노동자가 노동가요를 부른 걸 못 봤고, 거기서 우리가 말했던 〈그날이 오면〉 이런 거 부르는 걸 못 봤죠. 그러면 도대체 내 인생에서 가장 많은 세월 동안 그 노래들을 해온 나는 이 상황을 어떻게 받아들여야 하는 거지? 그런데 왜 이 음악을 하지 않은 그 사람들은 너무 편하게 민중가요, 민중가요 하는 거야? 뭘 알길래 계속 민중가요라고 얘기하냐고요?

그리고 또, 저항가요 해왔던 사람들, 성과도 없는 사람들이 지금까지 남아서 계속 자기 영역을 지키려고, 밥그릇을 지키려고 싸우면서 그들이 편하게 내뱉는 게 다 민중가요? 민중가요를 하나도 만들어내지 못한 사람들이 민중가요라고 얘기해요. 난 이게 너무너무 불편해요. 못 받아들이겠어요. 그냥 차라리 저항가요라고 하죠. 민중들이 알지도 못하고 부르지도 않는 가사의 노래가 무슨 민중가요입니까? 나는 자꾸 이게 걸려요. 그래서 끊임없이 이 얘기를 인터뷰할 때마다 했는데….

박준흠 : 많이 하셨죠.

안치환 : 다들 그것에 대해서 비겁해요. 자기 편한 대로 생각하고.… 난

못 받아들여요. 그래서 저랑 계속 인터뷰를 하려면 박준흠 씨는 저항가요라고 얘기를 해주든지. 아니면 민중들은 잘 모르는 가요라고 얘기하든지… 민중을 생각한다는 몇몇 무리가 이론으로서 알량한 영역을 민중가요로 얘기한다든지, 그런 개념을 나한테 확실히 합의하고 얘기해요.

박준흠 : 적어도 1970년대부터 시작된 민중가요에 대한 '개념' 논의를 아직도 하는 것 같거든요. 그런데 이런 수준의 논의를 벗어나지 못하다 보니까 뭔가 우리가 정작 얻어야 할 것들을 얻지 못한다고 생각해요. 2022년 현재 한국 대중음악은 그냥 연예 산업의 다른 이름이라고 생각합니다. 전 민중음악, 인디음악이 이런 상황에서 중요하다고 생각하는데… 홍대의 인디음악 씬도 예전에 있었던 희망을 점점 잃어가고 있고. 제대로 된 창작자하고 창작앨범이 예전만큼 안 나오다 보니까 기획자, 연구자로서도 더 이상 여기서 뭘 할 수 있는 게 없어지고 있습니다.

안치환 : 나는 그게 그냥 자연스러운 흐름이라고 생각해요. 예를 들어 우리가 1980년대 록 같은 서구의 록을 좋아했다가 어느 날 갑자기 얼터너티브 록이 나와요. 1980년대 후반부터 1990년대에 얼터너티브 록이 쏟아지기 시작했는데 그냥 너무 또 좋은 거야. 음반도 엄청나게 들었죠. 너바나부터 시작해서 완전히 그냥….

그 음악 주류가 지금은 또 사라졌다고 생각해요. 왜냐하면, 그건 하나의 세대라고 생각하는 거예요. 하나의 흐름은 세대와 어울려 생겼다가 사라지네. 그러니까 지금 새로운 무슨 록을 들으면 못 듣겠어요. 정말 무슨 모기 새끼들이 울어대는데. 이전 보컬의 그 거침과 보컬에 내재된 엄청난 매력이 사라지고 다 '앵앵' 거리는 소리로 질러 대는데… 사운드 부피만 커지고 목소리도 연해지고 못 듣겠는 거예요. 거기에는 진짜 걸출한, 예전에 우리가 좋아했던 그 록 보컬의 소리가 없어요. 커트 코베인(Kurt Cobain)도 없고, 브라이언 아담스(Bryan Adams)도 없고, 브루스 스프링스틴(Bruce Springsteen)도 없고, 목소리 자체가 사라졌어요. 그냥 천편일률적인 앵앵거리는 소리, 그 소울이 없다고 해야 하나? 목소리의 소울이요. 내가 요새 스포티파이에서 이렇게 들어보면 현대 록이라는 건 못 듣겠다 싶더라고요.

박준흠 : 취향에 안 맞으시죠? 사실 저도 앵앵거리는 목소리는 별로 안 좋아합니다. (웃음)

안치환 : 취향? 그렇죠. 그냥 취향이라면 취향인데, 세대가 달라졌고 나 또한 그런 놈이 돼버린 거고. 요즘 젊은이들이 그런 음악을 좋아하고 그 목소리를 좋아한다면 그것도 그냥 뭐 이유가 있는 거겠지. 내가 잘못된 거지 요즘 사람들이 잘못된 게 아니겠죠. 그러니까 나를 중심으로 해서 생각해보면 이상하지만 나를 객관적인 하나의 존재로 두고 생각하면 그냥 그런 거고⋯ 옛날에 트로트 시대에 갑자기 김추자가 나왔을 때, 저 미친 여자는 또 뭐야? 이랬던 거랑 똑같다고 생각하면 돼요. 그냥 세상은 그렇게 변하고 세대와 시대의 취향은 변하고 있고.

박준흠 : 현재 한국에선 여성 싱어송라이터를 표방하는 뮤지션 다수가 '앵앵' 거리는 목소리인데, 이는 시대적인 트렌드를 따라간다기보다는 아마 자기만의 '보이스컬러'를 별로 고민하지 않기 때문일 것입니다. 그리고 20세기, 21세기 서구의 대중음악은 계속 바뀌어 왔어요. 그러니까 주류 장르도 바뀌고 음악의 소비 방식도 100년 이상 계속 바뀌어 온 거잖아요. 여기에서 트렌드라는 부분도 중요하겠죠. 그런데 한국 대중음악에서 부족하게 느껴지는 것은, '자기 얘기를 하는 음악'입니다. 안치환 씨는 "내 얘기를 통해서 세상을 얘기하고 싶다"라고 하잖아요. 그러니까 가수

가 모깃소리로 부르던 뭐든 간에, 거기에 '자기 얘기'를 담아서 세상에 던지는 어떤 메시지가 담겨있다면 하등의 문제가 없다고 저는 생각을 해요.

안치환 : 뮤지션 입장에서 바라보는 건가요?

박준흠 : 전체적으로요. 뮤지션뿐만 아니라 음악을 생산하고 소비하는 사람 모두에 관한 얘기입니다. 그러니까 '앵앵' 거리는 목소리 자체는 별 문제가 없을 수도 있는데, 노래에 담긴 내용이 그 목소리를 한심하게 느껴지게 할 수도 있다는 거죠. 예전 '가을방학'의 여성 보컬 계피 목소리도 코맹맹이에 '앵앵' 거리는 목소리 유형인데도 창작이 훌륭하다 보니 뛰어난 아티스트라고 인정받았습니다.

안치환 : 인정해요. 그리고 식상해지는 것, 더 이상의 자극이 없는 것. 더불어 더 이상의 작품도 안 나오고 그러면 그게 끝이에요. 그러니까 그것은 그 시대에서 잠자는 하나의 역사가 되고 유물이 돼야 한다고 생각을 하는 거예요.

박준흠 : 안치환 씨는 그런 부분에 있어서 두려움이 있으세요?

안치환 : 두려움… 그런 부분에서 끊임없이 노래를 만들어 왔죠. 그런데

그거 알아요? 안치환의 음악은 딱 저거야 하는 거. 그러면 대중도 더 이상 처음에 느낀 떨림과 신선함이 없잖아요. 그게 힘든 거죠. 나는 힘들어요.

박준흠 : 11집에 있는 첫 번째 노래 〈사랑이 떠나버려 나는 울고 있어〉에도 그런 심정이 담겨있죠?

샘물은 점점 말라버려 / 내 입술도 말라비틀어져
앵무새처럼 불러 대지만 / 들려오는 메아린 없어

사랑이 떠나버려 나는 울고 있어
숨 쉬는 것조차도 내겐 너무 벅차
사랑아 돌아와 줘 제발 돌아와 줘
암흑 속에 갇혀버린 내 영혼을 꺼내줘
〈사랑이 떠나버려 나는 울고 있어〉
안치환 작사 / 작곡

안치환 : 예. 그러나 나는 이것이 나의 숙명이자 뮤지션이 그냥 당연히 가야 할 길이라고 생각한 지 오래됐어요. 그런 것들은 끊임없이 나에게 고통이고 허기짐을 줄 건데… 나는 신선함에 대한 대중의 환호와 열광을 이미 맛본 사람이고.

그런데 예전같이 내가 뮤지션으로 느껴야 할 그런 것이 없어요. 더군다나 음악 시장도 변했고, 음반도 팔리지 않고 다 그렇죠. 너무나 절망적인 그런 외적 상황이 펼쳐지고 있어요. 그러나 뮤지션은, 그럼에도 불구하고 변한 게 없어요. 음악을 만들어 가는 과정은 똑같아요. 음악에 투자해야 할 비용도. 세션 연주자한테 연주할 때 돈 안 줘요? 똑같이 주죠. 그러나 음반을 만들어서 팔지 못해요. 그래서 예전에 그 십만 장, 육십만 장 팔아서 가졌던 그 경제적 순환구조가 깨져버린 거예요. 그러나 뮤지션이 해야 할 일은 똑같아요. 음원을 만드는 과정까지 투자는 똑같아요. 이게 얼마나 엄청난 상실이고 변화예요? 너무 절망적인 변화지. 왜냐하면 음반 수익이라는 것 자체가 사라져 버렸으니까. 기껏해야 요즘에 잘 나가는 사람들은 음원으로 다시 이익을 얻겠지.

그러나 나 같은 경우에는 얼마간의 저작권 수입 이외에는 다 사라진 거죠. 신선함이 없는 뮤지션이 돼버렸고, 어떤 공연티켓 파워나 음반판매 파워 자체가 사라진, 이제 어찌 보면 올드패션 피플이에요. 올드패션 아티스트라고. 그래서 그냥 익숙한 대중이, 익숙한 사람만이 향유하는 그런 아티스트 밖에 안 되는 정도일 거예요. 그런 내가 느끼는 것은 얼마간 힘든 부분이 있어요. 하지만 나는 그것을 그냥 어쩔 수 없는 아티스트의 숙명이라고 생각해요. 내가 갈 길이고. 그렇다고 내가 내 길을 안 가고 게으르게 대충대충 음악 해? 이건 더 웃긴 얘기고. 그러니까 난 나의 할 일을 할 뿐인 거죠. 그리고 나를 알아주는 소수의 팬에게 감사하고, 같이 늙어가면서 나의 할 일을 충실히 한다. 그것이 나의 일이라 생각하는 거죠.

지금 상황이 이렇게 변했는데, 나는 음악을 계속 만들고 있고, 창작해오고 있고 그렇기 때문에 나 스스로는 사라진 단절에 대해서 끝까지 저항하고 있는 거라고 생각해요. 그리고 나는 뮤지션으로서의 자존심을 걸고 계속 그런 창작을 해오고 있고 음반을, 음원을 발표하는 중인 거예요.

2) 안치환, 팬들, 사람들, 노동자의 음악적인 정서

박준흠 : 1997년에 [Nostalgia] 앨범 나온 이후에 인터뷰에서 "난 노동자의 '정서'를 믿지 않는다"라고 얘기했고, 나중에 부연해서 얘기했을 때는 "난 노동자의 '음악적인 정서'를 믿지 않는다"라고 정확하게 얘기했습니다.

4집은 2007년에 가슴네트워크와 경향신문이 공동으로 선정한 '한국 대중음악 100대 명반'에도 선정될 만큼 앨범으로서는 예술적인 가치가 가장 높다고 생각하고요. 그런데 보면 4집은 안치환의 팬들 대개가 첫 번째로 꼽는 앨범이 아닌 것 같고, 4집 노래들은 〈사람이 꽃보다 아름다워〉만큼 애창하지도 않는 것 같습니다. 4집은 60만 장이나 팔린 앨범이지만 그건 〈내가 만일〉 때문에 팔린 것 같고… 그렇다면 안치환 팬들의 그 '음악적인 정서'도 믿을 수가 있을까? 라는 생각을 합니다.

안치환 : 그런데 나한테 팬들이 어떤 사람들인 것 같아요? 그때 당시 팬들을 말하는 건가요? 아니면?

박준흠 : 그때부터 지금까지 모두요. 유튜브에 보면 '안치환의 좋은 노래' 리스트 같은 거를 올리는 사람들이 있는데, 4집에 있는 노래 중에는 〈내가 만일〉 정도를 제외하고는 특별히 올리는 것을 본 적이 없는 것 같아요.

안치환 : 사람들이 3집도 좋아하고 뭐…

박준흠 : 3집에 있는 〈소금인형〉이나 5집에 있는 〈사람이 꽃보다 아름다워〉는 대부분 리스트에 들어가지요. 그리고 시詩로 만든 노래들 많이 꼽고.

안치환 : 대중적인 노래라는 게 그런 것들 아니겠어요.

박준흠 : 제가 생각하기에 '안치환의 음악적인 정서'는 사람들이 일반적으로 꼽는 노래들에 있지 않다고 생각합니다.

안치환 : 그런데 나를 좋아하는 사람들은, 그런 대중적인 노래들만 좋아

하는 사람들이라고 생각하지 않아요. 나의 역사歷史를 아는 사람들이라고 생각해요. 그러니까 내가 무슨 노래를 해왔고, 대중적으로 알려진 노래는 이런 거지만 안치환이 어떤 노래를 부른다는 걸 알고 있는 사람들이 〈자유〉를 알고 있고, 〈철의 노동자〉를 알고 있고 〈당당하게〉, 〈수풀을 헤치며〉를 알고 있고. 안치환이 노래하고 있는 이야기들 있잖아요. 지금까지 나를 좋아해 주는 사람들은 삶에 관한 이야기들을 알고 있는 사람들이라고 생각해요.

박준흠 : 그런데 좀 전에 왜 안치환 팬들의 숫자가 많이 줄어들었다는 식으로 얘기를 하셨죠?

안치환 : 줄어들었다고 얘기하는 게 아니라 누가 날 좋아하는지 모르겠다고, 그런 얘기예요. 내가 〈마이클 잭슨을 닮은 여인〉을 발표하고 나서 겪은 일인데, 예전에 산사 콘서트 때 너무 감동 있고 좋았는데 김건희 여사님을 패러디한 노래를 듣고 인간말종이라고 생각한다, 이렇게 얘기해요. 그리고 〈빨갱이〉를 발표했는데, 어떤 사람은 그 노래를 듣고 자기가 가지고 있던 9장의 안치환 앨범을 내다 버렸대요. 어떤 경상도 아줌마가. 그런데 생각해보니까 〈빨갱이〉란 노래를 이 아줌마가 곡해한 거 아니야? 빨갱이를 욕한 노래로 듣는 거 아니야? 왜냐하면, 그렇지 않고서야 어떻게 내 음반 아홉 장을 들은 여자가 그렇게 얘기하냐고요. 8집을

들으면 벌써 〈빨갱이〉보다 더한 음악이라는 걸 알아야 했는데, 그걸 듣고 인제 와서? 사람들이 한 뮤지션을 좋아하고 떠나고의 문제는 여러 가지 이유가 있을 수 있어요. 그런데 나로서는 정치적인 부분에 대한 건, 별로 그런 것에 관여하지 않거든요. 사실 나는 내 노래가 정치적이라고 생각하지 않아요. 사람에 관한 이야기인데, 그런데 그런 것에 대해서 민감해하는 부분은 어쩔 수 없다고 생각해요.

그런데 어떤 신선함이 없어지는, 아까 얘기했듯이 그냥 뭐랄까 진부하다고 느낄 수도 있어요. 내 노래가 지루할 수도 있죠. 똑같은 목소리인데. 나는 좀 다르게 하고 싶은데 그냥 다 똑같은 안치환 노래야. 남들이 보기에는 그럴 수 있어요. 〈철의 노동자〉 좋아하는 사람이 안치환 동지 어쩌고 쓰는 사람 있고, 오빠가 너무 아름다워요. 이렇게 얘기하는 사람도 있고. 12집에 〈지나가네〉라는 노래가 있어요. 내가 정말 삶에 대해서 내 음악을 하는데, 포크적으로 예쁘게 쓴 노래라고 생각해요. 그 노래를 좋아해서 너무 좋다고 이러는 사람도 있고 또 전혀 관심 없는 사람도 있고. 사람은 그런 거죠. 노래가 쫙 100-200곡이 있어요, 그러면 200곡 중에 한 곡이 좋으면 내가 좋고 200곡 중에 한 곡이 싫으면 내가 싫은 거죠. 그게 사람이에요.

박준흠 : 그렇게 해석할 수도 있네요.

안치환 : 그걸 무슨 논리적으로 통계를 때려서 그렇게 생각하지 말아요, 제발.

박준흠 : 통계까지는 아니고요.(웃음) 제가 보기에 안치환의 음악적인 정서는 분명히 있는데, 팬들이라고 해서 얘기하는 사람들을 보면 도대체 어떤 사람들일까 궁금한 거예요.

안치환 : 그러니까 그걸 "노동자의 음악적인 정서를 내가 믿지 않는다" 라는 부분으로 비교해서 얘기하면 내게는 별로 설득력이 없는데… 내가 당시 그렇게 얘기했던 이유가 뭐냐면, 그때 나는 노동자가 세상을 움직이고 세상을 만드는 사람이라고 생각했고, 민중이라고 얘기했을 때 가장 핵심적인 멤버들이라고 생각했어요. 노동자가 세상을 움직이면 세상이 움직인다고 생각했죠. 그런데 내가 그렇게 알고 갔던 '노동자 행사'는 그게 아니었어요. 자기가 의식적이고 선도적인 노동자라는 사람들은 X나게 뽐내. 무슨 세상이 다 자기 밑이야. 자기가 가장 의식적으로 선도적이기 때문에 이렇게 노래가 자기를 감동시킬 수는 없어요. 다 내 아래야. 그러니까 민주노총도 음악을 그렇게 자기 하수인처럼 갖다 부려 쓰는 거죠. 무슨 말인지 알아요? 나는 그 일을 직접 당하진 않았지만 그런 일이 허다하다는 건 알아요. 그러면서 노동가요 한다는 사람들도 거기에 자기 시장을 지키기 위해서 그렇게 음악 한다는 것도 알아요.

아참, 노동자라 그러면 화내기도 하죠. 내가 왜 노동자냐고? 노동력 팔아서 월급 받아서 사는 사람들이, 너 노동자라고 하면 화내요. "내가 왜 노동자야? 나는 회사원이야! 회사원. 근로자야." 그 무슨 말 같지도 않은… 근로자라는 말이 도대체 무슨 말이야. 그러니까 자기 존재에 대한 의식이 없어요. 의식이 존재를 배반한다는 얘기라고요. 그걸 너무 당했어요. 여러 번 경험해서 노동자에 대한 환상이 깨져버렸어요. 내가 그렇게 존중하던 노동자가 다 똑같은 사람이 아니래. 투쟁하는 노동자만이 이 세상에 노동자가 아니네. 피 흘려 싸우는 노동자만이 노동자가 아니라는 거죠. 그런데 내가 〈철의 노동자〉니 〈노동자의 길〉이니 이런 걸 만들었을 때 내 심정이 어떤 거였겠어요. 노동자에 대한 경외심을 가진 대한민국의 뮤지션이었어요.

그런데 노동자에게 음악적으로 배신감을 느껴요. 그 노동자가 〈철의 노동자〉 부르고, 술 먹을 때도 좀 좋은 노래 부르고, 거기 노래방에 4분의 4박자 투쟁가는 없더라도 정말 〈전화카드 한 장〉이라도 부르고 이러면서 〈광야에서〉도 부르고 하면 좀 좋아. 그런데 무슨 같잖은 뽕짝들, 진짜 노래 같지도 않은 무슨 오케이야, 이런 거만 부르면서 놀아요. 그러니까 내가 투쟁의 현장에서 부르는 노래 자체가 내 삶의 노래가 아닌 거죠. 그거 자체가 음악을 하는 뮤지션은 이상하다는 걸 느껴요. 그러니까 저항가요를 민중가요라고 부르지 말라고요. 당신들이 하는 건 기껏해야 한 부류의 음악이고 전체 대중들이, 민중들이 당신 노래를 알지도 못해. 이걸 민중가요라고 얘기하면서 뻗대지도 말고, 같잖은 위선 떨지 마세요. 이 사람들아, 겸손해져. 이게 내 태도예요. 이게 내 마음입니다. 그래서 노동자의 음악적 정서를 믿지 않는다는 거죠. 믿지 않는다는 건 아직도 노동가요가 갈 길, 저항가요가 갈 길이 멀다는 것이고, 우리가 해야 할 일이 아직도 너무너무 요원하다, 그 얘기에요.

박준흠 : 예. 충분히 이해합니다.

안치환 : 그것에 대한 절망감이죠. 그래서 노동자에 대한 '그 정서'를 믿지 않는다는 말이에요. 노동자를 믿지 않는다는 게 아니라 노동자에 대한 정서를. 그들을 존중하지 않는다는 것이 아니라. 그런데 그 말 자체를 갖고 노래방 가서 같잖은 노래나 부르는 사람들이 또 그럴 때는 심하게 뭐라 그래요. 그러니까 내가 그 말에 대해서는 그때 너무 바빠서 신경도 안 썼어요. 뭐 그러거나 말거나.

박준흠 : 이 얘기가 나무위키 같은데 많이 나오는 얘기예요. 안치환을 설명하는 '사건 사고'도 이 얘기가 있어요. 좀 전에 '노동자의 음악적인 정서' 이 얘기도 이렇게 장황하게 얘기를 할 정도로 그간 논의가 안 됐다는 얘기잖아요. 민중가요를 얘기할 때도 아직도 개념 얘기 수준에서 벗어

나지 못하는 것 같고.

안치환 : 1980년대에서 한 발짝도 안 나갔어요. 그때도 운동 음악이냐 음악 운동이냐 어떤 게 먼저냐, 음악이 먼저냐 운동이 먼저냐 싸우던 시기이고. 어쨌든 민중가요가 저항가요가 한번 대중적으로 확 바람을 일으키고 확 사그라들고, 그렇게 됐잖아요. 그런데 그다음에 뭐가 있냐고요. 그다음에 성과물이 없어요. 저항가요의 역사에서 성과물이 없다고요. 나와 몇 명은 대중음악판에 와서 이런저런 노래들도 만들고 그렇게 해왔지만, 그 저항가요라고 하는 판에 성과물이 뭐가 있냐고요.

박준흠 : 궁금한 것 중의 하나가 왜 '창작'이라는 쪽으로 중요하게 접근하지 않았을까요? 대중적으로도 인정받는 창작을 계속해내서 그 명맥을 유지하려고 하지 않았을까요?

안치환 : 능력이 안 되니까 그렇겠죠. 안 그러면 만들었겠죠. 그러니까 전체 대중가요를 보면 얼마나 많은 노래를 만들어요? 얼마나 많은 노래가 쏟아져요? 대중들이 선택하는 게 뭐죠? 그중에 아주 일부분이겠죠. 그러면 저 변방 한구석에 저항가요 그것도 마찬가지라고요. 뭘 만들어내서 대중들에게 호감을 줘야지 그 불씨가 꺼지지 않고 계속 타오르는 거 아닌가요? 그런데 별로 만드는 것도 없고 불씨는 꺼져 있는데, 뭘 계

속 얘기하는 거죠?

박준흠 : 1980-90년대에 제가 그 현장에 없었기 때문에 물어본 거예요.

안치환 : 아니 나도 그렇게 얘기를 하는 거예요. 그러니까 아주 단순한 음악시장의 논리로 얘기하죠.

박준흠 : 어떤 노동가요 관련 포럼집에서 "노동가요가 김호철 류의 음악으로만 계속 존재하는 것도 문제가 있다"라는 질문에 어느 연구자가 "노동가요라는 건 현장성이 가장 중요하다. 한마디로 말해서 한가하게 창작이나 할 만한 여건이 있지도 않았다"라고 얘기하는 걸 본 적이 있습니다.

안치환 : 뭐 그럴 수도 있죠. 내가 〈철의 노동자〉 만들면서 무슨 생각을 했는지 알아요? 김호철 류의 그런 투쟁가를 불러도 좀 따뜻한 투쟁가였으면 좋겠다. 싸울 때는 좋아. 그런데 싸우지 않을 때 노동자는 무슨 노래를 불러요? 그래서 만든 노래가 〈노동자의 길〉이에요. 그러니까 노동자의 정서라는 게 투쟁의 정서만 있냐? 이거죠. 그러니까 내가 하는 근본적인 질문이 계속 그거예요. 사람이 투쟁만 하면서 사나? 노동자도 연애하고, 노동자도 밥 먹고 살아야 하고, 애 낳고. 재벌이 해외여행 갈 때 노동자도 어디 태국이라도 가고 싶고, 부자가 뭐 할 때 노동자도 뭐 하고 싶고, 인간이란 그런 거 아닌가요? 〈전화카드 한 장〉 같은 노래를 들으면 참 잘 만들었다. 그게 나는 좋은 시도라고 생각하거든요. 따뜻한 노래. 노동자들에게 따뜻한 마음을 줄 수 있는… 무슨 민들레꽃처럼 사랑한다….

때에 따라 계몽도 필요해요. 내가 그래서 그런 따뜻한 노래를 만들려고 애쓰고, 그러한 노동자들의 인간 내면적인 이야기를 쓰려고 애쓰고. 노동자들도 노래방에서 부를 노래가 없으니까 안 부르는 거죠. 그러니까 그거는 이쪽에 역량이 부족했던 거죠. 싸울 때, 전 민중의 투쟁에 노동자들이 고취되고, 그 1987년 6월항쟁 이후에 노동자 대투쟁이 8월, 9월에 이어졌을 때는 그게 다 가능해요. 그런데 사람이 그 시기만 사는 게 아니잖아요. 1980년대가 지나면 1990년대가 있는 거고, 1990년대가 지

153

나면 2000년대가 있는 거고… 그 시기들을 다 충실하게 노래해야 하는 것이 뮤지션이고, 그것이 아티스트고.

박준흠 : 김호철 부류의 노동가요들만 있는 현실에서는 젊은 세대가 노동가요를 들으려고 했을 때 왜 저런 노래만 있지? 라고 생각을 하지 않을까… 그래서 결국에는 그냥 듣다가 흥미를 잃는 상황이 벌어지지 않을까. 그래서 다른 방식의 접근도 필요할 것 같습니다. 한 사례를 얘기하면, 2019년에 '정태춘 박은옥 40주년 프로젝트' 때 저도 사업단에 참가해서 일했었는데, 서울에서 첫 공연이 4-5월에 세종문화회관 M씨어터였어요. 600석짜리 공연장이죠. 첫날 거기 가서 공연을 준비하다가 잠시 밖으로 나왔는데, 도로 맞은편에 있는 KT빌딩 앞에서 집회를 하더라고요. 노동자분들이 와서 집회하는데 갑자기 제가 좋아하는 노래가 나오는 거예요. 어떤 여자분이 기타 하나 갖고 제가 좋아하는 노래를 불렀는데, 이게 누구 노래더라? 한참을 생각하니 나탈리 머천트(Natalie Merchant)라는 여자 가수의 〈Kind & Generous〉라는 노래였어요.

안치환 : 나탈리 머천트 음반 나도 갖고 있어요. 그런데 노동자들 집회에서 그런 노래를? 신선하네.

박준흠 : 어떤 20대 여성 인디뮤지션이 노래를 부르지 않았을까… 아무

튼 망설이다가 결국에는 길 건너서 갔어요. 가서 얼굴 좀 보고 이름도 물어보려고 갔는데, 건널목 건너서 딱 도착하니까 이미 기타 챙겨서 가더라고요. 그래서 뒷모습만 봤는데, 그렇다고 쫓아가서 물어보기도 그렇고. 이 얘기를 하는 것은, 좀 전에 얘기한 노동가요에 대한 '다른 방식의 접근' 때문입니다.

안치환 : 가서 물어보지 그랬어요. 어떻게 이 노래를 불렀냐?(웃음) 우리가 처음에 집회에서 무슨 노래를 불렀냐면, 〈우리 승리하리라〉 이런 거 불렀어요. 미국 노래잖아요.

박준흠 : 피트 시거(Pete Seeger)의 〈We shall overcome〉을 번안한 곡이죠.

안치환 : 지금 세대에서 한다면 차라리 그런 게 좋다고 생각해요. 맨날 그 살벌한 가사, 그건 진짜 피 흘려 싸울 때 한 노래들이고⋯.

박준흠 : 인터뷰 중에 보면 '품위'라는 단어를 좀 쓰시거든요. 예전에 조동진 씨 얘기하면서도 '뮤지션의 품위'를 얘기했던 것 같고. 이건 좀 다른 얘기인데, 왜 한국에서는 노동자를 품위 있게 그리는 영화가 안 나올까요? 가난하고 약자로 그리기는 하지만, 영국의 켄 로치(Ken Loach)나 스

티븐 달드리(Stephen Daldry) 영화에서처럼 가난한 노동자들의 품위나 연대의식, 이런 것을 특별히 본 적은 없습니다.

안치환 : 노동자의 품위? 인권? 노동자의 인간다운 삶을 이야기하거나 노동자의 현실을 나름 품위있게 표현할 수 있는 감독이 왜 없느냐? 그걸 왜 나한테 물어봐요. 난 대한민국의 수준이라고 생각해요. 대한민국에서는 아직 인권이라든지 사람에 대한 그 노동자에 대한 어떤 애정과 갈망이 거기까지 올라와 있지 않은 거죠. 자본주의의 천박한 돈이 지배하는 세상. 노동자를 아직 천시하는 세상. 노동자가 맨날 죽어. 그런데 우리나라 인간들은 남 얘기로 생각하죠. 자기는 아니니까. 심지어 그러려면 공부해서 나처럼 회사나 다니지, 라고 생각하는 사람들이 X나게 많을 거예요. 그런 세상이에요. 영국과 비교하지 말아요. 영국은 산업혁명을 일으킨 나라고, 노동자의 역사가 엄청나게 길고, 옆에 시민혁명이 일어

났던 프랑스도 있고, 유럽의 역사죠. 그 역사와 그냥 어쩌다 얻게 된 대한민국의 민주주의 역사는 다른 거죠. 시민의 역량이 다른 세상이에요. 어떻게 우리나라에서는 그런 게 없냐고 물어보는 것 자체가 어불성설이죠.

　나는 노동자라는 걸 알고 있고, 노동자가 자기 인권을 위해서 함께 자본에 맞서서 싸울 수 있는 것 자체가 소중하다고 생각해요. 그런데 우리는… 내가 노래 하나 들려줄게요.

(안치환의 미공개 곡 재생)
오늘도 또 노동자가 죽었다네
일하다 무참하게 죽었다네
단 몇 줄의 뉴스로만 처리될 뿐
사람들은 제 갈 길을 재촉하는데

안치환 : 이 노래 제목이 〈패배주의자〉예요. 내가 아직 발표 안 한 노래고. 계속 노동자들이 죽어 가는데 이래요. 그런데 내가 이거를 싸우자, 그게 아니에요. 그냥 다들 이렇게 받아들이는, 그러니까 이런 게 너무 익숙해지고 얘가 또 죽었는데 이런 분위기… 깨어있는 노동자가 들으면 기분 나빠할 수도 있겠죠. 그래서 내가 일부러 이렇게 노래를 만들었어요. 내가 생각하는 게 이런 거예요. 중대재해 처벌법이니 법으로 맨날 어쩌

고… 또 대충 만들었는데 알맹이 다 빠지고 말도 안 되는… 노동자를 위한 건 아니죠. 결국에는 자본가들이 원하는 대로 다 로비 통해서 대충 말도 안 되는 법 만들어서 대충 넘어가고 또 그러겠죠. 그리고 이렇게 또 계속 죽어가겠죠. 아까 거론한 그런 감독은 안 나와요. 왜냐하면, 그런 영화 만들려면 제작비를 대야 하는데 제작비를 대주는 사람도 없을 거고. 독립영화에서는 만들 수는 있겠죠. 그러나 켄 로치 정도의 영향력을 발휘할 수 있는 감독이 한국 영화판에 있나요?

3) 구전 민중가요 모음집 [Nostalgia], [Beyond Nostalgia]

박준흠 : 1997년에 5집 나오기 전에 [Nostalgia] 음반을 만들잖아요. 그리고 2006에 [Beyond Nostalgia] 만들고. 이 음반에서는 [Nostalgia]에 있는 노래들이 디스크 2에 또 들어가 있고. 그런데 [Nostalgia]는 어떤 생각으로 만들게 된 거예요? 이 음반도 많아 팔렸다고 하는데.

안치환 : 한 10만 장 팔렸나? 그러니까 [Nostalgia]는 내가 왜 만들었냐면 한 마디로 '소명의식'.

박준흠 : 그럼 나중에 만든 [Beyond Nostalgia]는?

안치환 : 그것도 소명의식. 그러니까 내가 어느 정도 경제적으로 수입이

생기고 그러면서 생각한 게 있었어요. 내가 옛날에 불렀던 운동권 가요들이나 노찾사나 뭐 그런 유명한 노래들, 한마디로 장사가 됐던 노래들은 다 녹음이 되어 있어요. 그런데 녹음이 안 된 노래들이 있어요. 장사가 안되는 노래들… 나는 좋아하는 노래고, 내 음악의 뿌리, 좋은 자양분이 됐던, 나로서는 굉장히 소중한 노래들이 이제는 시대도 바뀌어서 누구도 쳐다보지 않고 아예 사라진 거죠. 망각의 강에 침몰한 그런 시기였던 거예요. 그때 내가 이 노래들을 음반으로, 기록으로 남겨야 한다는 생각을 했어요. 그래서 시작한 음반들이에요. 포크적인 거, 그리고 예쁜 노래들을 중심으로 뽑은 거예요. 물론 내가 좋아했던 노래들이기도 하고. 그렇게 [Nostalgia]를 만든 거였죠. 그리고 시간이 지나서 다시 또 언젠가 그 옛날 노래책을 보니까 아직도 녹음 안 된 것들이 있어요. 이것도 음원으로 만들어놓고 싶었어요. 그래서 [Beyond Nostalgia] 만들고.

　이제 장사가 안된다는 건 알죠. 장사가 될 음반들이 아니거든요. 팔릴 노래들이 아니에요. 그래도 누군가는 이거를 음원으로 기록을 해둬야 한다는 생각이었죠. 미안한 얘기인데 나 빼고는 누구도 할 사람이 없어요. 그래서 내가 [Nostalgia] 그다음에도 또 나머지를 한 겁니다. 해방가, 약간의 투쟁가들도 있고 그런 것들 나머지를 추려서 다 녹음하고. 이왕에 음반 낼 거 이전에 낸 것도 시간이 한참 지났으니까 같이 묶어서 [Beyond Nostalgia]로 다시 음반을 내자, 그래서 그렇게 음반을 낸 거예요. 사실 기록용이에요. 사업용은 아니었죠. 이미 두 번째 할 때는 사실은 내가 돈을 좀 쓴 거예요. 돈 들이고서 이걸 기록으로 남길 사람은 나밖에 없다는 생각으로요. 나는 그렇게 생각해요. 1집 [Nostalgia] 때는 그게 어느 정도 팔렸을지 모르지만, [Beyond Nostalgia] 때는 거의 뭐… 음반시장이 죽었던 때였기 때문에.

박준흠 : [Nostalgia] 첫 곡이 〈신개발지구에서〉잖아요. 한동헌 씨가 옛날에 메아리 2집(1980년)에서 처음으로 불렀는데. 혹시 이 노래에 대해서 각별한 애정이 있나요?

안치환 : 그 노래가 첫 곡으로 하기 좋겠다 싶었죠. "오늘도 조용히 들어봐-" 이러고 시작합니다. "물이 낮은 곳에서 자연스레 흐르고- 그대는 왜 불도저가 밀어놓은-" 이런 식의. 그러니까 첫 도입곡으로 좋겠다는 생각으로 했어요. 앨범이라는 건 내용도 있지만, 음악의 흐름이라는 게 있잖아요.

4) 6월 항쟁 20주년, 30주년

박준흠 : 2007년 6월 항쟁 20주년 때 '그래, 나는 386이다'라는 공연을 연세대 100주년 기념관에서 합니다.

안치환 : 6월 항쟁 20주년 때 내가 뭔가를 하고 싶었어요. 그런데 386이 이제는 비판의 대상이 되는 시대였던 것 같아요. 386의 어떤 빛나는 정신과 순결함에 대해서 왜 당당하게 이야기하지 못하는가. 그건 너희들이 당당하지 못하기 때문이라고 얘기했지만, 나한테 그래도 뭐라도 하고 싶었어요. 그래서 그거 내 돈 들여서 하고 싶어서 했던 공연이죠. 그래서 입장료 수익 10원 한 푼 내가 가진 게 없고, 그대로 출연자들 다 주고 대관비로 내고, 음향비 다 주고 그랬어요. 내가 여기서 어떤 사적인 이익을 갖는다는 건 말이 안 되고 그러고 싶지도 않았고, 그냥 한 번 그런 걸 멋지게 해보자.

박준흠 : 공연 끝나고 나서 "이제 나는 당신들이 그렇게 훌륭했다고 얘기하는 그 공연에서 벗어날 거야." 이런 얘기를 했다고 들었는데.

안치환 : 그 공연에 대해 극찬했는데 나는 거기서 벗어나겠다, 그런 거겠죠. 내가 가지고 있던 어떤 마음의 짐 같은 것을 덜겠다는 거겠죠. 그러니까 어쩔 수 없이 나는 386 세대고, 지금은 이제 586이라면, 나는 그런 거에 대해서 별로 신경 안 쓰는데… 어쨌든 386이 가진 그런 시대적 소명과 비난과 비판 모든 게 다 있어요. 다 겸허히 받아들여요. 그러나 내가 주목하고 초점을 맞추고 있는 건 이름 있는 386이 아니에요. 이름 없는 386이고, 정말 애써 싸우고 헌신했던 젊은 청춘들. 그 시대의 젊은 청춘들. 그 정신을 이야기할 뿐이죠. 그 이후에 그 과실을 따 먹는 것으로 몇몇 386의 대표적인 정치인들이 욕먹는 것도 좋은데, 그건 그들이 먹으라고. 애써서 열심히 사는 나머지 386이 욕먹을 이유는 없죠. 그 숭고한 정신과 희생과 열사들의 뜻과 지금까지도 그 정신 속에서 열심히 사는 그 많은 사람에 대한, 386에 대한 송가頌歌라고 생각하면 된다.

박준흠 : 그런데 6월 항쟁 20주년을 맞아서 당시 기념 음반을 냈던 뮤지션은 손병휘 씨 정도입니다. [삶 86]이란 음반. 이 음반에 아까 얘기했던 문익환 목사님이 이한열 열사 장례식 때 목 놓아 부르는 음성도 담겨있습니다.

안치환 : 나도 그게 안타까워서 공연한 거죠. 그런 공연이라도 한번 하고 넘어가야 하기에 한 거예요. 그리고 그 일이 그렇게 허무하게 지날 수밖

163

에 없는 게, 당시 눈치 보고 욕먹었을 때예요. 그런 걸 할 만한 게재가 아니었죠. 그러니까 한다는 사람들이 나서지 않는 거죠. 욕먹기 싫어서.

박준흠 : 그리고 2017년 6월 항쟁 30주년 때 '1987'이란 영화가 나왔죠. 장준환 감독이 만든 영화.

안치환 : 나는 안 봤어요.

박준흠 : 그 영화를 안 보셨어요? 여기에 영화배우 강동원 씨가 이한열 열사 역으로 나왔는데.

안치환 : 그래서 안 봤을 거예요. 그런 게 불편하게 하더라고요.

박준흠 : 6월 항쟁이 이렇게 약소하게 다뤄지는 것이 좀 안타깝습니다.

안치환 : 나는 노래를 만들었잖아요. 그럼, 그 음반은 누가 내야 하나요?

박준흠 : 적어도 노래운동을 했던 사람들이라면 어떤 식으로든 음반을 계속 냈어야 하지 않을까요?

안치환 : 난 뮤지션으로서 노래 한 곡 〈그래, 나는 386이다〉(10집 수록) 만든 그걸로 족해요. 모여서 뭘 하고 싶은 마음도 별로 없고. 40주년에는 만들까?

박준흠 : 이게 숫자에 불과할 수도 있지만, 이를 예술 작품으로 만드는 거는 그것도 한편으로는 '저버리지 말아야 할 가치'에 속한다고 생각하거든요.

안치환 : 당연하죠. 그런데 그것이 개인적으로 노래를 만들어서 발표하는 것으로 끝나는 나 같은 사람이 있는 거고.

04

가족, 사람들

"문익환 목사님이 방북하시고 어쩌다 문호근 선생님을 만났는데, 문호근 선생님이 '치환 씨, 아버님이 북한 가서 치환 씨 노래를 부르셨네' 그러면서 영상 비슷한 뭘 보여주셨어요. 보니까 문익환 목사님이 평양에 있는 봉수교회에서 '민중의 부활을, 민족의 부활을' 염원한다고 하시면서 혼자서 노래를 부르셔. 그게 내가 만든 〈마른 잎 다시 살아 나〉에요.

나로서는 이게 지금… 저렇게 큰 어른이 그것도 불법으로 방북을 하셔서 거기 평양에 있는 교회에서, 목사님이 찬송가를 안 부르시고 내가 만든 〈마른 잎 다시 살아 나〉를 아무 반주 없이 그냥 그렇게 부르시는데… 내 입장에서는 그게 뭐랄까 경험하기 어려운 그런 큰일이었던 거예요.

그 이후에 한동안 한 몇 년은 그 노래를 못 부르겠더라고요."

1) 초등학교 동창과의 결혼

박준흠: 사모님(김미옥 님) 얘기 부탁드립니다.

안치환: 제 아내는 저랑 동갑이고, 제 고향 초등학교 동창이고.

박준흠: 화성시 석천 초등학교.

안치환: 예. 우리 고향의 옆 동네에 살았어요. 그래서 우리는 중학교 2학년 때부터 사귀기 시작했고 그 이후에 다 도회지로 가게 됐죠. 와이프는 인천으로 유학하러 갔었고 나는 그보다 몇 년 늦게 서울로 유학을 갔고. 그때 당시에는 공부하느라 서로 자주 못 만났어요.

박준흠 : 그러면 부인은 중학교 때부터 유학을 갔다는 말인가요?

안치환 : 언니들이 먼저 도시에 가서 일하면서 거기에 살고 있었으니까. 우리는 둘 다 막내예요. 그렇게 해서 성장을 했고, 나중에 계속 또 만났기 때문에 결혼했고 그래요.

박준흠 : 언제 다시 제대로 연애를 시작한 거죠?

안치환 : 그냥 편지를, 우리는 편지를 썼어요. 뭐 핸드폰이 있는 것도 아니고 편지를 주고받고 그랬고, 겨우 대학교 가서 가끔 만날 수 있었어요. 하여튼 그때 보통의 연애를 하는 사람들의 그런 과정이었었고, 그리고 결혼을 해요. 결혼 언제 했더라? 1991년. 우리 아들이 1992년생이니까.

박준흠 : 그러면 첫사랑하고 결혼하신 건가요?

안치환 : 예, 쑥스럽지만 그렇습니다.

박준흠 : 다른 분의 사례를 좀 비교해서 얘기하면, 김창기(동물원) 씨 같은 경우는 첫사랑, 두 번째 사랑과의 실연의 감정으로 결혼하기 전까지 한 10년 동안 노래를 엄청 많이 만든 거였는데… 혹시 본인도 그런 실연

의 상처가 있었더라면 그런 창작이 막 나왔을 것 같나요?

안치환 : 당연히 나왔겠죠. 창기 형은 개인적인 것에 대해서 굉장히 솔직한 노래들을 만들었던 사람이고, 나는 그런 노래를 만들기 전에 왠지 개인사보다는 세상의 이야기들을 만들어야 했었고, 그런 게 익숙했었죠. 서로 노래를 만드는 출발점이 달라서, 나중에 내가 개인적인 경험이나 감정을 갖고 만들 때는 좀 쑥스럽더라고요. 맨 처음 사랑 이야기, 사랑해, 라는 말을 가사로 내뱉었을 때 그 첫 시도를 하는 게 쑥스럽더라고요. 그런데 인간이 가지고 있는 가장 고귀한 감정의 하나가 사랑인 거죠. 내가 3집에 들어서서야 비로소 남녀 간에 그런 것들을 이야기할 수 있었던 것 같고, 그래서 조금 달라요.

나에게도 그런 경험, 얘기들이 있었다면 얼마나 많은 음악적인 모티브가 제공됐을까 싶어요. 물론 창기 형은 그걸 통해서 노래를 만들어야 한다는 약간 좀 광적인 면을 갖고 있어요. 형은 항상 옛날에 그렇게 얘기했어요. "야, 그런 게 있어야 노래를 만들어. 압구정동에 가자!" 이런 거 있잖아요. 같이 술도 먹고, 난 그런 창기 형 모습이 되게 좋아 보였고. 옆에서 보면 되게 재미있기도 하고 부럽기도 하고 그랬어요. 나는 시위 현장에서 돌 던지고 와서 노래 만들었던 사람이고, 그게 다르잖아요. 그런데 나도 그런 것들에 대한 노래를 정말 잘 만드는 창기 형을 옆에서 보면서 재밌었고, 그런 것들에 대해서 솔직할 수 있는 그 감정들이 참 부러웠던 거죠. 그런데 그런 감정이 사실은 노래를 만드는 사람들의 기본적인 그런 게 아닐까요? 뭐랄까, 마음의 자세.

박준흠: 그러고 보니까 9집(2007년)에 〈아내에게〉라는 노래가 있잖아요. 그 노래를 9집에 넣은 이유가 있나요?

안치환: 사실 그것도 신문을 읽다가 어디서 본 광고성 글귀인데, 되게 낯간지럽잖아요. 가사가. "기운 내. 당신은 웃을 때가 제일 예뻐. 앞으로도 나에겐 당신뿐이야." 이런 정말 입에 발린 사탕발림 같은 남편의 이야기죠. 아내에게 위로한다고 하는 이야기인데, 조금 낯간지럽지만, 노래를 좀 만들어봐야겠다 해서 만들었어요. "사랑해요, 당신 없었으면 어떻게 살았을까?" 뭐 이렇게 되는데… 그런데 그게 나에게는 다가오는 거예요. 이 나이가 돼서 생각해보면, 내가 이 여자가 없었으면 어떻게 살았을까? 감옥에 가 있을 것 같기도 하고, 내가 폐인이 됐을 수도 있고. 그러니까 동반자라는 게, 정말 나를 위해주고 나를 사랑해주는 누군가가 있다는 것은 인생에 있어서 그만큼 든든한 부분이 없는 거예요.

혼자 나와서 뭘 먹으려면 난 부자연스러운 사람이에요. 내가 혼자 여행 가는 것도 굉장히 부자연스러워요. 나는 항상 여행도 같이 다니고 그러는데, 내가 혼자서 뭘 할 수 있을까? 물론 노래 만들고 이런 건 내가 하는 거지만, 혼자서 내가 다른 뭘 하는 것에 대해서 되게 부자연스러운 사람이에요. "그런데 당신 없었으면 어떻게 살았지, 당신 없었으면 어떻게 살아갈까, 그런데 지치고 힘들어하는 당신, 무슨 말을 할까. 내가 해줄 수 있는 말은 힘내, 사랑해." 너무 상투적이고 입에 발린 클리셰한 부분이잖아요.

박준흠 : 그때는 그런 노래를 부르고 싶었다는 얘기인가요?

안치환 : 부르고 싶었다는 게 아니라, 자연스럽게 그런 얘기를 할 수 있는 나이라는 거죠. 그래도 한 20년 넘게, 30년 가까이 그렇게 살면 무감해지고, 너무 익숙해져서 공기와 같은 존재에 대해서 그게 고마운 줄 모르고 그냥 그럴 수도 있지만, 다시 생각해보면 너무너무 고마워서. 그런 자연스러운 고마움에 대한 깨달음, 그 느낌이 있잖아요. 그렇게 얘기할 수 있겠다 싶은 거죠. 뭐 좀 쑥스럽지만, 그렇다는 겁니다. 그래서 나이가 들수록 좀 더 표현해야 한다는 생각을 해요. 아내에 대해서 내가 좀 더 표현해야 한다.

박준흠 : 안치환 6집에 보면 사모님이 두 곡에 작사 참여를 했잖아요. 〈어머니 전상서〉, 〈그대 있음에〉가 공동 작사로 돼 있는데.

안치환 : 내가 음반을 내고 뭐 하면서 어느 때부터 와이프한테 가사를 물어보는 거죠. 노래를 만들다가 맨날 들려주잖아요. 맨 처음에 들려주고, 노래를 한번 불러보고, 이거 어때? 그러면 느낌을 얘기해 주고. 그다음에 내가 가사 어디가 막힐 때, 이 부분에 가사가 이건데 다른 무슨 단어 없을까? 라고 물으니까 자기 생각을 얘기하죠. 그러다가 보면 나중에 어떤 막혔던 부분이 다 해결이 되고, 그런 일들이 집에서 일상적으로 일어나잖아요. 그러다 보니까 어느 부분은 가사의 모티브를 충분히 많이 나에게 제공해 주는 부분이 있으면 그게 의외로 좋아서 그냥 작사를 같이하자, 그렇게 된 거예요. 그런 일들이 일상적으로 있으니까. 그러다가 이제 음반의 제작자라는 게 있잖아요. 그런 부분에 나는 와이프 이름을 넣는 게 좋겠다고 생각했어요. 물론 우리는 뭐 재산에 대해서 칼같이 나눠서 관리하고 그런 게 아니라, 그냥 다 공개된 상황이고 다 함께하는 상황이에요.

박준흠 : 5집부터 제작자 이름에 부인 이름이 나오는 거로 기억하는데.

안치환 : 이제는 음반이 팔리는 때가 아니니까 어떤 상징적인? 아내에 대한 예의라고 하면 예의일 수도 있고, 고마움이라면 고마움이라고 할 수 있고. 내가 할 수 있는 그런 거죠. 그래서 가끔 와이프가 친구들 만나서 그런 얘기 나오다 보면 농담하죠. 내가 제작자야, 그런 식으로. (웃음)

박준흠 : 그러면 실제로 음악사업에 참여하는 건 아닌 거죠?

안치환 : 그건 아니죠.

박준흠 : 노래를 만들었을 때 처음 들려주는 분이 사모님이고. 그렇게 모니터링 과정이 있는 거고.

안치환 : 당연히요. 어떤 노래를 다 만들면 이거 지금 들어봐, 아니면 녹음해서 딱 들려줘. 혼자 녹음해서 처음 들려주는, 들어주는 사람이 아내죠.

박준흠 : 그러면 반응이 잘 만들었다, 아니면 이거 좀 식상한데, 이렇게도 얘기하고 그런 식인가요?

안치환 : 어떤 노래를 들려주면 딱 듣고서 느낌이 참 좋다는 것부터 시작해서, 자기는 이러는 게 싫다는 얘기까지 해요. 그러니까 너무 좋다는 것부터 이런 노래는 별로라는 것까지 다른 반응이 있어요. 그런데 어떤 노래는 아내가 별로 마음에 안 들었다가, 내가 자꾸 듣고 다니잖아요? 차에서도 듣고 다니고 하니까 어쩔 수 없이 자기도 듣잖아요. 그러면 어떤 노래는 별로 안 좋아하다가 너무 좋다고 바뀌는 것도 있고. 반대인 경우는 별로 없는 것 같은데.

박준흠 : 일례로 아주 좋다고 얘기한 노래하고, 싫다고 얘기한 노래는 어떤 노래들일까요?

안치환 : 와이프도 드라마틱한 노래를 굉장히 좋아해서 〈물속 반딧불이 정원〉 같은 노래를 들으면 자기는 너무 좋았다고 하고. 그리고 예를 들어 최근 음반에 안 나온 노래 중에 〈봄길〉이라고 하는 노래가 있어요. 작년에 내가 정호승 선생님의 시로 만들어 본 노래예요. 코로나 방역에 헌신하는, 사회적으로 헌신해 보이는 사람들이 있잖아요. 의료진이라든지, 119라든지, 이런 사람들에게 고마움을 표시하면서 사회적인 메시지를… 아무튼, 신문에 정호승 선생님의 '봄길', 그 시가 있었는데 그 시가 다시 보니 좋아서 노래를 만들었는데, 맨 처음에 와이프가 그 노래를 별로 안 좋아했어요. 그래? 좋든 아니든 어차피 다 만들어진 거, 다 된 걸 무를 수는 없잖아요. 그걸 다시 듣고 다니는데 나중에는 그 노래가 또 그렇게 좋다는 거예요.

박준흠 : 그럼 왜 생각이 바뀌신 거래요?

안치환 : 글쎄요. 그러니까 편곡 전에 노래를 들려주잖아. 밴드로 데모 녹음을 해서. 이후 녹음해서 계속 듣고 다녔을 때 이 노래가 너무 좋다고 그러더라고. 편곡이 바뀌어서, 편곡이 완성된 후여서 그런지 모르지만.

노래라는 건 들을수록 좋아지는 게 있고, 들을수록 싫증이 나는 것도 있고. 또 처음부터 좋은 게 있고. 뭐 그런 거니까.

박준흠 : 자제분이 아들 하나, 딸 하나이죠?

안치환 : 예. 착하게 세상 살 수 있는 사람들이라서 다행이고. 아빠가 하는 일이 이렇고 뮤지션이 가진 여러 가지 좋고 나쁜 것을 다 보면서 살아왔을 거고. 아들은 그림을 그리는데, 사회성이 조금 부족하지만 자기가 하고 싶은 일 하면서 살 수 있었으면 좋겠고. 그리고 난 아들이 그리는 그림이 좋아서 음원을 넣을 때 항상 아들한테 그림을 의뢰해요. 그래서 12집 이후에 음원을 발표할 때 보면 노래 이미지들이 있어요. 아들이 그림을 그려서 도와준 거죠. 그런 것들이 재미있어요.

또 딸은 음악을 참 좋아해서 하고 싶어 했던 것 같은데, 내가 음악은 아마추어로서 즐길 때 가장 행복한 삶의 동반자다. 음악이라는 것이 프로페셔널하게 되면 조금 다른 문제라는 걸 얘기를 해서, 어느 날 그 프로페셔널한 음악을 하려고 했던 거를 포기하더라고요. 그리고 공부 열심히 하더라고요. 지금은 하고 싶은 걸 하기 위해서 계속 길을 가고 있고.

박준흠 : 언제 음악을 하고 싶어 했다는 얘기인가요?

안치환 : 음, 고등학교 졸업하고 대학교 들어가서 1년 휴학을 하고 뭘 하고 싶어 하더라고요. 그 녀석은 이런저런 재미있는 일들을 많이 해서. 말하자면 음악 로직 같은 거 있잖아요. 음악 혼자서 해볼 수 있는 그런 것도 나랑 같이 배워서 해보고. 컴퓨터 배우고 다루는 것들은 나보다 잘해요. 아무래도 젊은 친구니까 그렇죠. 그런데 음악을 만들고 창작하고 하는 건 다른 부분이죠. 그래서 지금은 음악을 하겠다는 마음은 접었어요.

박준흠 : 아드님은 1992년생인데 따님은 몇 년생인가요?

안치환 : 1995년생입니다.

2) 문익환, 백기완에 대한 추억

박준흠 : 2003년에 보면 문익환 목사(문익환(文益煥. 1918년 6월 1일
-1994년 1월 18일)은 중화민국 출생의 한국기독교장로회 목사이다. 통일운동
가, 사회운동가이며 시인이었다.) 10주기를 추모해서 중소도시 20개를 순
회하는 '통일맞이 공연 대장정'을 한 것으로 되어있는데.

안치환 : 20년 전이네요.

박준흠 : 문익환 목사님하고는 어떤
특별한 기억이 있으신 거예요?

안치환 : 대학교 때 목사님이 감옥에
서 나오셔서 이한열 열사 장례식이
그때 연대 백양로에서 열렸어요. 백
양로 끝에 단 몇 계단 위에 문익환 목
사님이 있었고 나는 그 앞쪽에 앉아
있는데, 문익환 목사님이 추도사를
하시는데 진짜 인상적이었죠. 단에 딱 올라오셔서 그동안 죽어간 열사
들의 이름을 한 명 한 명 목 놓아 외치시는 거예요. 그냥 쩌렁쩌렁 그 쉰

목소리로. 그때 처음 문익환 목사님을 뵌 거고 그 이후에 문익환 목사님 가족이랑 이렇게 저렇게 알게 됐어요. 예를 들어, 문성근 형은 연극을 했었기 때문에 연우무대에서 알게 됐고, 문호근 선생님은 독일에서 오셔서 이쪽 일을 하시면서 만나게 돼서 작업을 많이 했거든요.

그리고 어느 날 문익환 목사님이 방북하시고. 어쩌다 문호근 선생님을 만났는데, 문호근 선생님이 "치환 씨, 아버님이 북한 가서 치환 씨 노래를 부르셨네" 그러면서 영상 비슷한 뭘 보여주셨어요. 보니까 문익환 목사님이 평양에 있는 봉수교회에서 '민중의 부활을, 민족의 부활을' 염원한다고 하시면서 혼자서 노래를 부르셔. 그게 내가 만든 〈마른 잎 다시 살아 나〉예요. 나로서는 이게 지금… 저렇게 큰 어른이 그것도 불법으로 방북을 하셔서 거기 평양에 있는 교회에서, 목사님이 찬송가를 안 부르시고 내가 만든 〈마른 잎 다시 살아 나〉를 아무 반주 없이 그냥 그렇게 부르시는데… 내 입장에서는 그게 얼마나 이상한, 뭐랄까 경험하기 어려운 그런 큰일이었던 거예요. 그 이후에 한동안 한 몇 년은 그 노래를 못 부르겠더라고요.

박준흠 : 왜요?

안치환 : 글쎄, 내 노래가 아닌 것 같은 느낌 있잖아요. 그러니까 이 노래

가 갑자기 너무 커져 버린 것 같은? 다른 노래가 된 것 같은 느낌이었어요. 너무 거대해진 노래 같은, 나를 떠난… 그래서 한동안 못 부르다가 아주 오랜 시절이 지나서 다시 부르기 시작했어요. 하여튼 문익환 목사님은 그런 식으로 연이 있죠. 개인적으로는 친하게 지낼 수 있는 그런 나이도 아니고, 인사는 한 번 드린 적이 있는 것 같은데, 별로 기억은 없어요. 다만 그 자제분들하고는 일도 많이 하고 친하게 지내고 그랬던 거죠. 나는 문 목사님이 어떻게 그 노래를 아시고 거기 가서 부르셨는지 모르겠어요. 하여튼 음악을 좋아하시고.

박준흠 : 노찾사 2집을 당연히 들어봤겠죠.

안치환 : 어쩌면 그랬겠죠.

박준흠 : 그러면 백기완(백기완(白基玩, 1932년 1월 24일 - 2021년 2월 15일)은 대한민국의 시. 문학가 겸 소설가이고 시민사회운동가, 통일운동가로, 정치인이자 작가이기도 하다.)씨에 대한 기억은요? 1987년에 대학로 거리에서 박기영(키보드), 이형복(드럼) 씨 등과 밴드 체제로 연주했더니 백기완 씨가 일갈했다는 얘기를 본 적이 있거든요.

안치환 : "이따위 서양 악기를 갖다 놓고!!" (웃음)

박준흠 : 그 얘기부터 좀….

안치환 : 그때 대학로 거리를 막고 시민가요제를 주최한다고 했었나? 어쨌든 거기에 시민들이 올라와서 노래하는 거 반주를 해줘야 하잖아요. 그거를 내가 맡게 됐어요. 형들이랑 건반 치는 영신이 등과. 문예회관 대극장 앞인데, 그날 단이 굉장히 높았고.

박준흠 : 당시 건반이 박기영 씨 아니었나요?

안치환 : 기영이도 쳤고, 영신이라고 또 여자애가 있었어요. 클래식 전공하던 영신이라고 재밌고 좋은 친구가 있어요. 하여튼 그렇게 밴드 구성해서 하는데 뒤에서 해가 엄청 뜨거웠던 것 같아요. 그리고 그 전날 술을 먹었겠죠. 7월이었나? 8월이었나? 하여튼 햇살이 굉장히 뜨거웠던 거로 기억나요. 다들 그냥 막 힘들어하고. 직사광선 언제 끝나나 이러는데… 중간에 축사하러 백기완 선생님이 딱 올라오신 거죠. 바로 우리 앞에 마이크가 있잖아요. "시민들의 어쩌고, 우리 민족의 역사, 우리의 전통, 우리는 뭘 해야 합니다!" 이런 거죠. 선생님은 말 자체도 옛날 아무도 모르는 '노나메기(너도 일하고 나도 일하고, 그리하여 모두가 올바로 잘 사는 세상)'를, 뭐 그런 말을 해야 한다. 이러면서 항상 얘기하잖아요. 그러면서 "음악도 고유의 우리 음악을 해야지, 이따위 서양 음악 악기를 갖다 놓

고!" 뭐 이런 거예요. 막 졸고 있다가 '이따위 서양 악기에!' 정신이 확 들고. (웃음) 우리가 이렇게 고생하고 있는데 그것도 모르고 당신 얘기만 하네? 그리고 격려해주지 못할망정.

하여튼 뭐 그러고 내려가셨는데 속으로는 기분이 상했죠. 음악에 대해서 이렇게 편협한 생각을 가지고 계신 분이, 물론 민족적인 것이 중요한 건 알지만, 열심히 뒤에서 고생하는 어린 사람들한테 그런 면박을 주면서까지 그런 얘기를 하셔야 하나, 이런 생각이 들었어요. 그다음에 공연을 부산인가 어디서 하고 끝나고 나오는데 "야, 치환아 같이 가자, 뭘 하자" 그랬던 것 같은데, 그냥 "먼저 가세요." 그랬죠. (웃음)

박준흠 : 그때 기분이 안 좋아서?

안치환 : 그런 건 아니고 경황이 별로 없었어요. 그러니까 어떤 인간적인 섭섭함이나 그런 게 아니라 그때 그런 경험이 좀 당혹스러웠고, 하여튼 맥락은 좀 그렇지만 충분히 백기완 선생님으로서는 할 수 있는 얘기라고 생각해요. 그 시대 사람으로서는. 어쨌든 다 그랬었거든요. 노찾사 때도 일렉기타 하나 쓰는 거 갖고도 말이 많았어요. 드럼 쓰는 것도 그렇고. 그러니까 음악에 대한 이해가 굉장히 고루했던 때고. 또 음악 자체도 포크적인 노래, 기타로 하는 한정적인 음악 성향들이었기 때문에 거기

에 어떤 록밴드 구성이 있거나 이런 것에서 어색했죠.

또 하나는, 노래들이 사실 기타 한 대 정도나 두 대, 베이스 하나만 있으면 충분히 연주 가능한 그런 노래들이잖아요. 맨 처음에 〈그날이 오면〉 같은 곡을 일렉기타를 딱 쓰는데, 도대체 일렉기타가 여기에 어떻게 들어가야 하는 거지? 맨날 우리는 기타 찌잉- 그랬죠. 이것만 했는데 징가닥, 징가닥인데. 그래서 건반 쫙 깔고, 베이스 정도야 그냥 쿵- 이 정도인데. 여기 일렉기타가 어떻게 들어가지? 일렉기타를 어떻게 써야 하지? 이런 걸 몰랐다니까요.

그만큼 일렉기타에 대한 이해가 없었던 거예요. 드럼도 정말 멋있게 쓸수 있는 거거든요. 지금이라도 내가 〈그날이 오면〉 편곡을 한다면 정말 멋지게 밴드 구성을 할 수 있을 것 같아요. 그런데 그때는 잘 몰랐던 거죠. 그러니까 우리는 기타밖에 몰랐던 때고 기껏해야 신디사이저라고 해봤자 그냥 코르그(KORG) 갖고 했던 시대니까.

박준흠: 그래도 노찾사 2집에 있는 〈그날이 오면〉은 잘 나왔잖아요.

안치환: 그건 그 이후에 한참 지나고 나서예요. 우리가 그 형들이 해놓은 거 그대로 친 거죠. 동민이 형이 있어서. 그래도 우리가 하면서 중간에 드

럼을 딱 들었을 때 그 짜릿함이 얼마나 좋았던지… 이런 음악을 해야 한다는 걸, 이렇게 편곡해야 한다는 걸 느끼면서 짜릿했고 좋았어요. 그 노래가 이러한 그릇을 갖고 있다는 걸 보여줘야 하는데, 그걸 모르고 그냥 기타만으로 하면 너무 말이 안 되잖아요. 그러니까 그 음악을 가장 멋지게 보여줄 수 있는 편곡에 대한 능력과 악기에 대한 이해들이 있어야 하는데 그때는 너무 초보적이었어요. 그래서 힘들었다는 거죠. 일렉트릭 기타 갖고 딥 퍼플(Deep Purple)처럼 쳐야 하는 줄만 알았고. 그게 아니고 일렉기타가 얼마나 아름답게 칠 수 있는지를 보여줄 수 있는데.

3) 김광석에 대한 추억

박준흠 : 1987년 10월에 노찾사의 첫 번째 합법적인 공연이 종로5가 기독교 100주년 기념관에서 있었잖아요. 거기서 김광석 씨가 〈녹두꽃〉, 〈이 산하에〉를 불렀습니다. 관객들의 엄청난 호응을 받았고.

안치환 : 엄청난 가창력이죠.

박준흠 : 그 공연을 마지막으로 동물원 1집 녹음하러 가면서 이제 노찾사 활동을 거의 안 하게 되었는데, 그 공연은 보셨어요? 안치환 씨가 노찾사 들어가기 전인 것 같은데.

안치환 : 모르겠어요. 기억이 안 나네요. 광석 형은 〈녹두꽃〉 잘 불렀죠. 그걸 부를 수 있는, 소화할 수 있는 가수가 형밖에 없었어요. 담백하게 또 랑또랑하게, 그 소리를 내는 사람이 김광석밖에 없었어요.

박준흠 : 노찾사 2집에서는 〈이 산하에〉를 김삼연 씨가 부르는데.

안치환 : 운동권 노래패의 전형적인 목소리죠.

박준흠 : 김광석 씨가 이 공연에 참여한 다음에 그달 말부터 동물원 1집 녹음에 들어가거든요. 노찾사에서는 김광석 씨가 동물원 활동을 시작한 다는 거를 알고 있었나요?

안치환 : 나는 알고 있었어요. 내가 동물원에 박기영을 소개해줬고, 여의 도에 '똥짜바리'라고, 제작자 별명이 똥짜바리예요. (제작자 조남원) 김창완 씨랑 같이 조금 큰 오피스텔 한쪽에다 방음 시설해서 거기서 녹음하고.

박준흠 : 동물원 1집을 녹음한 〈타임레코딩〉이 거기예요?

안치환 : 예, 말도 안 되는 녹음실. 녹음 퀄리티가 굉장히 떨어지잖아요. 대충한 녹음인데 노래가 좋으니까 그 자체로 그냥 뜬 거예요. 김창완 형 이 대충 녹음하고 봉 잡았죠.

박준흠 : 노찾사 활동을 하면서 1987년 여름부터 동물원 1집 녹음은 준비됐을 텐데.

안치환 : 그러니까 광석 형은 노찾사 이런 활동이 별로 형하고 안 어울리는 거죠. 형은 그냥 대중음악을 하고 싶은, 문승현이든 누가 시켜서 이런 걸 하긴 하지만, 별로 안 맞는 거예요. 형은 그냥 기타 치면서 노래하고, 카페에서 노래하고, 이대 앞에 카페에서 닐 영(Neil Young)의 〈Heart of Gold〉 이런 거 부르고 그런 자유로운 영혼. 결국에는 동물원부터 시작해서 김창기를 만나고 노래들을 받고 자기가 솔로 음반 내고, 그게 형의 자연스러운 길이었던 것 같아요.

 형은 운동권 가요를 하거나 그럴 사람은 아니에요. 그냥 노래 시켜서 부르라면 부를 수 있었겠지만, 그 길을 자기의 길로 가진 않은 거죠. 그러한 영향과 생각을 하는 사람은 아니었어요. 그냥 동조하고 도와줄 수 있는, 능력 있는 보컬리스트이긴 했지만, 이것이 자기가 온전히 활동해야 할 팀이라고 생각하지 않았어요. 그렇잖아요. 뭐 하러 이렇게 노래도 못하고 답답한 사람들하고 같이 해요? 재밌게 음악 할 수도 있는데.

박준흠 : 결과적으로는 김광석 씨가 노찾사 나가고 안치환 씨가 들어간 거네요.

안치환 : 난 그 타이밍을 잘 몰라요. 그리고 김광석의 역할과 나는 달라요. 난 노찾사가 그때 만들어진 건지 그때 공연했는지 기억이 없어요. 왜냐하면, 내가 노찾사 가서 오디션을 보고 사람들 뽑고 그랬거든요. 예를 들어 이런 수준이었겠네요. 노찾사 1집에 참가했던 사람들, 선배들이 모여서 기념 공연을 했을 거예요. 그래서 사람들이 몰리고 그게 터지니까, 정식으로 노찾사를 만들자. 그래서 만들게 된 것 같고 그래서 제가 간 것 같네요. 노찾사 공연할 때 재섭 형이나 노찾사 1집에 참여했던 가수들, 누나들⋯ 경옥이 누나랑 했는데 사람들이 엄청나게 온 거죠. 그런데 자기들이 하기에는 좀 그래. 학자들, 뭐 회사도 다니고 하니까 그래서 새벽에서는 노찾사를 제대로 한번 만들자, 대중을 상대하는 대중적인 노래 팀으로⋯ 그렇게 됐겠네요. 그래서 내가 거기로 갔겠네요.

박준흠 : 〈광야에서〉나 〈타는 목마름으로〉는 김광석 씨도 부르고 안치환 씨도 불렀는데 두 분의 가창을 어떻게 평가하세요?

안치환 : 〈타는 목마름으로〉는 형이 먼저 불렀고, 나는 나중에 그냥 [Nostalgia](1997년)에서 부른 거죠. 왜냐하면, 제대로 된 녹음 버전이 없어요. 그다음에 〈광야에서〉는 내가 노찾사 2집(1989년)에서 먼저 불렀고 나중에 광석 형이 [다시 부르기 1](1993년)에서 기타 치면서 부른 거고… 그냥 그것뿐이죠.

박준흠 : 김광석 씨도 동물원 멤버들이 전업으로 음악 하지 않는 것에 실망해서 동물원 2집 이후에 나간 거고, 안치환 씨가 노찾사를 나간 이유도 비슷하고.

안치환 : 그게 그냥 자연스러운 거예요. 자기는 음악 해야 하는데 맨날 뭐 어쩌고 해서 어딜 가야 한다고 그러고… 그러면 결국 혼자 하는 거예요. 나도 노찾사에서 음악 해야 하는데 누구는 학교 갔다 와서 누구는 회사 퇴근하고 와서 연습하고… 공연은 해야 하는데 이거 뭐 시간 되는 사람만 와서 노래하고 그렇게 되니까.

박준흠 : 김광석, 안치환 씨는 노찾사가 배출한 양대 보컬리스트이고 또

상업적으로도 성공한 아티스트인데, 혹시 두 분이 무슨 라이벌 의식이랄까 그런 게 있었나요?

안치환 : 아예 없어요. (웃음) 광석이 형이 먼저 떴고, 광석이 형하고 친했고, 잘하다가 형이 먼저 죽었어요. 나는 광석이 형을 부러워하고, 광석이 형이 나를 끌어주고 그러다가.

박준흠 : 생전에 김광석 씨 음반에 참여한 적 없으시죠? 안치환 2집에는 김광석의 하모니카 연주가 있는데.

안치환 : 어디에 살짝 한 것 같아요.

박준흠 : 김광석 3집에 있는 〈나무〉란 노래는 둘이 함께 많이 불렀다는 얘기가 있는데.

안치환 : 라이브 때. 둘이 공연을 많이 했잖아요. 형이 먼저 뜨고 나는 다른 일로 바빴던 거고 분야가 달랐어요. 나는 대중적인 맛을 보기에는 아직 수면으로 올라가지 않고 대학 중심으로 공연을 많이 다녔었고, 형도 대학은 다녔지만, 가수의 색깔이 전혀 달랐어요.

박준흠 : 김광석 씨가 이끌어준 것은 뭔가요?

안치환 : 내가 대중적인 가요 판으로 나올 때 형이 나를 이끌었어요. 그러

니까. 내가 미국에 두 달 동안 공연 가면서 3집 앨범을 내고 싶은데 〈귀뚜라미〉, 〈우리가 어느 별에서〉 이런 노래들 데모를 만들어서 형한테 주고서 혹시 마이킹(음반 제작 선수금) 좀 알아봐 줄 수 있냐고 했어요. 그리고 미국 갔다 왔더니… 광석 형이 신나라레코드에서 음반 냈잖아요? 형이 거기서 제작하자고, 마이킹 3천만 원 주겠다고 그래서 그 3천만 원 받아서 조동익, 함춘호 씨랑 같이 음반을 제작했어요. 우리는 제작은 우리 스스로, 개인이 제작자 역할을 하자, 그렇게 생각했어요. 남한테 제작을 맡기고 판권을 주지 말자. 왜냐하면, 더러운 걸 하도 많이 봤기 때문에 그 꼴을 보기 싫어서 그런 거 하지 말자고.

박준흠 : 그러면 3집부터 직접 제작을 한 거네요.

안치환 : 1, 2집은 이상한 '진양'이라는 데 거기 들어가서 하고. 하여튼 나중에 거기서 나와서 혼자 하기 시작한 거예요.

박준흠 : 그러면 솔로 1집 녹음은 언제 들어간 거예요? 1989년에 녹음은 들어갔을 것 같은데.

안치환 : 그런 것 같은데, 잘 모르겠어요. 1990년에 진양에서 1집을 내고, 1집이 너무 퀄리티가 떨어지잖아요? 여러 가지 편곡도 그렇고, 내

가 너무 몰랐고. 그런데 또 2집도 내자고 그러는 거예요. 그게 얼마나 나쁜… 돈도 별로 안 주면서. 그래도 그것까지 어쩌다가 했어요. 2집 같지 않은 2집. 노래 좀 섞고, 하여튼 말도 안 되는 음반 만들면서 도저히 이런 식으로 활동하면 안 되겠다는 생각이 들었어요. 내가 운동권 저항가요 그런 걸 갖고 있지만 이런 음악 가지고는 앞으로 내게 미래가 없다는 걸 직감적으로 알았어요. 그래서 여기랑 더는 하면 안 되겠다고 생각했던 거죠. 내가 거기서 받은 돈은 몇백만 원밖에 안 돼요. 그리고 그때 나는 바빴어요. 대학 공연 다니고 그러면서 바빠서 진양에 갈 시간도 별로 없었고. 그러니까 더는 이 사람들하고 있으면 안 되겠다 해서 거의 한 2년을 끊고. 그리고 미국에 공연 가면서 광석이 형한테 부탁한 거죠.

박준흠 : 미국의 공연은 언제 갔다는 거죠?

안치환 : 1992년 말 겨울일 거예요. 우리 아들이 10개월 때 갔으니까. 지금은 돌아가신 합수 형(윤한봉)이라고, 5.18 마지막 수배자예요. 그 형이 밀항해서 미국에 가서 운동권 단체를 만들었어요. 그

조직들이 미 전역에 있는데 거기서 마련한 공연을 다닌 거죠. 윤한봉 선생 초청으로 한두 달 미국 갔다가 왔죠.

3집을 그때부터 시작했죠. 생각해보면 굉장히 힘든 과정이었고, 나로서는 굉장히 과감한 선택이었고, 그렇게 했던 것이 잘한 것이고. 거기에 광석 형이 도와준 게 있고. 광석 형에게 굉장히 고맙죠. 같이 하면서 그 이후의 과정들은 여러 가지가 있지만 내가 광석이 형을 동생으로서 굉장히 따르고 그런 게 있고, 당시에 활동하다가 서로 바빠지니까 한동안 못 보고 그런 적도 있었고. 또 광석 형은 유명해지면 유명해질수록 외로워지고… 나는 못 보다가, 또 남에게 얘기 듣고, 어느 날 만나서 둘이 회포 풀고 사이가 좋아졌다가….

그런데 광석 형 만나기로 한 날이 있었는데, 내가 못 기다리겠더라고요. 내가 인천 살 때예요. 피곤하고 그래서 나 먼저 갈게요, 하고 갔는데, 그 날 죽었어요. 백창우 씨가 같이 만나기로 했나? 잘 모르겠는데, 만나기로 한 날 내가 먼저 갔어요. 아무튼… 그래요.

박준흠 : 이날 많은 일이 있었네요. 이날 케이블TV 현대방송국에 나가서 마지막으로 〈너무 아픈 사랑은 사랑이 아니었음〉을 기타 갖고 노래한 영상이 있거든요.(1996년 1월 5일 박상원이 진행하던 HBS '겨울나기'에 출

연했는데 여기에서 〈너무 아픈 사랑은 사랑이 아니었음을〉, 〈그녀가 처음 울던 날〉을 부름.) 그리고 그날 저녁에 백창우 씨도 보고.

안치환 : [가객] 나도 음반 때문에 만나야 하는데 그때 사무실이 여기 홍대 사거리 뒤에 있었어요. 그런데 그날따라 집에 가고 싶은 거예요. 그래서 그냥 갔어요. 다음 날 새벽에 병원에서 봤어요.

박준흠 : 아까 3집으로 신나라레코드에서 3천만 원 마이킹을 받았다고 했잖아요. 굉장히 큰돈인데, 그때는 음반사에서 그렇게 돈을 줬나요?

안치환 : 아무나 안 주죠. 그다음에는 2억 원도 받아봤어요. [Nostalgia] (1997년) 만들 때.

박준흠 : 그러니까 솔로 4집이 60만 장 팔려서 아티스트의 상업성을 인정하고 2억 원을 준 거네요? 그런데 [Nostalgia]는 그렇게 안 팔렸을 것 같은데.

안치환 : 그것도 다 팔렸어요. 반반씩 2억 원 받으면, 인세의 반을 제외하고 다 깠어요. 그러니까 나는 빚이 없어요.

박준흠 : 와, [Nostalgia]도 그렇게 많이 팔렸다는 얘기예요?

안치환 : 그게 [Nostalgia]만 갖고 가는 게 아니잖아요. 그 뒤로 다른 음반도 계속 나오면 4집도 계속 팔릴 거고, 전체 인세에서 반을 깐다고요. 그러니까 충분히 가능한 거죠. 회사에서 괜히 주겠냐고요. 회수되니까 주는 거고. 나는 사실 그 돈이 필요해서가 아니라 얼마나 주나 한번 보자 해서 2억 원 주쇼 했는데, 그때 그냥 주더라고요. 내가 잘 나갔던 놈이에요. (웃음)

박준흠 : 좋았던 시절이네요. 김광석 사후에 나왔던 [가객](1996년) 음반에 참여했던 게 〈겨울새〉고, 그리고 같은 해 〈노래마을〉 음반에서도 〈겨울새〉를 또 불렀네요. 혹시 노래마을하고는 어떤 관계인가요?

안치환 : 노찾사 사람들하고 달리 노래마을 사람들은 되게 밝았어요. 다들 음악 하는 사람들 같고, 또 백창우 형이 있었으니까.

박준흠 : 손병휘 씨도 노래마을 출신이죠?

안치환 : 있었죠. 노래마을 창우 형하고도 잘 알고 하니까. 창우 형도 굉장히 훌륭한 뮤지션이예요. 사실 작곡자죠. 그래서 형하고 노래 한 곡씩 주고받고 막 그런 적 있어요. 〈겨울새〉를 내가 받았었나? 그리고 노래마

을 음반에 〈그리움〉이라는 노래가 있어요. "공장 뜨락에 따사로운 봄빛
내리면…" 하여튼. 그 노래 하나 주고, 다음에 〈겨울새〉 받고. 가끔 음악
적으로 뭐 도와주고 그런 적이 있었죠.

4) 조동익, 김창기와의 만남

박준흠 : 동물원 3집(1990년)에 조동익 씨가 참여하고, 〈시청 앞 지하철역에서〉를 조동익 씨가 편곡했는데… 조동익 씨를 이때 안 건가요?

안치환 : 〈진양〉에서도 녹음했었어요. 그래서 그때 보기도 했고, 김현철이가 항상 음반 세션하고. 그 구성원들은 내가 아니까 동익이 형한테 솔로 3집을 해달라고 한 거였죠.

박준흠 : 김창기 씨는 언제부터 친하기 시작한 거예요?

안치환 : 동물원 그때, 그리고 그 이후에 만나게 됐죠. 대학교 선배니까

또 알고 그런 거죠.

박준흠 : 그러면 동물원 1집 때부터 알았겠네요?

안치환 : 그렇죠. 제작자 조남원 똥짜바리 그 스튜디오에 나도 자주 가서 보고 그랬어요. 그때 녹음할 때는 안 갔는데, 그땐 나도 뭐 하느라 바빴고.

박준흠 : 똥짜바리가 무슨 뜻인가요?

안치환 : 별명이에요. 키 작고 뚱뚱하고 배 불룩 나오고. 거기에 가면 (성대모사) "어, 치환이 왔냐? 어-" 이런 스타일이죠. 김창완 씨하고 둘이 있는데, 똥짜바리 이 양반은 장사꾼인 거지. 그래서 동물원 형들이 별명 붙인 게 똥짜바리였어요. 조남원 아저씨, 지금 뭐 할까?

박준흠 : 원래는 동물원 1, 2집 제작자가 김창완 씨인데, 이분한테 판권을 팔았다고 하네요. 김창기 씨는 동물원 때 부른 자기 곡들을 [다시 부르기] 식으로 새롭게 녹음할 계획이 있던데.

안치환 : 그러니까 내가 [1+2]를 만든 거예요. 3집 앨범이 어느 정도 성공하니까 [1+2]라는 걸 만든 거예요.

박준흠 : 3집과 4집 사이에 만들었죠.

안치환 : 3집으로 내가 어느 정도 성공한 후 회사에 얘기했어요. 1집 2집이 내 것이 아니니까 문제가 있다. 그래서 내가 그걸 다시 녹음할 테니까 마이킹 주시오. 또 돈도 안 받고 [1+2]를 만들었어요. 그때는 동익 형한테 반을 맡기고 반은 내가 그 형 〈하나 스튜디오〉에 가서 만들었어요. 그래서 성공적으로 1, 2집을 죽이고.

박준흠 : 그러고 보니까, 2집에 수록된 노래들은 〈노동자의 길〉도 그렇고 가사가 다르더라고요. 그때 사전심의 때문에 그런 건가요?

안치환: 사전심의가 언제 없어졌죠?

박준흠: 1996년에 없어졌습니다. 그런데 보면 [1+2]가 나온 것은 사전심의 철폐하기 전 1994년인데, 원래 가사로 불렀더라고요. 〈노동자의 길〉 같은 경우에도 2집에 있는 것하고 [1+2]하고 가사가 달라요. 2집 가사를 보니까 단어들이 순화됐어요.

안치환: 아마 사전심의 문제 때문일 거예요. 그 〈지리산, 너 지리산이여!〉도 '마음의 고향', 뭐 이렇게 했을 거예요. '반란의 고향'인데. 사전심의가 걸려서 그런 것도 있겠지만 자체 검열을 했을 때도 있으니까요.

박준흠: 1집에 〈떠남이 아름다운 사람들이여〉 있잖아요. 이 노래가 이전에 새벽 등에서 녹음이 됐었나요?

안치환: 그럼요. 그 노래는 운동권 여러 군데서 막 했겠죠. 그 노래가 운동권 노래라고 하기에는 좀 그런데, 왜 그러냐면 그게 자살한 사람(박혜정 열사)이 쓴 글이잖아요. 그런데 만든 애가 김상헌이라고, 서울대 음대 작곡과예요. 나랑 나이도 같고 굉장히 친했었어요. 그러니까 새벽 활동하는 동안 왔다 갔다 했었어요. 그냥 음악에 대한 열정을 갖고 시대에 대한 안타까움 그런 것보다는 착한 친구였어요. 정말 순둥이였어요. 그

때 그 노래 코드 진행이 내가 알고 있는 대중음악의 그런 상투적 진행이 아니라 되게 아름다운 흐름이었어요. 그래서 그때 당시에 새벽이라든지 이런 데서 그 노래를 많이 좋아했어요. 그걸 우리가 부르니까 운동권 노래가 된 거지만, 어차피 유서를 갖고 만들었고. 그래서 그 노래를 나는 되게 좋아했고, 작곡가도 아는 애고 그래서 그 노래를 불렀던 것 같아요.

박준흠 : 조동진 씨하고 관련돼서 작업한 거는 1997년 [하나뮤직 Project 1 : 겨울노래]에서 〈진눈깨비〉 노래 부른 게 있습니다. 조동진의 〈진눈깨비〉를 선택한 이유가 있으세요?

안치환 : 거기서 그 노래를 불러 달라는 거예요. "얼마나- 오랫동안-" 그거 편곡을 이상하게 했더라고요. 모던하게 하려 했던 건지 얼터너티브하게 하려고 했던 건지, 그거를 좀 록적인 창법으로 불렀죠.

박준흠 : 박용준 씨가 편곡한 거로 돼 있는데. 조동진 씨 노래 중에서 부르고 싶었던 노래는 뭔가요?

안치환 : 난 동진이 형 노래를 다 좋아해서. 〈겨울비〉도 좋아하고, 〈작은 배〉도 좋아하고, 뭐 다른 유명한 노래들은 딴 사람들이 많이 부르니까요. 난 〈작은 배〉 같은 노래가 좋더라고요. 시(〈작은 배〉)는 모르겠어요.

고은 선생님 시지만. 그리고 〈겨울비〉는 내가 유튜브에도 불러놓은 게 있어요. 혼자서 기타 치면서.

박준흠 : 〈겨울비〉는 초기 버전이 있는데, 옛날에 이호준(키보드) 씨가 연주했던 버전은 교회에서 찬송가 부를 때 나오는 오르간 소리 느낌으로 만들었어요. 전 그게 좋아요.

안치환 : 느낌이 그렇잖아요. 가사에도 "내 가슴 두드리던 아득한 그 종소리…." 정말 시적인 가사죠.

박준흠 : 어머니 돌아가신 때 만든 노래라고 하더군요. 1989년에 노찾사 그만두고 솔로 1집 녹음하기 전에 영화 '파업전야'에 들어갈 노래를 만든 건가요?

안치환 : 그 시기를 정확히 구분을 못 하는데…. 〈노동자의 길〉, 〈철의 노동자〉, 〈아무 일 없었다는 듯〉 세 곡을 만들었어요. 그때는 정말 어떤 시스템에 대한 이해가 너무 부족했고, 음반산업 관계자나 이런 시스템에 대한 이해들을 잘 못 했어요. 그러니까 그냥 음악 한다는 것 자체가 좋았어요. 또 내가 처음 시작하는데 내가 적을 두고 활동을 할 데가 없었는데, 거기서 하다 보니까… 그때 음반 업계에, 지금도 그렇겠지만, 얼마나 쓰

레기들이 많아요. 그런 것들을 경험했던 거고. 내가 왜 위험 부담을 안고 모든 제작을 내가 한다고 했겠어요? 그런 거 보기 싫으니까. 그런 것들하고 상대하기 싫으니까 그런 거죠. 김광석도 자기가 제작자야. 그러니까 형수가 큰소리칠 수 있는 거죠. 그런 차이가 있어요. 더러운 꼴 안 봐도 되고…. 대신 위험 부담감은 있는 거죠. 망하면 스스로 망하는 거니까. 어차피 독립군이에요.

박준흠 : 신대철 씨가 맡았던 OST [나에게 오라](1996년)에서 〈나에게 오라〉 한 곡을 불렀는데.

안치환 : 어느 날 연락이 와서 노래 불러 달라고 해서 내가 불러준 적 있어요.

박준흠 : 신대철 씨하고는 아는 관계이셨나요?

안치환 : 그때는 안다기보다는 부탁을 해서 가서 만났었어요. 그게 끝이에요. 돈 받은 것도 없고. 그런데 나중에 생각해보면 왜 나한테 돈을 안 주지? 자기는 돈 받았을 텐데? 그런 생각이 들더라고요.

박준흠 : 보통 그렇게 안 하시잖아요.
안치환 : 그때는 그냥 좋은 선의를 가지고 도와줬던 것 같아요. 나는 그런

것에 대해 잘 몰랐거든요. 그런 걸 해주면 돈을 좀 받아야 한다, 그런 걸 몰랐었고. 그냥 신대철이라고 하니까 시나위도 하고, 그래서 좋다, 내가 부를게 하고 불러줬었죠. 조그만 스튜디오에서 불렀던 것 같아요. 그 노래는 한 번 부르고 나서 부른 적이 없거든요. 인상적이지도 않았고.

박준흠 : 찾아보니까 OST 참여는 '파업전야'하고 이게 다네요.

안치환 : 그다음에 영화판에서 몇 번 해달라고 했는데, 상대할 사람들이 아니라는 생각이….

05
안치환 1-4집,
완성된 창작자가 되는 과정

"1-2집 때는 내 스스로도 음악에 대한 방향성이 별로 없었어요. 음악을 통해서 어떻게 대중을 만나가야 하는지 아직 명확하지 않은 상태고, 헤매고 있고, 그다음에 시대 또한 어정쩡한 시대였던 것 같아요. (중략) 내가 이 사회를 경험하고 시스템을 겪다 보니까 이렇게 해서는 안 되겠다, 이런 음악으로 대중을 계속 만날 수는 없다는 걸 직감적으로 느끼게 됐어요.

세상 또한 변했고, 변해가고 있고, 다 흩어지고 있는데 나는 새로운, 내 음악을 해야겠다. 이제는 집단적인, 무슨 운동권이든 이런 게 아니고 '내 얘기'를 해야겠다. 그걸 나는 그냥 동물적으로 느꼈던 거 같아요. 그렇게 다른 노래를 만들기 시작했어요. 시詩를 찾았고, 시詩에 의존하기 시작했고… 기존의 내용과 다른, 무슨 거대한 담론 운운하는 것이 아닌 내 이야기."

1) 1990년, 솔로 1집 발표

박준흠 : 노찾사를 그만두고 이제 솔로 1집(1990년), 2집(1991년)을 만들 때, 어떤 솔로 앨범을 만들려고 했던 건가요? 결론적으로 솔로 1, 2집은 노찾사에서 그리 벗어나지 못한 음악으로 나왔잖아요.

안치환 : 그때 나는 솔로 뮤지션으로서 아직… 노래를 만드는 능력은 있었겠지만, 기획적인 능력, 그러니까 시장을 바라본다든지 음반을 기획하는 그런 여러 가지가 있잖아요. 그런 것에 대한 능력이 전무全無한 상태였죠. 아무것도 모르던 상황에서 그 기획사(진양)에서 음반 만들자고 했으니까 그냥 있는 노래들 쓸어모아서 만들었던 거예요. 노찾사에서 발표한 노래도 들어가고, 또 내가 따로 만들었던 노래도 넣고 이렇게 해서 음반을 만든 거였죠.

박준흠 : 그러면 그 과정이 솔로 2집 낼 때까지 계속 간 거네요.

안치환 : 내가 음반을 내고 하는 가수로서는 1집을 내고 나서 깨닫기 시

작한 거죠. 그러니까 대중음악 판이라는 것이 전혀 다르잖아요. 그 생리를 깨닫기 시작하고 그걸 이해하고 공부하는 그런 시간이었던 거예요. 그리고 기획사도 어떤 전문적인 마인드를 가지고 있는 것이 아니라 장사치들이니까 무조건 빨리 음반이나 내서 팔아먹고, 내가 소모품이잖아요. 그런 부분에서 나라는 한 뮤지션에 대한 어떤 정체성이나 이런 걸 자기들이 만들어서 키워나가는 게 아니라 결국은 그냥 빨아먹고 버리는 그런 스타일인 거죠. 나 자신도 그런 부분에서 명확한 자기 정체성이나 지향점 또는 뮤지션으로서 미래의 상像이 확실하지 않은 거였고. 나는 그냥 운동권에서 나와서 대중가요 판에서 이제 노래 한번 해보겠다고 하는 의미였던 거고, 그사이 너무 바쁘기 시작했어요. 그래서 앨범을 내고 나서 기획사랑 별로 사이도 안 좋았어요. 내가 그렇게 신뢰하지도 않았고 또 이제 대충 아니까요. 그런데, 그 사이에 또 2집 내자고 했는데, 2집 낼 때도 노래들이 중복됐잖아요.

박준흠 : 솔로 1집은 김남주 시인의 시로 만든 노래 등 다양한 구성으로 되어 있는데, 2집은 본인 노래들로만 다 만들었잖아요. 그리고 재밌는 게, 음반에서 카테고리가 3곡씩 4개로 나뉘어 있습니다.

안치환 : 2집도 지나간 노래 쓸어모아서 내는 거잖아요. 그런데 이게 기획사 쪽에서 정식으로 편곡자를 붙이거나 이래서 한 게 아니라, 그 연주자

들이 다 내가 데리고 들어갔던 사람들이에요. 그러니까 완전히 주먹구구식이 된 거죠. 하면서도 내가 지금 뭘 하는 걸까? 그런 답답함이 계속 있었어요. 그런데 2집까지 하면서 도저히 이렇게 하면 안 되겠다. 이런 식으로 음악 하는 건 나를 위해서도 안 되고 이 기획사에서 이렇게 있는 것은 아니다. 그런 걸 깨닫게 되는 과정이었죠. 논현동을 왔다 갔다 하던 게 한 2년 정도 됐을 거예요. 그때 창기 형도 그렇고 막 그렇게 놀던 때여서. 그러니까 그때 각자 다들 음악으로 막 붐이 일던 1990년대 초, 동물원도 막 뭐가 되고 광석이 형도 많이 하고 그럴 때였어요. 나도 나와서 뭘 좀 해보겠다고 했는데, 뭔가 적응이 안 되고 삐꺽거리고 그런 시기였었죠.

박준흠 : 1, 2집을 같이 얘기하면 녹음이나 여러 문제도 있었지만, 원래 1, 2집에 대해서 만들고 싶었던 어떤 방향성이랄까 그런 것과는 너무 다르게 나왔다는 건가요?

안치환: 나 자신도 이에 대한 방향성이 별로 없었어요. 명확하지 않았던 것 같아요. 음악을 통해서 어떻게 대중을 만나가야 할지 아직 명확하지 않은 상태고, 헤매고 있고, 그다음에 시대 또한 어정쩡한 시대였던 것 같아요. 저항가요의 영향이 좀 남아 있지만, 싫증이 날 무렵, 싫증이 나기 직전이랄까? 나에 대한 것도 그냥 저런 거 만드는 애가 있네, 하는 정도였고, 나는 또 바쁘게 대학 공연 다니고 있었고. 그런 상황에서 내가 음악을 통해서 앞으로 어떻게 해야 하는지에 대한 명확한 개념 자체가 없었는데, 그 이후에 공연하고 그러면서 내가 이 사회를 경험하고 시스템을 겪다 보니까 이렇게 해서는 안 되겠다, 이런 음악으로 대중을 계속 만날 수는 없다는 걸 직감적으로 느끼게 됐어요.

　세상 또한 변했고, 변해가고 있고, 다 흩어지고 있는데 나는 새로운, 내 음악을 해야겠다. 이제는 집단적인, 무슨 운동권이든 이런 게 아니고 '내 얘기'를 해야겠다. 그걸 나는 그냥 동물적으로 느꼈던 거 같아요. 그렇게 다른 노래를 만들기 시작했어요. 시詩를 찾았고, 시詩에 의존하기 시작했고… 기존의 내용과 다른, 무슨 거대한 담론 운운하는 게 아니라 내 이야기.

2) 안치환의 자각, "지금 음악으로는 어렵다."

박준흠 : 혹시 안치환 1, 2집은 판매가 어느 정도였나요?

안치환 : 어느 정도는 팔렸겠죠. 그러니까 나한테 돈을 좀 줬겠죠. 내가 1, 2집의 실패를… 내 나름대로는 실패했다고 생각하는데, 그걸 극복하고 3집부터 대중적인 음반으로 성공을 했다는 건 대단한 일인 것 같아요.

박준흠 : 그러니까 1, 2집은 특별히 상업적인 실패는 아닌데 음악적인 실패였다고 얘기를 하는 거잖아요. 대학 행사 때도 가서 노래 부르고 하니까, 어떻게 보면 자각을 하기가 쉽지 않았을 수도 있을 것 같거든요.

안치환 : 나는 너무 자각이 잘 되던데요. 이런 음악을 가지고는, 이런 퀄리티와 이러한 내용의 노래를 가지고는 이제는 안 되겠다.

박준흠 : 혹시 누가 그런 얘기를 했나요?

안치환 : 누가 나한테 그런 얘기를 해줘요? 다 좋다고 하지. 아니면 관심 없거나. 그건 내가 아는 거예요. 지금도 이러면 이럴 것 같다는 생각을 다 하잖아요. 그때는 굉장히 격변기였고 나는 내가 활동 하면서 그냥 스스로 느꼈던 것 같아요. 이제는 저항가요의 이런 고루한 음악적인 스타일 가지고는 계속해서 내가 음악 활동을 이어갈 수 없겠다. 나는 변화를 해야 한다. 음악적인 변화, 특히 음악 스타일. 무슨 무게 잡는 1980년대풍의 지사志士적인 러시안 발라드풍의 노래나 이런 걸 가지고는 안 된다. 이 대중음악 판에 똑같은 선상에서 한번 붙으려면 나에게는 새로운 음악적인 변화가 필요하다고. 그건 그냥 알았어요. 그리고 나는 이런 음악을 하고 있는데 동물원은 저런 음악도 하고, 재밌게 놀잖아요. 나도 음악이 좀 더 가벼워지고 그래야 할 필요가 있겠다. 그러려면 일단은 '내 얘기'를 하자 해서 시작을 한 거였죠. 그 대신 진지하게. 〈고백〉이라는 노래 있잖아요?

박준흠 : 3집에 있죠.

안치환 : 다 떠나고 나만 외롭게 있는… 나는 노래를 계속 해야 하고. 노래야, 내 젊은 청춘의 꿈인데… 울부짖잖아요. 그런 노래를 만들었던 거, 그게 내 심정이었어요.

박준흠 : 그러면 김광석, 김창기 씨가 활동했었던 동물원 1, 2집에 있는 노래들을 들으면서 생각이 좀 달라진 부분도 있고 그랬었나요?

안치환 : 생각이 달라질 건 없어요. 그냥 그런 노래들도 있고 저런 노래들도 있고… 그런데 나는 내가 갈 길을 가야 하는데 어떤 변화를 해야 되느냐. 분명한 건 지금 음악으로는 어렵다. 당분간은 대학가에서 무슨 〈철의 노동자〉 부르고, 〈광야에서〉 부르고, 〈솔아 솔아 푸르른 솔아〉 부르겠지만 앞으로는 다를 것이라는 걸 동물적으로 느끼는 거예요.

박준흠 : 노찾사에서 스스로 나온 이유가 '프로페셔널한 저항가요'를 하지 못하는 것에 대한 실망감 때문이잖아요. 그런데 만약에 안치환 씨가 노찾사에서 그런 얘기를 했더니 사람들이 다 공감해서 "나도 직장 그만두고 이제 프로페셔널하게 해볼 거야", 그래서 다들 노력해서 노찾사 3

집도 나오고 4집도 계속 나왔다면?

안치환: 그들이 직장 그만두고 그럴 일은 만무하고.

박준흠 : 강헌 씨 글을 읽다 보니까 언제 쓴 글인지는 잘 기억이 안 나는데, 이런 얘기들이 있더라고요. "노찾사를 탈퇴하고 솔로로 거듭난 안치환은 좀처럼 새로운 시대의 요구에 부응하는 미학적 대답을 내놓지 못했다." 아마 1, 2집을 얘기하는 것 같은데, 그러면 반대로 얘기하면 3집은 본인이 생각했을 때 강헌 씨가 내놓지 못했다고 얘기하는 '새로운 미학적 대답'을 내놓은 거라고 생각하세요?

안치환: 미학적 대답이라고 거창하게 얘기하면 좀 쑥스러운데, 나는 미래에 솔로 활동하는 뮤지션으로서 내가 가야 할 방향에 대해 진지하게 고민했고, 음악적인 방향에서 단추를 잘 꼈다고 생각했던 거예요. 3집에서 방향을 잘 잡고 자기 변신을 어느 정도 성공했다고 나는 생각을 해요. 그러니까 3집에 대한 마니아들이 많고 3집을 굉장히 좋아하는 사람들이 많아요. 그때 시를 갖고 만든 노래들에 〈자유〉, 〈소금인형〉, 〈우리가 어느 별에서〉도 있고, 내 노래 〈고백〉도 있고. 이런 음악적인 방향들이, 록이 포크하고 어우러지는 이런 부분들이 음악적인 틀은 성공적으로 했던 것 같아요.

나는 그중에 가장 대표적으로 잘한 게 〈자유〉와 〈소금인형〉 같아요. 왜냐하면 〈자유〉는 기존의 내용적인 일관성을 지켜내면서 음악적으로 완벽한 변신을 이어가거든요. 나는 운동권 음악이라고 하는 저항가요에 있어서 〈자유〉는 굉장히 중요한 노래라고 생각해요. 그런 면에 있어서 음악적으로 따진다면 고루한 운동 저항가요의 틀을 완전히 깨부순 노래라고 생각해요. 김남주 선생님이 감옥에서 나와서 같이 공연 다니는데 '다시 서는 봄'이라는 거였어요. 순회공연을 다녔는데 맨 처음에 풍물하고 무대가 열리면 김남주 선생님이 딱 나와서 '자유'를 암송해요.

"자유. 만인을 위해 내가 일할 때 나는 자유." 매번 가서 옆에서 지켜본 선생님이, 바바리코트 딱 입고 안경 쓰고… 그게 얼마나 멋있던지… 얼마나 대단한 사람, 얼마나 위대한 시인이 살아 돌아와서 저기서 이야기하고 있는지… 나는 그걸 뼈저리게 느끼는 사람이에요. 그 억양, 그 운율이 그대로 노래가 됐다고 생각해요. 그게 〈자유〉예요. 그래서 저항가요를 얘기할 때 그 고루하고 맨날 똑같은 4분의 4박자, 행진곡풍 아니면 러시아 발라드풍의 재미없는 진행과 그냥 질질 끄는 그러한 걸 벗어난, 나름대로 하나의 획기적인 노래라고 생각을 하는 거예요.

그다음에 〈소금인형〉은 다른 노래도 그렇지만 시를 가지고서, 그 응축된 시를 내가 그렇게 표현했다는 것이 나도 잘 모르는 내 능력인 거 같아요. 시를 내가 품는다. 류시화 시인한테 그때 물어보니까 "마음대로 쓰셔도 됩니다."라고 얘기했고… 아무튼, 그것 때문에 <소금인형>이 많이 유명해졌던 것 같아요.

 그리고 그 무엇보다 가장 중요한 건 <고백>이예요. <고백>에서 내가 이야기하는 그 가사가 그때 그 과정에 있는 나의 어떤 절절한 마음을 표현한 가사들이에요. 3집이 그런 겁니다.

3) 안치환 3집, 줄탁동시(啐啄同時)

박준흠 : 1993년에 발표한 3집 [Confession]은 기존의 포크적인 민중 가요에 어울릴만한 메시지를 록음악 어법에 넣어서 창작한, 어떻게 보면 실험적인 곡들이잖아요. 처음에 그게 잘 될 거라고 생각하셨어요?

안치환 : 조탁(彫琢)이라고 하나? 스스로 알을 깨고 나오다. 이거 사자성어가 있는데, 줄탁동시(啐啄同時).

박준흠 : 1집하고 2집의 노래들도 노래 하나하나 따로 들으면 좋은데, 앨범 하나로 모아놓으면….

안치환 : 1집, 2집 하면서 내가 계속 음악적인 한계를 느꼈다, 이렇게 하면 안 되겠다고 얘기했잖아요? 그리고 그때까지는 역사의 흐름이 완벽한 민주화는 아니지만, 국민이 선거로 대통령을 뽑아서 정치적인 변화까지 이어진 상황이었죠. 그렇지만 6월 항쟁이라는 그 격랑이 어느새 잦아들고, 이제 사람들이 일상으로 뛰어드는 그런 1990년대가 오죠. 시대가 변하는 거예요. 그때까

지만 해도 내가 해오던 스타일이 뭐냐면, 〈지리산, 너 지리산이여!〉처럼 노찾사에서 합창을 위한 노래를 만들거나 아니면 혼자서 폼 잡거나, 우리가 지사적인 스타일이라고 얘기했던 〈솔아 솔아 푸르른 솔아〉, 승현이 형이 만든 〈그날이 오면〉 같은 노래들, 〈잠들지 않는 남도〉 같은 러시안 발라드 계통의 곡들이었어요.

　그런데 이러한 곡으로는 한 뮤지션으로서 더는 대중가요 판에서 대중을 상대해서 음악을 할 때 어떤 파괴력이나 매력이나 대중성, 이런 부분들이 한계가 있다는 걸 스스로 느낀 것 같아요. 이걸 바꿔야 한다고 생각해서 새롭게 해야 한다! 그것이 3집의 노래들이죠. 예를 들어, 맨날 역사가 어쩌고… 해방이여 뭐 어쩌고… 무슨 이런 게 아니고, 음악적인 변화를 시도한다.

　그런데 내가 할 수 있는 게 뭐냐? 록적인 어법. 그다음에 지사적인 폼을 잡는 것보단 그냥 포크의 좋고 깨끗한 그런 느낌들. 그리고 내용으로 보면 거대한 담론이 아니라 '내 이야기'. 세상 사람들의 삶이라는 것이 다르긴 하지만, 생각하는 것이 시대적으로 비슷할 거 아니에요? 그러니까 나의 이야기라는 게, 내가 이런 걸 고민하고 있으면 그런 고민을 하는 사람들이 또 있을 거로 생각했죠. 그래서 그런 부분들에 대해서 가사가 좀 변화해야 한다고 생각했어요. 그런데 내가 능력이 안 돼. 그러니까 시를 자꾸 읽었던 것 같아요. 시를 읽고, 시로 노래를 만들어보고, 이런 식으로 간 것 같아요. 그러니까 〈소금인형〉,〈자유〉,〈우리가 어느 별에서〉 또 몇 곡이나 그렇게.

박준흠 : 〈귀뚜라미〉,〈겨울새〉…

안치환 : 〈귀뚜라미〉 이런 것도 있고, 〈겨울새〉는 백창우 형한테 받은 곡이고 그런 거죠. 또 그사이에 변화된 나의 노래들을 모아서 만들었는데, 그게 편곡자를 만나면서 음악적인 외형도 좀 대중적인 스타일에 세련된 옷을 입혔고. 내용 또한 기존의 진부한 운동권 가사에서 벗어나서 좀 더 참신한 시적인 내용과 어떤 변화된 것도 있었던 것 같고. 음악적인 외형도 록적인 어법, 포크적인 어법이 기존과 많이 다르게 변화를 좀 가져왔던 것 같아요. 그래서 어떻게 그렇게 할 수 있었느냐를 따지면 나도 잘 모르겠어요. 그냥 내가 그렇게 했던 거고, 특히나 프로페셔널한 편곡자를 만나서 그 사람과 함께 작업하면서 그나마 이런 변화의 성공을 가져오지 않았나, 라는 생각을 할 뿐이에요.

박준흠 : 3집에서 처음으로 만든 노래가 어떤 노래인가요? 그러니까 새로운 음악적인 시도를 하기 위해서 처음으로 만드는 노래가 있을 거 아닙니까?

안치환 : 그냥 새로운 음악적인 시도를 하려고 한 게 아니라, 예를 들어 3집의 첫 곡 〈고백〉이라는 노래는 정말로 절절하게 쓴 노래예요. 그 가사를 한 번 보세요.

누구도 나에게 이 길을 가라 하지 않았네
누구도 나에게 이 길을 가라 하지 않았네
너의 꿈들이 때로는 갈 길을 잃어 이 칙칙한 어둠을 헤맬 때
뒤돌아 서 있는 사람아 나는 너의 아무런 의미도 아닌 것
워-워-그땐 난 너무 외로웠네 워-워-

누구도 나에게 이 길을 가라 하지 않았네
누구도 나에게 이 길을 가라 하지 않았네
너를 찾고자 현란한 언어에 휩쓸려 이 거리를 떠돌고 있을 때
덧없는 청춘의 십자가여 너를 부여 나는 울었네
〈고백〉 안치환 작사 / 작곡

안치환 : 정말 망망대해에 선 젊은 패기와 어떤 시대적인 그것과 결별해야 하고… 한 젊은 뮤지션의 노래에 대한 열정을 나름대로 표현했다고 생각해요. "노래여 나의 삶이여, 노래여 나의 꿈이여, 누구도 나에게 이 길을 가라 하지 않았네-" 이러면서 그 어떤 비웃음 소리가 날 찌르고 뭐 이러지

만 "눈부신 새날 찾아- 이 어둠을 헤치는 사람 되어/ 나로부터 자유로운 내
이 작은 노래에 꿈을 실어/ 노래여 나의 생이여 노래여 가난한 내 청춘의
꿈이여" 이런 가사를 쓰잖아요. 굉장히 절절한 가사라고 생각하거든요.
그것이 3집에서 전체적인 음악의 중심을 잡는 내용이라고 생각해요.

〈귀뚜라미〉는 어느 날 한겨레
신문에 실린 시를 보고 내가 만든
노래고요. 그리고 〈우리가 어느
별에서〉는 그전에 새벽 시절에
일산에서 카페하는 성호 결혼식
축가로 만드는 노래에요. 포크적
이죠. 〈소금인형〉도 시집을 읽
다가 너무 좋아서 만든 노래인데, 그 노래를 어떻게 만들었는지 몰라요.
〈자유〉는 아까 얘기했듯이 김남주 선생님과 순회공연을 다니면서 선생
님이 시 낭송하시는 모습을 보고 만든 노래이고.

박준흠 : 김남주 시인이 시 낭송할 때 악상이 딱 떠오른 거예요?

안치환 : 그걸 여러 번 보고 그 시를 갖고서 노래를 만들었어요. 선생님
이 시 낭송할 때 이랬거든요? 안경 딱 쓰고, 바바리코트 주머니에 손 딱

집어넣고, (성대모사) "자유, 만인을 위해 내가 일할 때 나는 자유. 피 흘려 함께 싸우지 않고서야 어찌 나는 자유다 라고 말할 수 있으랴. 사람들은 맨날 겉으로는 자유여, 해방이여, 통일이여 외쳐대면서도 속으로는 제 잇속만 차리고들 있으니." 공연이 한두 번이 아니었거든요. 할 때마다 맨 처음에 시 낭송을 하시는데 그걸 옆에서 보면서, 멋지다! 선생님. 저렇게 위대한 시를 낭송하는 그걸 보고 나중에 만든 겁니다.

 그런 자기 변화가 필요했던 시기였어요. 나는 〈자유〉를 만들고 나서 너무 기뻤어요. 뭐가 기뻤냐? 저항가요도 이런 노래가 있을 수 있다는 것, 그것이 기뻤어요. 맨날 폼 잡고 부르는 지사적인 러시안 발라드가 아니라, 이렇게 포효하는 록의 노래가 있다는 것이. 또 연주도 멋지잖아요. 이런 음악이 저항가요에서 하나의 영역을 확장했다는 것에 대해서는 나중에 너무 기분이 좋았어요.

박준흠 : 그러면 3집 앞부분에 있는 〈고백〉, 〈자유〉, 〈소금인형〉이 그 당시 안치환의 노래에 관한 생각을 가장 잘 대변하는 노래들이라고 할 수 있을까요?

안치환 : 그랬던 것 같아요.

박준흠 : 〈소금인형〉도 한마디로 말해서 노래로 뛰어 들어가겠다는 거잖아요.

안치환 : 〈소금인형〉은 류시화 시집에서 봤어요. 그때 당시에 류시화 선생이 인도 철학, 인도의 선(仙) 사상에 관한 그런 책이 엄청 많이 유명해졌어요. 선생님 시집이 어떻게 나한테 있었는지, 짧은 시인데 그거 갖고 만든 노래예요.

박준흠 : 그리고 3집에는 김창기의 곡 〈섬〉이 있습니다. 이거 어떻게 해서 받게 되었는지요.

안치환 : (웃음) 창기 형! 나도 노래 하나만 줘!

박준흠 : 혹시 주문한 거예요? 이런 노래 좀 만들어 달라고요.

안치환 : 그랬었던 것 같아요. 형, 나 노래 하나만 줘라! 그거지. 창기 형이 노래 많이 썼으니까. 나도 지금 3집에서 새로운 변화를 꿈꾸고, 대중음악 빨리 좀 하려고 하니까 형이 노래 하나만 줘라. 그런 거죠. 형이 알았어, 그런데 다음에 그걸 좀 더 잘했어야 하는데… 그래서 다음에 또 달라고 하기가 좀 그러네요. 내가 기존의 이미지가 아닌 좀 더 대중음악 판에 걸맞은

음악 앨범을 내야 하는데, 그래서 이래저래 자료를 모은 거죠. 창기 형이 옆에 있으니까 노래 하나만 줘, 이런 거죠. 그러니까 형이 하나 하사하신 거죠. 김창기의 하사품. 그런데 그 노래가 히트 못 해서 미안하네요.

4) 안치환 창작의 완결판 4집

박준흠 : 3집 발매 후 2년 뒤에 4집 [안치환 4]를 발표했습니다. 그리고 4집은 앞부분에 본인이 만든 노래들이 많이 배치돼 있잖아요. 4집에서는 자신감이 붙었나요?

안치환 : 그때는 물이 올랐나 봐요.

박준흠 : 10곡을 녹음하고 나서 다시 2곡을 더 녹음했다고 들었습니다. 특이하게 〈너를 사랑한 이유〉는 A, B 두 가지 버전으로 수록되어 있고.

안치환 : 음반사에 신나게 갔더니, 들어본 노래들이 너무 좋다고. 그런데 방송용 노래를 좀 만들어 달래요. 그래서 수소문해서 받은 두 곡이 〈내가 만일〉(김범수 작사/김범수, 안치환 작곡)과 한동준 형이 만들어준 〈그 사랑 잊을 순 없겠죠〉예요.

박준흠 : 김범수 씨에 관해서 얘기 좀 해주실래요? 어떤 분이고 어떻게

만났는지.

안치환 : 지금은 김영국이예요. 김범수라는 가수가 뜨고 나서부터 김영
국 본명으로 간 거죠. 김범수는 가명이었어요. 영국이는 지근식 그쪽 친
구들이랑 작업했던 팀이 있었는데, 지금은 양희은 선배님 백밴드죠. 아
마 백밴드를 영국이가 총괄하고 자기는 밴드마스터 그거 하고 있고. 요
즘에는 딸을 노래시키고 싶어 하는 거 같더라고요. 딸이 노래를 잘하나
봐요. 고등학생인지 뭔지. 하여튼 나는 그 노래를 영국이한테 받은 게 아
니고 양진석이라는 건축가에게서 먼저 소개를 받았어요. 어느 날 결혼
식장에서 양진석 씨 만났어요. 내가 노래를 구한다는 소식을 듣고 노래
한번 들어볼래요? 그러더라고요. 그래서 좋다고 하고 결혼식장 주차장
차안에서 그 노래를 들었어요. 데모 노래 들었는데 예쁘고 좋더라고요.
그래서 내가 부르겠다고 했죠.

박준흠 : 그때 바로 마음에 들었나요?

안치환 : 방송용 노래, 가사도 예쁘잖아요. 처음 듣고 내가 부르겠다고
해서 그 노래를 먼저 받고, 조금 있다가 동준이 형이 노래 한 곡 만들어 주
더라고요. 〈그 사랑 잊을 순 없겠죠〉. 그래서 두 곡을 다시 동익이 형한
테 하자고 했더니, 동익 형이 미안하다고, 방송용 노래가 없어서… 그게

230

왜 형 문제야, 노래 만든 내가 문제지. 편곡의 문제가 아니잖아, 그랬더니 형이 편곡해서 실었고. 그래서 12곡을 녹음해서 음반을 만들었죠.

박준흠: 정확히는 〈너를 사랑한 이유 B〉도 있으니까 13곡이긴 한데. 그러고 보니까 김범수 씨와 같은 역할을 한 분이 송봉주 씨도 있었는데. 송봉주 씨는 어떻게 만난 건가요?

안치환: 봉주는 어떻게 만났지? 봉주가 동생인데, 내가 인천 살 때 그 옆 동네에 살았어요. 그리고 이것저것 음악을 계속하는데 안 되고. 한때는 또 이주호….

박준흠 : 해바라기요?

안치환 : 유익종 형이 나가고 나서 이주호 씨가 한 명씩 곁에 두잖아요. 봉주가 월급 받고 옆에서 백 코러스 도와주고 하다가… 봉주도 좋게 얘기하면 주인의식이 강한 사람이거든요. 그래서 뭐 때려치우고 또 다른 거 하다가 또 안 되고, 음반 해도 안 되고. 그러다가 '자전거 탄 풍경'을 하면서 뜬 거죠. 이제 잘 된 거죠. 그래서 노래 만들어와서 형이 좀 불러도 좋겠다고 해서 5집의 〈얼마나 더〉 6집의 〈나무의 서〉 이런 곡들이 봉주가 만들어준 거예요. 그런데 봉주가 원래 신학, 성공회 신부님 공부를 했던 사람이에요. 신심도 있고. 그래서인지 봉주가 만든 노래들이 되게 좋아요. 특히 걔가 나를 위해서 만들어준 노래들이 최근 12집에도 〈봄보로봄봄봄〉이라고 있어요. 봉주 노래는 딱 받으면 정말 고맙고 좋아요. 내가 부를 수 있어서.

박준흠 : 〈나무의 서〉는 매우 견고한 느낌이 들더라고요.

안치환 : 그렇죠. 그러니까 봉주의 음악적인 코드가 나하고 맞는다고 생각해요. 나야 고맙죠. 그래서 나도 노래 하나를… 이번에 12집에 보면 〈난 여름이 좋아〉라는 노래가 있어요. 그 노래를 만들면서 내가 봉주한테 이거 자탄풍이 불러라, 하고 보냈어요. 자탄풍이 다 같이 듣고 다 좋다고

그랬대요. 그러면서 자기들은 그런 노래가 처음이라고 그러더라고요. 너희들이 불러라 그랬는데, 자기들끼리 뭔 문제가 있는지 음반이 안 나오고 그래서. 그냥 내가 냈어요. 나도 빨리 내야 했거든요. 네가 불러도 좋고, 내가 불러도 좋고….

박준흠 : 4집을 만들기 전에 어떤 생각을 갖고 계셨어요? 그러니까 어떤 음반을 만들고 싶다.

안치환 : 그때 당시 노래들이 굉장히 일관성이 있잖아요. 록적이고 패기 있고. 〈너를 사랑한 이유〉 가사를 보면, "너의 시대 이미 흘러갔다고 누가 말해도 나는 널 보면 살아 있음을 느껴"라고. 그래서 "너의 길이 비록 환상일지라도 그 속에서 너는 무한한 자유를 느낄 거야" 요즘 말로 얘기하면, 좌고우면左顧右眄 하지 말고 '무소의 뿔처럼 혼자서 가라' 이런 얘기잖아요. 내가 솔로 가수

로서 자기 정체성을 어느 정도 갖고, 그 가능성을 본 게 3집 앨범이라고 생각하면, 자꾸 '줄탁동시啐啄同時'하는데… 4집에서는 나 스스로 알을 깨고 나와서 광야에서 다시 발을 딱 디디고 선 것이죠.

박준흠 : 〈너를 사랑한 이유〉에서 '너'가 본인인가요?

안치환 : 그럴 수도 있죠. 나일 수도 있고 너일 수도 있고. 그 시대의 누군가… 어떤 운동권이라든지. 이제 세상이 변화해서 다들 떠나고 뭐 해도, 내가 너를 사랑한 이유는 그 믿음 때문에 그런 거라고. 그게 노래에 대한 믿음이든, 시대에 대한 믿음이든, 뭐에 대한 믿음이든, 이념에 대한 믿음이든. 너를 사랑하는 그 신뢰를 얘기하는 거예요. 포기하지 말라고 하는 거예요.

박준흠 : 그런데 이 노래는 왜 A, B로 이렇게 나눠서 편곡을 달리해서 노래하셨어요?

안치환 : 처음에는 그냥 기타로 찬찬찬- 하는데, 조금 그게 뭐랄까… 동익 형이 편곡한 거라서, 그 부분을 좀 더 성의가 있게 했으면 좋겠다 싶었어요. 그렇다고 동익 형한테 다시 하라고 하기도 뭐하고 그래서 내가… 이왕이면 다른 버전을 또 하나 실어도 성의가 있어 보이겠다 싶어서 좀

다른 분위기로 만들었죠. 그래서 그때 건반 치는 '더 클래식'의 박용준한 테 얘기했어요. 용준이가 동익 형 세션 멤버잖아요.

박준흠 : 그렇죠. 조동익 밴드 건반이 원래 박용준 씨죠.

안치환 : 용준이한테 이거를 건반으로만 해서 다르게 한번 쳐주라고 얘기 해서, 용준이가 그냥 건반을 하나 깔고 그래서 버전 두 개로 나눈 거예요. 전혀 다른 분위기로. 기타 하나 주고 하는 게, 내 성이 차지 않았나 봐요.

박준흠 : 그런데 사실 저는 기타로 하는 B버전이 마음에 드는데. A버전 은 좀 심심하잖아요.

안치환 : 기타로 하는 템포가 사실 조금 가볍게 들려요. 좀 더 이렇게 느 리게 하면 좋을 텐데, 그래서 그게 마음에 별로 안 들어서 뒤에 건반으로 버전 하나 더 만들어서 했던 거예요.

박준흠 : "너의 시대 이미 흘러갔다고-" 이렇게 보컬로 지를 때 A는 좀 약 하고, B가 잘 맞는 거 같아요.

안치환 : 리듬이 다르잖아요. 쿵짝 쿵쿵짝쿵. 이게 느리면 그게 맞는데

그 템포가 좀 빨라요. 그래서 조금 끌려가는 그런 느낌이 있죠. 아무튼 그래요. 참 예리하게 들으셨네.

박준흠 : 〈수풀을 헤치며〉 이 노래 배경은 어떻게 되나요?

안치환 : 1992년 DJ 선거와 관련된 거죠.

박준흠 : 〈당당하게〉는 어떻게 만든 노래인지.

안치환 : 〈당당하게〉는 콘서트를 한창 할 때, 아주 콘서트에 재미를 붙여서 막 공연을 하다 보니까, 정규 레퍼토리 말고 앙코르곡으로 멋진 노래를 하나 만들고 싶다는 생각이 들어서 만든 거죠. 콘서트의 맨 마지막 곡으로. "무대 위에 불빛은 꺼지고- 조용한 이 노래만 남아 있어-" 이거 콘서트 얘기잖아요. 콘서트에서 내가 오늘의 내 삶을 뒤돌아보면, 멋지게 잘 할 수도 있고 아쉬울 때도 있잖아요. "아름다운 세상을 꿈꾸었어-" 그러면서 이제 또 풀어나가는 거죠.

그런데 그 노래 가사가 왜 나왔느냐고 묻는다면, 나도 모르겠어요. 맨 처음에 이렇게 시작하죠. "아름다운 세상을 꿈꿨어. 인간에 대한 사랑의 길로. 무엇이 바뀌고 무엇이 변하였어." 이 얘기는 굉장히 중요한 얘기인데, 도대체 민주화되어 우리가 이런 세상을 꿈꾸고 사는데 지금 변한 게 뭔지, 무엇이 바뀌었어? 누가 좀 대답해줘. 그다음에 당당하게 살고 싶다, 뭐 그 얘기에요.

박준흠 : '자기 다짐'에 관련된 노래이기도 하겠네요.

안치환 : 모든 게 다 그렇지 않을까요? 시대가 이랬든 저랬든 좀 당당하게 살자. 시대와 세상 앞에 그런 내가 되고 싶었나 봐요.

박준흠 : 〈고향집에서〉는 어떻게 만들었나요?

안치환 : 아, 내 아들이 두 살 때니까, 1993년에 고향 집에 내려가서 만든 노래예요. 1993년 가을에 추석 때 기타를 갖고 내려갔어요. 우리 시골 집이 기와집이고 앞에 큰 마당이 있는데, 그쪽이 사랑채인데 할아버지 있는 데고, 그 마당 앞에 툇마루가 조그만 게 있어요. 거기 햇빛 좋을 때 이렇게 앉아서 기타 갖고 만든 건지, 하여튼 글을 썼던 것 같아요. 보이는 풍경들, 그 모습들… 참 오랜만에 내려온 고향의 집들은 변함없고. 미

루나무, 까치집, 이런 것들을 묘사하고 그러면서 고향집에 관한 얘기, 뭐 좋은 얘기만 쓴 거죠.

박준흠: 강아지 얘기까지 묘사가 수채화 그리듯이 굉장히 잘 됐거든요.

안치환: 그 노래 쓰고 나서 어떤 생각을 했냐 하면, 아 이런 노래 참 좋다. 그거 있잖아요. 무슨 사랑이 어쩌고저쩌고 이런 것도 있고 세상에 어쩌고 다 좋지만. 권혁진 형이라고, 그 형이 한때 내 세션을 도와줬었거든요. 혁진이 형이 그 노래를 듣고 이 노래 정말 좋은 노래다, 그러더라고요. 참 좋은 노래 만들었다고. 나는 그게 좋은 노래라고 생각할지는 모르지만 이런

노래도 내가 만들었네, 라는 생각을 했어요. 창작자로서 보면 굉장히 중요한 노래일 수 있어요. 그러니까 노래를 쓰는 데 가사를 쓰는 데 여러 가지 주제들이 있잖아요. 그런 것에서 특별한 걸 하나 만든 느낌?

박준흠 : 그런데 아쉬운 거 하나 얘기하면, 〈고향집에서〉 노래 마지막 부분이 오르간 소리가 쫙 고양되다가 딱 정리되어서 끝나잖아요. 그런데 저는 어떤 생각이 드냐면, 약간 좀 사이키델릭하게 끝까지 오르간 소리가 그냥 높아져 가면서 계속 노래가 이어지는 방식으로 갔으면 어떨까 하는….

안치환 : 라이브 안 들어봤죠? 라이브 버전에 그렇게 하거든요. 노래가 굉장히 긴데, 그 편곡을 동익 형이 했지만, "참 오랜만에 돌아왔네- 고향 집에서-" 연주가 쫙 이어져요. 사이키델릭하게 쫙 하면서, 뒤에 할 거 다 하고 다라라란-

박준흠 : 음반 녹음 때도 그렇게 했으면 좋았을 텐데.

안치환 : 그게, 방송 시간이 너무 길어져서… 방송에서 한번 불렀다가 욕바가지로 먹으면 에효… 라디오에서 내가 라이브로 딱 불렀다가 방송 끝나야 하는데 노래가 안 끝나니까 막 당황해가지고…(웃음) 난 그것도 모르고 그냥. 방송은 할 게 못 돼요.

박준흠 : 4집은 여러 가지 장점들이 있는데, 완숙해진 창작자 안치환과 조동익의 편곡이 결합 되어서 명반을 하나 만들어낸 것 같거든요. 그래서 이를 기반으로 계속 5집, 6집 이렇게 나온 것 같은 느낌도 들고.

안치환 : 4집이 거의 정점을…

박준흠 : 〈고향집에서〉도 이런 방식으로 처음 나온 노래이고, 그 뒤에 〈평행선〉 같은 경우도 독특한 노래고. 〈평행선〉과 9집에 있는 〈담쟁이〉가 안치환 씨의 작법 중에서도 다른 것 같아요. 물론 〈담쟁이〉는 시로 만든 노래이기는 하지만.

안치환 : 좀 그럴 때가 있어요. 〈평행선〉은… 그러니까 예를 들어 창기 형 노래 들어보면, 〈시청 앞 지하철역에서〉 그런 류의 노래 있잖아요? 이야기가 쭉 펼쳐지는. 그런 것도 좋다고 생각했었거든요. 9집의 〈담쟁이〉는 그때 그 시도 좋았지만, 음악적으로는 누구냐 하면, 영국 가수 중에 좋아했던 가수가 있는데… 그때 그 친구 노래를 한참 많이 듣고 좋아했던 것 같아요. 그러니까 한참 들었던 그 가수의 창법이 가성을 이렇게 왔다 갔다 하는 그런 것들이 재밌더라고요. 나도 그런 걸 좋아했었고, 그래서 그런 식으로 만들어 본 것 같아요.

박준흠 : 이제는 〈평행선〉 같은 가사의 노래는 만들 수가 없잖아요? (웃음)

안치환 : 풋풋한 시절에 만들 수 있는 노래 아니겠어요? 그러니까 어떤 사랑의 감정이라든지 그런 것들이 이렇게 풋풋하게 연애 감정도 있고. 창기 형이 항상 얘기했던 게, 말하자면 그 연애 감정이 살아있어야지 노래도 나오는 거 아니냐, 그런 거죠.

박준흠 : 앨범 구성을 보면 〈너를 사랑한 이유 A〉부터 시작해서 〈생의 의미를 찾아서〉 이 열 곡까지의 구성이 잘된 구성이라고 생각하거든요. 거기다가 방송용 노래 두 곡을 붙이고, 〈너를 사랑한 이유 B〉까지 해서 열세 곡이 만들어진 건데… 〈겨울나무〉도 좋아하는 노래죠?

안치환 : 〈겨울나무〉 내가 좋아하는 노래인데, 그것도 어느 겨울날 그냥 만들었던 노래 같아요. 공허함과 뭐 그런….

박준흠 : '겨울나무'라는 단어는 다른 노래 가사에서도 몇 번 본 것 같은데. 그래서 '겨울나무'를 좋아하나? 뭐 그런 생각을 했었거든요.

안치환 : 그게 아니라 황량한 어떤 내 마음 있잖아요. 가지 다 떨어지고, 뼈만 앙상하게 남은 옷을 벗은 겨울나무, 내 가슴의 서러움을 알 수 있을까. "지나버린 가을엔 난 너무나 슬펐네 / 떠나버린 그대를 난 잊을 수 없었네/ 회색빛 하늘이여 짙게 깔린 구름이여 / 내 마음의 고통을 모두 가져가다오 / 찬란한 햇빛이여 청아한 하늘이여 / 검게 찌든 내 혼에 밝은 웃음을 다오."

 그러니까 약간 좀 개똥철학이라고 얘기해도 좋은데, 그 당시에 어린 나이임에도 불구하고 이제 좀 있어 보이려고 하는, 그렇게 얘기할 수도 있겠지만 그러한 이야기를 좀 하고 싶었던 것 같아요. 뭔가 약간 불명확하죠. 그렇지만 겨울나무라는 이미지를 가지고 내면의 공허함과 슬픔 같은 이야기가 하고 싶었나 봐요.

06

안치환 5-7집,
완성된 프로듀서가 되는 과정

"어느 날 밤에 김민기 형한테 전화가 왔어요.

주변에 아는 형들이랑 술 먹다가 이 형들이 〈철망 앞에서〉를 치환이가 부르면 잘 부를 것 같다고 얘기했나 봐요. 이 사람 저 사람 다 떼거리로 와서 시끄럽게 하다가 말잖아요. 나는 그 노래가 굉장히 멋진 노래라고 생각하고 있었거든요.

그래서 내가 고마워요, 제가 한번 불러볼게요 하고 밴드 편곡으로 딱 했었는데 멋지게 나왔어요. 그래서 아주 즐겨 불러요."

1) 안치환 5집, "나의 밴드를 갖고 싶다"

박준흠 : 안치환 4집은 예술적인 성공뿐만 아니라 상업적인 성공도 거둔 음반입니다. 본인이 느끼는 어떤 만족도 있었고, 흔히 말해서 "앨범은 이렇게 만드는 거구나" 하는 생각을 가졌을 수도 있고. 계속 인정을 받기 위해서 또 다른 뭔가를 시도하는 상황이 1997년에 5집 [Desire]를 만드는 상황이었을 것 같은데, 5집 만들 때는 어떤 생각을 하셨나요?

안치환 : 나의 밴드를 갖는 거죠. 내가 거대한 욕심을 부린 거죠. 이제 진짜 뮤지션으로서 자기 길을 과감하게 가 본 거죠. 그래서 밴드를 만든 거예요.

박준흠 : 4집은 조동익 씨가 편곡과 세션을 굉장히 잘한 음반이긴 한데, 한편으로는 조동익 씨한테도 휘둘리고 싶지 않다, 그런 생각을 가졌나요?

안치환 : 글쎄, 뭐 편곡을 맡긴 게 휘둘리고 그런 문제인가요? 내가 능력이 안 돼서 도와달라고 돈 주고 편곡 맡긴 건데. 그런데 그게 휘둘린다기

보다는 의존적인 거죠. 그러니까 광석이 형이 계속 동익 형과 했잖아요. 안정되고 자기 스타일의 음악을 하는데, 나는 계속 그렇게 가면 안 좋겠다는 생각이 드는 거죠. 내 색깔을 내가 갖기 위해서는 내 밴드가 필요하다는 생각이 들었던 거죠. 항상 콘서트 하는데, 공연을 많이 하는데, 맨날 세션 만들어서 쓸 수는 없잖아요. 그래서 그때 밴드를 만들고 5집을 만들면서 시도를 해본 거죠. 그런데 그때 또 시행착오를 겪기 시작하는 거죠.

박준흠 : 멤버도 몇 번 바뀌고.

안치환 : 그러니까 시행착오라는 건 뮤지션으로서 곡을 편곡하고 해석하는 능력. 좋은 포장을 해서 만드는 그 능력을 배워야 하는 것 같아요. 진짜 고민해서 밴드의 능력과 힘으로 겨우 해본 게 5집인데, 엔지니어가 제대로 된 철학을 가진 사람은 아니었던 것 같아요. 그러니까 4집 때 같이 했던 훈석 형이라고 있는데, 그 형이 있던 혜화동의 난장에 가서 하는데 믹싱을 그렇게 잘한 사람이 아니었던 것 같아요. 내가 그렇게 많은 경험이 없어서. 나중에 보니까 그렇더라고요.

그리고 마스터링 할 때 내가 좀 폭넓은 마스터링을 해달라고 했는데 그걸 또 너무 벌려놨어요. 음악이 굉장히 넓긴 하지만 약간 좀 과한 사운드라고 할까. 믹싱이라든지 마스터링이 좀 과하다는 느낌이 들어요. 리버브 양이라든지. 어쨌든 처음으로 창작부터 편곡, 믹싱까지 관장하는 뮤지션으로서는 역량이 조금 부족했던 음반인 것 같긴 해요. 그런데 음악 자체는 굉장히 열정이 넘치는 음악들이었고, 내가 4집에서 돈맛을 보고 세상 달콤한 맛을 봐도, 그 뮤지션이 이러한 열정을 갖고 있다. 통일에 대한 열정, 세상에 대한 시각을 갖고 있다는 걸 보여줄 수 있는 음반인 건 사실인 것 같아요. 다행히 〈사람이 꽃보다 아름다워〉가 터져주는 바람에…

박준흠 : 5집은 아쉬운 게 뭐냐면 얘기한 그대로 녹음인 것 같아요. 소리가 록밴드 사운드로서는 중후한 게 아니라 얇은 느낌? 떠 있는 느낌이 들거든요.

안치환 : 그게 바로 그 믹싱과 마스터링의 차이가 있는 거예요. 그걸 좀 더 압축해서 단단하게 만들어줘야 하는데, 그걸 엔지니어한테만 막 요구할 수는 없어요. 그러니까 프로듀서가 나인 거죠. 내가 그거를 구체적으로 요구하지 못했어요. 드럼 킥이 단단하게 베이스랑 밑에서 팍 받쳐주고 나머지 멤버들이 견고하게 딱 붙어야 하는데, 그걸 못하고 그냥 확장만 한, 크고 넓게만 한 이런 개념들이 내가 좀 많이 부족했던 거죠. 그래서 그렇게 들리는 거예요. 그걸 지금 다시 믹싱을 한다면 똑같은 음원을 갖고도 멋지게 만들 수 있어요.

박준흠 : 믹싱 전 단계인 녹음 자체도 그렇게 잘 된 것 같지 않아요.

안치환 : 거기 연주자들이 전문 세션맨들이 아니라…

박준흠 : 연주자 테크닉 부분이 아니라, 녹음 소스 자체가 좀…

안치환 : 그건 엔지니어 문제죠.

박준흠 : 녹음 소스가 안 좋으면 믹싱은 아무리 해도 안 되잖아요.

안치환 : 그런 시행착오를 겪어야 했던 내가 처음부터 다시 공부할 때죠.

박준흠 : 난장을 어디서 소개를 받은 건가요? 왜 그러냐면 그 당시 생각해보면 김덕수 사물놀이패 근거지가 난장이었잖아요. 그래서 원래 퓨전 국악이나 재즈 쪽으로 특화된 녹음실이었던 같은데.

안치환 : 나는 그냥 엔지니어가 아는 형이었고 친했으니까 거기서 한 거예요. 거기서 민기 형 것도 했어요.

박준흠 : 자료를 보니까 이훈석 씨가 김광석 씨의 군대 선임이더라고요.

김광석 씨가 6개월 방위였었잖아요. 거기 한 달 선임인가? 같이 근무했다고 하던데.

안치환 : 아, 그 이야기는 들어본 것 같아요. 광석이 형이 그 얘기 했던 것 같아요. 이훈석 형은 광석이 형이 리드사운드에서 녹음할 때, 그 리드사운드에 훈석 형이 엔지니어로 있었어요. 그래서 그때 처음 만났고, 그 이후에 내가 음반을 좀 했었나? 하여튼 알고 나서 그다음에 그 형이 다른데를 가서 또 거기서 한 거죠. 그런데 마음에 안 들어서 6집 때는 신나라 레코드 파주 쪽에서 녹음했고, 또 마음에 안 들어서 7집은 리드에서 다시 또 녹음했고… 7집 때부터 사운드 그런 것들이 좀 다르죠.

박준흠 : 그리고 8집 때부터는….

안치환 : 8집 때부터는 내 녹음실을 만들어서 했고요. 그런 시행착오들이 좀 있어서 아쉬운 점도 있고.

박준흠 : 그리고 5집 첫 번째 곡 〈희망이 있다〉는 가사, 연주 모두 굉장히 마음에 들어요. 감동적인 면이 있죠. 그런데 이 노래가 좀 묻힌 느낌이에요. 〈사람이 꽃보다 아름다워〉가 너무 떠서 그런지…

안치환 : 잘 만들어진 노래죠.

박준흠 : 이 노래는 6.5집에서 다시 신경 써서 만들었는데, 사실 5집에 있는 버전만큼은 안 나왔거든요. 그런데 6.5집에서 〈38선은 38선에만 있는 것이 아니다〉는 리메이크를 정말 잘하신 것 같고.

안치환 : 하여튼 그때는 녹음실을 왔다 갔다 하고, 내가 편곡자로서도 여러 가지 시행착오를 겪고 부족했던 점도 있고 그랬던 시기여서… 노래 자체는 좋을지 모르지만, 그걸 옷을 잘 입히는 데 있어서 조금 곤란한, 어려움을 겪었던 시기 같아요. 〈희망이 있다〉의 원제목이 〈나와 함께 모든 노래가 사라진다면〉이었거든요. 차라리 그 제목을 썼으면 어땠을까? 그 생각이 들어요. 가끔 제목을 잘못 붙인 것들이 꽤 후회되는 게 있어요.

박준흠 : 저작권 등록을 한 번 하면 수정이 안 되던가요? 노래 제목 수정이나 그런 게.

안치환 : 그런데 뭐 굳이 엎질러진 물이고, 수정할 필요까진 없고요.

박준흠 : 5집에서도 보면 송봉주, 김범수 씨가 참여하는데, 전략적으로 그분들 노래를 넣으신 거죠?

안치환 : 그때 뭐 녹음하면, 이렇게 놀러 오잖아요. 오늘 하루 몰아서 코러스 좀 하자 그래서 도와주고, 그래서 밥 사주고 그랬죠. 지금은 그런 것도 없지만.

박준흠 : 5집에서 히트 여부를 떠나서 마음에 드는 노래는 뭐예요?

안치환 : 한번 보자. 좋은 노래 많네요.

박준흠 : 노래도 많이 넣었어요. 15곡 꽉 채워 70분.

안치환 : 열정이 가득한 음반이에요. 〈저물면서 빛나는 바다〉는 황지우 시인의 시거든요. 제2의 〈소금인형〉 같은 노래를 했는데, 이런 노래

들이 노래 만드는 사람으로서도 있으면 좋아요. 통일에 대한 노래도 있고. 〈한다〉 이거는 정말 5.18을 후세대 사람으로서 마음에 계속 짐을… 5.18은 너무 거대한 역사적 사건이어서, 노래를 좀 만들고는 싶은데 어떤 주제를 갖고 만들어야 할지 모르겠다는 게 있잖아요. 그런데 그냥 후대의 사람으로서 이런 얘기를 한번 해보자. 그래서 〈한다〉 만들고 나서 난 좋았거든요.

2) 편곡, 세션 마스터가 되기 위하여

박준흠 : 편곡을 얘기하고 싶습니다. 5집부터 음반 크레딧을 보면, 안치환과 자유가 편곡자로 나왔다가 어느 순간부터 안치환이 편곡자로 나오는데, 본인이 완전한 편곡을 하기 시작한 게 언제부터인가요?

안치환 : 그 편곡이라는 게 악보까지 다 그려주느냐가 아니고… 내가 밴드를 하니까 예전에 동익이 형이나 춘호 형이 어떤 부분은 악보가 있기는 하지만 대부분 악보보다는 그냥 코드와 전체적인 곡 진행, 음악의 진행 정도, 마디, 이런 거거든요. 그래서 맨 처음 내가 편곡이라는 것에 욕심을 부린 게 〈사람이 꽃보다 아름다워〉 있는 5집부터죠.

 왜냐하면, 3집 때 처음으로 1집, 2집이 정말 부끄러운 음반이라는 생각이 들었어요. 노래가 부끄러운 게 아니라 편곡이. 노래를 가지고 여기에 어떤 옷을 입히고 어떻게 치장을 할까, 이걸 어떻게 대중에게 들려줄까, 그 부분이 편곡이잖아요. 그런데 이 부분에 대한 개념이 내게 별로 없었던 거죠. 그때는 그냥 기타 하나 갖고 했었고. 노찾사 2집을 녹음할 때 옆에서 동민이 형이 편곡하는 걸 봤는데 굉장히 답답하더라고요. 원래 우리가 가지고 있는 노래의 분위기를 전달하기보다는 자꾸 노래가 이상해져요. 노래는 똑같은 노래인데 들리는 음악이 이상해. 그게 편곡의 문제였거든요.

박준흠 : 나동민 씨는 포크록 밴드 '따로 또 같이' 멤버니까 좀 다르겠죠.

안치환 : 동민이 형이 그때 노찾사를 도와줬어요. 그런 노래에 대한 개념 혹은 감각이 없었으니까. 참, 동민 형 돌아가셨어요. 2년 정도 됐어요. 미국에서 살다가 돌아가셨죠. 그런데 기자라는 사람들이… 나동민이 죽었는데, 사진은 이주원이 나왔어요. 어디 신문이었는지.

박준흠 : 이주원 씨는 돌아가신 지 꽤 오래되었는데… 구별을 못 했나 보네요. 음악을 거의 안 들은 대중음악 담당 기자들도 있죠. 일례로 2015년에 나온 안치환 11집 인터뷰나 리뷰를 하면서도 1980-90년대 민중가요 이야기를 하잖아요. 아, 편곡 얘기하다 말았습니다. 세션 참여자 얘기도 같이해주시고요.

안치환 : 3집 제작하기 전에 내가 신나라레코드에서 3천만 원을 받았어요. 그러고서는 다해서 3-400만 원인가를 더 썼어요. 조동익 형하고 함춘호 형한테 몇 곡씩 나눠서 하는데… 녹음, 세션비로 다 썼어요. 달라는 대로 다 주고 하면서 그 과정에서 사람들도 알게 됐고. 그래서 4집에선 다 조동익 형한테 맡겼죠. 그리고 그때 한참 콘서트를 많이 하니까 밴드가 필요해서 하나 식구들, 김영석(드럼)이니 박인영(키보드)이니… 건반편곡 잘하는 사람. 그때 권혁진(기타) 형도 알게 되었고. 그래서 혁진이

형이 기타 좀 도와주고… 그렇게 해서 한 1-2년 하다 보니까 그냥 내가 밴드를 만들어야겠다는 생각이 점점 들었어요. 이쪽 생태를 알아가면서 내 음악을 하기 위해서는 그냥 세션맨이 아닌 내 연주자가 필요하다는 걸 깨닫게 되는 거죠. 그래서 4집 때인가 언젠가 밴드를 만들어요.

박준흠 : 4집 끝나고 나서요?

안치환 : 그 사이죠. 그리고 5집을 녹음할 때 '자유' 밴드랑 일단 같이하게 됐어요.

박준흠 : 5집 때는 밴드와 일반 세션 연주자가 섞여 있죠? 5집에서는 음반 크레딧에 '자유'라는 밴드 이름을 안 쓰고, 6집부터 쓰기 시작합니다.

안치환 : 그러니까 권혁진 형이 빠른 기타 애드립 연주를 잘 못 하는데 그때 우리 용민이가 밴드에 들어와서 〈사람이 꽃보다 아름다워〉 간주를 멋지게 연주해 놓은 거예요. 이때 기존 세션맨과 밴드 연주가 섞이기 시작한 거죠. 그야말로 '안치환과 자유'로 넘어가는 과도기라고 할 수 있죠.

3) '안치환과 자유' 밴드 멤버의 구체화

박준흠 : 5집을 만들면서 녹음에 여러 세션맨이 섞여 있는데, 그중에서 추려서 라이브 때 자연스럽게 '자유'란 밴드가 된 건가요?

안치환 : 초창기에는 자유 멤버에 여러 사람이 섞여 있었어요. 그러다가 정용민(기타)부터 시작해서 나성호(드럼)랑 그다음에 6집 때 건반이 바뀌었는데 지신엽(키보드). 지금의 지신엽이랑 서민석(베이스), 박달준(드럼) 이런 식으로 바뀐 거죠.

박준흠 : 김남일(베이스)하고 이명원(베이스)도 있었고요.

안치환 : 남일이랑 또 하나 건반 치는….

박준흠 : 건반에는 박인영, 김장호 씨가 들어가 있네요.

안치환 : 아, 장호라는 녀석이 있었고, 그 정도였어요. 그러니까 그게 한 번 뽑아서 해보면 사람들 성향을 알잖아요. 안 맞는 사람들… 그래서 아 마 6집 때부터는 지금 멤버들로 꾸려졌을 거예요.

박준흠 : 6집에서는 맨 뒤에 난장에서 녹음한 노래 두 곡 빼고는 초기 자 유 밴드 멤버들이 녹음했습니다.

안치환 : 아무튼 그런 식의 교체기, 과도기가 있고 해서 쭉 갔는데, 편곡 이라고 얘기하다 보면… 맨 처음에는 의욕은 너무 과다하고 센스는 부족 하고, 이런 식이었죠. 그렇지만 열심히 했던 과정들이 5집, 6집 때부터 인 거예요. 그러면서 이제 7집 때부터는 조금 개념이 생기고, 서로 밴드 에 대한 개념들이 맞고, 8집 때는 내 스튜디오를 가지면서 그때도 의욕 과잉(?)으로 열심히 해서 만들었고.

박준흠 : 어떤 의욕 과잉?

안치환 : 의욕 과잉이라는 건, 엄청나게 열심히 해보는 거예요. 이렇게도 해보고 저렇게도 해보고. 보통 편곡을 맡기면 시간 안에 그거하고 딱 끝내잖아요. 그게 아니라 우리는 우리 녹음실에서 막 해보는 거예요. 그렇게 하고 싶었던 거죠. 그러다가 편곡에 대한 개념들이 생기기 시작하는데, 이를테면 이런 거죠. 리듬이 멜로디를 잡아먹으면 안 된다. 리듬은 기둥이고, 서까래고, 멜로디 파트가 정말 화려한… 어떤 외피, 내장 인테리어, 이런 개념들 자체가 생기는 거죠.

　그러던 시기에 또 과학이 발전하다 보니까, 스타일러스(Stylus)니 로직(Logic)이니… 이런 식으로 혼자서 해볼 수 있는 레코딩, 그런 것들이 많이 생겼잖아요. 프로툴스(Pro Tools)도 있고. 그러면서 내가 미리 한번 녹음을 해보고 하면서 개념들이 생기는 거죠. 이제 만나서 코드 딱 주고 "여기는 베이스가 나와, 여기선 당연히 기타가 해야 되겠지…" 그렇게 내가 요구를 하는 게 있어요. 내가 하는 요구가 구체적이고 "베이스도 그런 식으로 치지 마. 베이스도 리듬을 그렇게 타지 말라고. 드럼 그렇게 자꾸 쪼개지 마. 더 단순하게 가." 이런 식으로 구체적으로 내가 요구를 해야 하는, 그러니까 예전에 동익이 형이 했던 편곡 그런 개념들인 거죠. 그렇지만 아직도 우리 밴드가 내가 예상하지 못했던 멋진 연주들을 해줘요. 그런 것들이 합쳐지는 거죠. 그래서 '안치환과 자유' 전체 이름으로 편곡을 표기했다가 이 정도면 내 편곡으로 표기해도 되지 않을까.

박준흠 : 그래도 문제가 없다?

안치환 : 그런 거죠. 지금 같은 경우에는 어떤 드럼은 날로 치는 게 더 좋지만 어떤 건 그냥 로직 드럼이나 있는 드럼에서 내가 만들어서 편집해서 쓰는 게 훨씬 더 사운드도 좋고 그런 게 있을 때는 그렇게 써요. 반드시 날 드럼이 좋은 것만도 아니고. 엔지니어가 원하는 걸 만들어내지 못할 수도 있어요. 물론 모든 음악은 기본적으로 리얼이 맞는다고 생각하는데, 드럼만 빼고는 모든 게 다 리얼이긴 하죠. 그런데 어떤 때는 기존 드럼 음원을 가지고 써줄 때도 있어요.

박준흠 : 결론적으로는 예전보다 현재의 편곡 방식이 더 마음에 드신다고 얘기를 하는 건가요?

안치환 : 그건 잘 모르겠어요. 그러나 나답다고 생각해요. 가끔은 정말 센스 있고. 예를 들어 데미안 라이스(Damien Rice)의 [My Favourite Faded Fantasy](2014년) 음반이 있어요. 이 정도 편곡하는 친구면 같이 한번 해보고 싶어요. 데미안 라이스 자신이 기타 치면서 하는 건 그냥 기

타, 목소리만 있는데 이걸 이런 식으로 확장하고 정말 감정의 영역을 끝까지 펼쳐주는구나 하는 음반이죠. 그 음반이 내가 제일 좋아하는 음반인데 우울한… 하여튼 그러한 편곡을 해준다면 하겠는데, 내가 그런 편곡자들을 아는 사람도 없거니와 그렇다고 내가 데미안 라이스 음반 편곡한 사람이랑 같이할 것 같지는 않고. (웃음) 그래서 나는 내 영역의, 음악적인 감정의 영역을 최대한 확장하는 노력을 하는데, 그게 사실 우리 밴드인거죠. 그래서 좀 아쉬운 부분이 있을 수는 있지만, 나로서는 최선을 다하고 있다고 생각하는 거고. 예전에는 다른 외부인에 대해서 고민해봤는데 지금은 별로 고민하고 있지 않아요.

박준흠 : 자유 멤버가 바뀐 게, 드러머가 나성호에서 박달준으로 바뀌었고, 기타는 정용민에서 임선호로 바뀌고, 다시 정용민으로 바뀝니다.

안치환 : 내 스타일인 것 같아요. 바뀐 이유는 나랑 안 맞는 거.

박준흠 : 기타리스트가 몇 차례 바뀐 이유가 궁금합니다.

안치환 : 정용민은 그때 한참 바람이 들어서 자기가 이 세상 음악을 평정할 것 같다고 생각을 했던 것 같아요. 이쪽 물이 너무 좁다고 생각하는 것 같아서 자기는 나가서 해보겠다고 그러더니 바로 세상을 깨닫고⋯ 그래서 내가 다시 들어오라고 했죠. 용민이는 굉장히 파퓰러하게 하고 기타리스트의 톤 같은 게 있어요. 임선호는 교회 음악을 했던 아이인 거고. 교회에 다니는 사람들이 저렇구나, 그랬는데 기타는 잘 치죠. 어쿠스틱도 잘 치고 재지(Jazzy)한 면도 있고, 그다음에 일렉기타도 내가 굉장히 좋아하는 톤이긴 해요. 그런데 걔는 나랑 좀 안 맞아요. 그래도 다른 대안을 갖기보다는 그냥 잘하니까 같이 가려고 했는데, 결국은 선호가 나를 좀 피하더라고요. 그래서 내가 다시 집 나간 놈 데리고 왔죠. (웃음)

한동안 용민이는 나한테, 다른 애들한테 집 나갔다 온 놈이라는 얘기를 듣곤 했지만, 그것을 견뎌내고⋯ 그래도 나랑 잘 맞아요. 그러니까 세상에 대한 태도가 그래요. 용민이 얘는 그냥 음악밖에 몰라요. 어떤 이념 그런 거 모르고, 정치적인 문제에 전혀 관심이 없어요. 다만 음악⋯ 그리고 지금 나이 되면 돈 안 떼먹고 꼬박꼬박 일한 거 주고 그러는 사람이 최고죠. 웃픈 얘기지만, 정말 일한 것에 대해서 정당하게 챙겨주는 사람이 최고라고요. 나는 그렇게 해왔거든요. 줄 돈에 대해서는 절대 미루지 않을 거야. 가장 먼저 줘요.

세상이 그렇더라고요. 나갈 돈은 또박또박 제시간에 나가는데, 들어올 돈은 그렇지 않은 게 이 세상이죠. 돈의 문제는 그래요. 그런데 나는 그 부분에 대해서는 사람들한테 지켜야 해요. 다만 내 스케줄을 1번으로 해라. 나머지는 너희들이 알아서 해. 알아서 살아. 나랑 일하는 거 보험이라고 생각해요.

박준흠 : 안치환과 자유 멤버들은 페이가 어떻게 지급되는 건가요?

안치환 : 건당이에요.

박준흠 : 공연 몇 회, 녹음 몇 회 이런 식으로요?

안치환 : 네. 멤버들이 생각할 때 그게 다른 거에 비해서 적지 않으니까 가만히 있는 거고. 밴드로 공연하고 콘서트 하면 내가 얼마를 주는 게 있어요. 음반 녹음할 때는 곡당 얼마씩 줘요.

박준흠 : 그럼 다른 활동은 알아서 해라?

안치환 : 너희들이 알아서 해라 그러는 거죠. 그러니까 두 명은 대학교에서 강의하기 시작하고 베이스 치는 민석이는 고구려 밴드라고 자기가 좋아하는 사람들하고 밴드도 해요. 마지막에 들어온 달준이, 달준이 얘는 맨날 딴짓하고. 가게 해서 말아먹고, 뭐 해서 말아먹고, 그래서 내가 내보낸 거거든요. 다른 짓을 하도 많이 해서.

박준흠 : 박달준 씨는 12집까지만 하고 그만둔 거예요?

안치환 : 네. 이후에는 정원식이 참여합니다. 깔끔하게 드럼 연주를 잘하고 젊고… 40대이긴 하지만. 부업으로 머리 문신인가 그런 거 해요.

박준흠 : 악보를 안 그리고 안 본다고 하셨는데, 직접 만든 노래가 아니라 다른 사람이 만든 노래는 어떻게 익히나요?

안치환 : 들어서 해요. 누가 노래를 썼다고 악보 보내고 그러면 직접 부르든지 해서 들려달라고 그러죠. 그리고 악보가 귀찮으니까, 내가 악보를 안 써도 되는 방법으로 살아온 거잖아요. 밴드는 악보 필요 없어요. 마디수와 가사, 코드만 있으면 되잖아요. 그건 어려운 일이 아니니까요. 그런데 악보를 일일이 적는 건 좀… 그런 건 하기 싫어요.

박준흠 : 악보가 없으면 혹시 시간이 한참 지나서 음이 바뀐다든지 그럴 일은 없나요? 음이 좀 미세하게 바뀐다든지.

안치환 : 너무 선명하게 기억된 것들이라 바뀔 리가 없죠. 내가 바꿔서 부르지 않는 이상은.

박준흠 : 악보는 안 보시더라도 누군가는 그 악보 작업을 해서 남기긴 하죠?

안치환 : 가끔 나한테 누가 악보 좀 보내주실 수 없어요? 어떤 노래를 부르고 싶은데 악보 없어요? 그러면 우리 사무실에서는 안치환 씨 노래는 악보가 없습니다. 그런데 악보집, 노래책 같은 거 만드는 회사에서 몇몇

곡들은 악보 써서 하죠. 지금 악보 작업을 하는 친구들이 있다고 그랬잖아요. 그 친구들이 하자고 했고, 내가 좋다고 해서 지금 작업하고 있어요.

박준흠 : 악보 작업하는 게 전체 노래를 다 하는 건가요?

안치환 : 예. 처음부터 12집까지 하는 건데, 그 이후 발표된 건 안 했을 테니까 그것도 좀 얘기해야겠죠.

박준흠 : 예전에 출판사 쪽에 물어봤거든요. 악보 작업 도대체 어떻게 하는 거냐고. 그랬더니 컴퓨터만 있으면 금방 한 대요.

안치환 : 노래 멜로디를 치면 건반에 악보가 적혀서 나와요. 이 친구는 그냥 자기가 듣고서 하는 것 같은데, 모르겠어요.

4) 안치환 6집 [I Still Believe]. 역설적으로 믿음을 갈구한 앨범

박준흠 : 6집 [I Still Believe]는 1999년에 나왔고, '안치환과 자유'라는 밴드명이 본격적으로 음반 부클릿에 처음 나옵니다. 그리고 저는 [I Still Believe]라는 앨범 타이틀이 마음에 들고요. "난 여전히 믿는다⋯."

안치환 : 전에도 얘기했지만, 그때 그 앨범을 할 때는 무슨 얘기를 해야 할지 모르겠는 시기였어요. 약간 어정쩡한 시가였고. 파주에 있는 녹음실에서 녹음하는데, 밴드 멤버들을 처음 모아서 좀 널널하게 제대로 하고 싶었는데 뭔가 좀 잘 안 맞았고. 아무튼 내가 음반 만들면서 제일 재미없게 작업했던 거 같아요.

박준흠 : 그때 안 맞았다는 게?

안치환 : 연주나 편곡이나 이런 부분이 여러 가지 상황 속에서 좀⋯ 또 열정 자체도 조금 다운돼 있었고. 무슨 얘기를 해야 할지 잘 모르겠고.

박준흠 : 왜 갑자기 그런 심경을 겪었나요?

안치환 : 뭐 특별한 게 있는 건 아니고, 시대나 세상이 좀 어정쩡하거나 나도 좀 어정쩡하거나 뭐 그런 거 있잖아요. 그냥 어정쩡한 시기에 만든 어정쩡한 음반 같은 느낌이 들어요. 그리고 팀으로 하긴 했지만 뭔가 결속력이 단단하게 느껴지지는 않았었고, 아무튼 좀 그랬어요. 그런데 노래는 좀 다르죠. 〈사랑하게 되면〉이 있었고, 〈나무의 서序〉 같은 것도 좋아하고.

"I Still Believe… 그래도 나는 아직 뭘 믿고 있어요. 나는 아직 그 신념을 버리지 않아요." 안간힘이라고 할까, 그런 것을 좀 가지려고 했던 때인 것 같아요.

박준흠 : 저는 〈나무의 서序〉, 〈살고지고… 살고지고…〉를 좋아합니다.

안치환 : 〈악몽 '98〉, 김영삼의 IMF시대 이후였고, 그다음에 1999년 세기말이고. 〈살고지고… 살고지고…〉가 그런 느낌, 세기말에 대한 느낌이었던 것 같고요. 〈살구꽃 지고 복사꽃 피던 날〉 이게 원래 신경림 선생님의 '만남'이라는 시거든요. 내용이 뭐냐면 이렇게 비 오는 날 딱 만났는데, 옛날에 같이 투쟁하던 누구 씨가 있는 거죠. 같이 세상을 바꾸려고 했던. 그런데 얘기하고 또 헤어져. 그 씁쓸함 같은 거 있잖아요. 세상에 대한, 또 나는 왜 살아가는가. 그런 느낌. 〈나무의 서序〉는 진짜 봉주가 참… 이 노래가 너무 좋았고.

박준흠 : 개인적으로는 앞쪽 노래들이 마음에 들어요. 그리고 11번 트랙 〈강변역에서〉와 12번 트랙 〈나도 그렇게〉는 대학로 난장 가서 녹음한 노래이고, 〈돌멩이 하나〉는 두 번째 버전이 있고요.

안치환 : 사실 〈돌멩이 하나〉도 내가 제일 좋아하는 김남주 선생님의 노래거든요. 그런데 편곡이 별로 마음에 안 들어요. 녹음했던 것도 썩 마음에 들지 않고.

아, 그때 경험이 하나 있는데… 그 신나라레코드 있잖아요. 그때 거기

장부장인가 누구한테 녹음하다가 잘 되냐? 그래서 잘 모르겠다, 그냥 노래도 확실하게 끝내주는 게 없는 것 같은데 그랬더니, 누구 한 명 소개해주면서 노래를 하나 받아보는 게 어떠냐는 거예요. 노래라는 것이 무슨 노래 가사가 쓰여지고 뭐 이렇게 돼야 하는 거 아니겠어요? 이건 무슨 멜로디도 아니고 뭐 하나 찍 해놓고 그걸 받으라는 거예요. 이게 무슨 노래냐고요. 그런 것들이 너무 웃기더라고요.

박준흠 : 6집은 음악을 듣는 사람들은 알아차리지 못했을 텐데, 창작자 본인한테는 그런 느낌이었다는 얘기죠?

안치환 : 시기가 그랬던 거 같아요. 전체적인 느낌과 음반을 대하는 느낌이 그런 거고, 뭐 노래를 듣는 사람들이 느끼는 건 다른 거니까요.

5) 21세기를 맞은 느낌

박준흠 : 2000년, 21세기가 되니까 어떠셨어요? 21세기가 되면서 나온 게 6.5집하고 7집인데.

안치환 : 별 차이를 모르겠던데요. 내가 요새 공연 때마다 하는 얘기가 있어요. 달력과 일력, 시간이라는 개념을 만들어놓은 게 인간이다. 1시간, 분, 초, 월, 1년, 10년, 100년 이렇게 만드는 건 인간이지만, 사실 이런 개념이 없어도 인간은, 사람들은 그냥 살면 되는 거잖아요? 그런데 이런 구분이 없으면, 이 시간에 대한 구분이 없으면 인간의 삶이 얼마나 지루할까? 하는 생각이 들더라고요.

예를 들어 내가 지금 60살 가까이 돼가요. 58세인데, 내년에 59세. 참 오래 살았네. 누구는 몇 년 살았지? 앞으로 몇 년 더 이렇게 살 수 있을까. 내가 아내랑 앞으로 딱 20년만 이렇게 맛있는 거, 좋은 거 먹고, 좋은 거 보고, 이렇게 살 수 있었으면 좋겠다는 생각이 들어요. 그 20년이라는 시간이 우리의 개념에 있잖아요. 그런데 사실 그 시간이란 개념이 없으면 1999년인지 2000년인지가 아무 의미가 없는 거죠. 실제로 뭔 의미가 있어요? 그냥 우리가 정해놓은 거죠. 사실 막상 2000년이 되어도 아무것도 다를 게 없잖아요. 우리 머릿속에 시점이 바뀐 거죠.

박준흠 : 2000년 넘어와서 한국에서 음반 시장이 많이 변했잖아요.

안치환 : 많이 변했죠. 아니, 없어졌지. (웃음)

박준흠 : 언제부터 체감했어요?

안치환 : 7집이나 8집부터일 것 같아요.

박준흠 : 2001년부터 체감이 됐나요?

안치환 : 그때는 뭐 음반이 별로 안 좋아서 안 나가는 거란 생각을 먼저 했죠. 세상이 변해서 음반에 대한 수요가 불필요하게 돼서 안 나가는 것

보다는, 그냥 내 노래가 별로 매력적이지 않은가 보다, 라는 생각을 했었죠. 그 후에 보니까, 그런 이유도 있지만, 음반이 필요하지 않은 세상이 돼버린 거잖아요. 대중들은 그냥 음악을 마음껏 들을 수 있게 됐고요.

그래도 나는 뮤지션의 삶과 뮤지션의 품위를 위해서 음반을 사줄 수 있어, 라고 생각하는 누군가는 음반을 사고 음악 시장을 지켜줄 것 같은데, 세상이 그렇지 않더라고요. 대중들은 뭐랄까, 그런 면에 있어서 굉장히 냉철하고 잔인하더라고요. 그 잔인함을 충분히 알고 있으면서도 그렇게 변해가는 세상, 음반 시장이나 이런 것에 대해서 허탈함 같은 것들이 대단히 크더라고요. 그런데 뭐 어쩔 수 없죠.

문제는, 음반을 만드는 데 들어가는 비용은 똑같은데 거기서 나와야 할 수익이⋯ 내가 음반 녹음을 해서 마스터링까지 하는 데 드는 비용은 똑같아요. 사람들이 음반을 안 산다고 해서 그 비용을 안 줘도 되는 게 아니잖아요.

박준흠 : 2001년 7집 [Good Luck]에 〈슬럼프〉하고 〈위하여!〉라는 노

래가 들어갔잖아요. 그래서 이런 노래들을 왜 만들었지, 이런 생각을 했어요. 불과 30대 중반의 안치환이.

안치환 : 왜? 〈위하여!〉가 어때서요?

박준흠 : 그때 봄.여름.가을.겨울도 7집 [Bravo, My Life!]를 발표했어요. 김종진 씨가 1962년생이니 나이도 서로 비슷하고. 그런데 이제 30대 후반에서 40대에 진입하려는 분들이 무슨 60대도 아니고 이런 노래를 왜 만들지? 하고 생각했어요. 개인적으로는 창작자의 '조로早老'라고 생각했고, 그래서 당시 두 분에게 좀 실망을…

안치환 : 60대에 누가 그런 노래를 만들어요? '불혹不惑'의 나이라고 알아요?

박준흠 : 그건 조선시대 때 평균 수명이 마흔 살일 때 얘기죠.

안치환 : 나는 〈위하여!〉를 그렇게 만들고 싶었어요. 진짜 술을 먹으면서 부를 수 있는 노래였으면 좋겠다는 생각을 하면서 만들었어요. 좋잖아요? 위하여!

박준흠 : 권주가勸酒歌의 의미로?

안치환 : 술 마실 때, 서로 이렇게… 그 노래를 인순이 아줌마가 자기한테 달라고 했어요. 자기가 부르고 싶다고. 무대에서 노래 부르기 좋죠. 그런데 그 노래가 젊은 사람이 만들 노래가 아니라고 보기에는 그런 것 같지는 않은데요. 그런 게 뭐가 문제예요. 내가 그 나이에도 인생을 굉장히 깊이 있게 관조觀照했나 보죠. 그렇게 생각할 수 있잖아요. 광석이 형이 부른 〈어느 노부부의 사랑 이야기〉 그걸 들으면 또 뭐라고 했겠나. 아직 젊은 사람일 때 무슨 60대를 불러요? 이렇게 얘기할 수 있죠.

 나는 그런 게 좋다고 생각하는 게, 일반 대중들에게 인생의 허탈함과 그런 것을 좀 위로해주고 응원해 줄 수 있는 노래라고 생각해요. 〈브라보, 마이 라이프〉 같은 것도 〈위하여!〉도 난 그렇게 생각해요. 목마른 세상에다. 시원한 술 한 잔 먹고 싶다. 자꾸 나이 들어가니까 기분 더럽네. 가슴을 열어 친구야, 내가 진짜 열심히 앞만 보고 달려왔는데 숨 가쁘다. 이렇게 살아왔지만 네가 있어서 난 정말 좋다, 이 자리가. 술 한잔하자. 이런 노래인데 그게 뭐가 문제인 것 같아요? 내가 하나 물어볼게요. 60대에 누가 이렇게 친구들 만나서 술 먹고 그러나요?

박준흠 : 전 아티스트, 창작자만을 생각했었네요. 그러니까 아티스트가

굉장히 오랜 시간 동안 자신의 창작과 활동 끝에, 이제 정리하는 의미로서 그런 노래를 했으면 한 거죠.

안치환 : 7집에는 중요한 노래가 있어요. 〈내 꿈의 방향을 묻는다〉. 다시 세상에 대해 정조준하면서 진짜 어떤 의욕을 되찾았던 느낌의 앨범 같아요. 7집 같은 경우에는 〈위하여!〉가 사실은 '내 삶의 응원가'라고 생각하거든요.

박준흠 : 그렇죠. 정지원 시인의 가사가 좋죠. 7집에서는 〈내 꿈의 방향을 묻는다〉와 김민기 씨의 곡 〈철망 앞에서〉가 마음에 듭니다.

안치환 : 어느 날 밤에 김민기 형한테 전화가 왔어요. 주변에 아는 형들이

랑 술 먹다가 이 형들이 〈철망 앞에서〉를 치환이가 부르면 잘 부를 것 같
다고 얘기했나 봐요. 이 사람 저 사람 다 떼거리로 와서 시끄럽게 하다가
말잖아요. 나는 그 노래가 굉장히 멋진 노래라고 생각하고 있었거든요.
그래서 내가 고마워요, 제가 한번 불러볼게요. 하고 밴드 편곡으로 딱 했
었는데 멋지게 나왔어요. 그래서 아주 즐겨 불러요.

6) 광주 뮤지션들과의 교류

박준흠 : 7집에 보면 〈산〉(김순곤 작사/박문옥 작곡) 노래가 박문옥 씨 노래잖아요. 광주에서 활동하는 뮤지션이고. 그리고 〈우물 안 개구리〉(박종화 작사/작곡)와 〈13년 만의 고백〉(박종화 작사/안치환 작곡)이 박종화 씨 노래인데, 그분도 광주 분 아닌가요?

안치환 : 제가 오랫동안 음악 활동을 하면서 전국을 계속 다녔잖아요. 그리고 전국을 다니면서 지인들이 생기게 되고, 여기는 이런 지인이 있고 또 저기에도 있고 그래요. 한국 저항가요의 역사는 그 중심이 서울에 있긴 해요. 서울에서 주도적으로 했어요. 그러나 다른 한 축의 저항가요 역사를 얘기하자면, 당연히 나는 광주라고 생각해요. 전라남도 광주. 왜냐면 거기에는 5.18이 있었고 5.18의 역사를 몸으로 알고 있는 뮤지션들이 계속 있었어요. 그중에 가장 대표적인 사람이 박문옥, 대중적으로는 김원중. 그리고 가장 처절하게 그걸 했던 사람이 박종화, 이런 사람들이에요. 그 이후에도 물론 여러 사람이 그 부류에 있어요. 또 한 명은 〈광주출정가〉 만든 정세현. 나중에 스님이 돼서 범능이라고 하는 법명으로 활동하죠. 스님이 돼서도 불교음악을 계속했어요. 어느 날 심장마비로….

5.18의 역사가 그런 음악에도 깊이 면면히 흐르는 면이 있어요. 그게 광

주입니다. 그 광주에서 활동하는 내가 좋아하는 뮤지션들이에요. 그래서 박문옥 씨 같은 경우에는 어느 날 나에게 그 음반을 보내왔는데 들어보니까 너무 노래가 좋은 거예요. 〈산〉이라는 노래가. 그때 형한테 내가 이 노래 부르고 싶다고 했더니 부르라고, 치환이 네가 불러주면 고맙지. 그러더라고요. 박종화도 술 먹으면 그냥 나처럼 되는 사람 중에 한명인데, 그 형의 그 뜨거운 열정을 좋아해요. 그 형이 만든 노래 중에 〈우물 안 개구리〉라고 있고요. 〈13년 만의 고백〉은 종화 형 시집을 읽고 좋아서 내가 곡을 붙인 노래입니다. 이런 식으로 저런 식으로 인간적인 교류가 음악적으로도 이어졌던 그런 사람들이에요.

박준흠 : 광주 말고도 부산이라든지 다른 도시에도 교류가 있어요?

안치환 : '노래야 나오너라' 이런 팀도 있어요.

박준흠 : 광주가 좀 더 특별하다는 의미인 것 같습니다.

안치환 : 예. 여전히 음악을 통해서 세상에 저항하는 세력이 남아 있는 건

광주밖에 없는 것 같아요. 다른 쪽은 이미 다 저항가요의 역사가 사라진 상태고. 다들 한때 멋있었잖아요. 서울에 '노찾사'가 있듯이, '노래야 나오너라'가 있었고. 하지만 그것이 지금까지 이어져 오지 못하고 그냥… 하지만 광주는, 그 세가 예전 같진 않지만, 아직도 그들은 노래를 만들고 발표하고 있고.

박준흠 : 2008년에 제가 광주에서 한 6개월 정도 축제를 만들면서 거기서 살 일이 있었는데, 그때 광주 포크 음악의 역사를 들여다볼 일이 있었거든요. 1970년대에는 충장로에 통기타 업소들이 많았는데, 거기서 활동했던 분들이 이장순, 소수옥 이런 분들이었습니다. 박문옥, 박종화 씨보다는 윗세대분들.

안치환 : 아, 알아요. 들어본 것 같아요.

박준흠 : 1970년대 당시 충장로에서 노래를 만들고 부르던 스타일은 서울의 '별이 빛나는 밤에' 같은 라디오 프로그램에 출연하고 싶은 욕망 때문에 광주만의 특별한 음악적인 차별성이 없다가 5.18 이후에 달라진 것 같아요.

안치환 : 당연하죠. 5.18은 대한민국이라는 나라의 혁명적인 정서의 변화를 가져온 일대 사건이고, 비극이었고. 5.18을 얘기하지 않고 광주 음

악을 얘기할 수 없어요. 그렇지 않았으면 광주의 음악은 그냥 순한 포크 정도였을 거예요. 그냥 거기 남도 사람들, 구수하고 순한 사람들… 그 사람들이 5.18을 겪으면서 투쟁을, 혁명을 지금까지도 그것을 숭고하게 가진 사람들인데. 뭐 어디나 똑같지 않았을까요. 그만큼 5.18이 컸던 거죠. 참 아쉬운 게, 이런 지역을 얘기하는 게 조심스러울 수밖에 없는데, 경상도에서는 그런 음악이 나오지 않잖아요. 경상도의 음악은 왠지 좀 약간 뽕(?)스럽고 가볍고, "저 바다에 누워-" 이런 정도지.

박준흠 : 경상도도 1979년에 부마 민주항쟁도 있었고, 그런 역사는 있는데.

안치환 : 차이는 남도의 음악적인, 예술적인 무엇에 있지 않을까요? 남도의 어떤 한恨, 전라도의 한. 전라도의 황톳길, 전라도의 역사, 지역적 차별, 그다음에 몇몇 이어지는 남도의 가락, 남도의 예술적 혼魂. 이런 모든 것들이 다 5.18과 한데 어우러져서 그러한 예술적인 변화의 면면을 하고 있지 않을까? 경상도에는 그런 것이 왜 없냐고 물어보면, 그건 경상도 사람들이 대답해야 하지 않을까요.

박준흠 : 좀 전에 박종화 씨의 술버릇을 이야기했는데, 좀 궁금하네요.

안치환 : 그게 다들, 술을 너무 좋아하는 거죠. 술 때문에 다들 그렇죠. 나

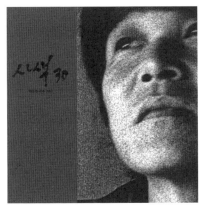

도 그랬고 술 좋아하는 사람들은 다 술 때문에 실수도 하고, 술 때문에 몸도 망가지고, 그렇게 살았죠. 주사가 있는 건… 뭐 그렇고. 다만 그럼에도 불구하고 그 사람이 가지고 있는 음악적인, 예술적인 열정 이런 것들은 높이

평가받아야죠. 난 그런 것들이 좋아요.

 박종화는 목소리가 가수는 아니에요. 노래를 부르고 싶어 하는데, 워낙 광주에서 파워가 좀 있어서 공연도 하고 그랬는데, 무대에서 보면 좀 안쓰러워. 그러니까 노래를 할 사람은 아니고, 노래 만드는 건 다 해요. 시낭송도 기가 막혀요. 이게 남도의 거칠고 구수한 억양이 있어서. 그거 알죠? 곽재구의 가장 유명한 시가 '사평역에서'인데, "막차는 좀처럼 오지 않았다." '사평역에서'를 박종화가 낭송한 걸 보고 진짜 기가 막히게 느낌이 전달되는 거예요.

 한번 들어봐요. 그때는 박종화라는 사람이 음악 하는 사람인 줄 잘 몰랐을 때예요. 나중에 계속 지내면서 이런저런 인연이 되고 만나고 술 먹고 또 싸우고 그런 식으로 만나게 됐는데, 사람의 인연이라는 건 누가 강요

할 수 없잖아요. 그런데도 계속 이어지는 인연이 있고, 아무리 뭘 해도 만나고 싶지 않은, 별로 기억나지 않는 인연이 있고 그렇잖아요. 하여튼 나로서는 남도 광주의 선배들이, 특히나 음악 하는 데 있어서 대단히 큰 동지적인 느낌을 아직도 갖고 있어요.

7) 소극장 장기공연

박준흠 : 2001년에 7집 내고서 학전(김민기가 대표로, 극단으로 시작하여 높은 작품성의 연극, 뮤지컬, 콘서트 등 다양한 공연을 기획, 제작하는 종합 제작 사로, 30여 년이 넘는 시간 동안 수준 높은 작품을 선보이는 대한민국 대표하는 공연예술 단체였으나 2024년 3월 15일부로 소극장을 폐관하였다.)에서 한 달 동안 하루도 안 쉬고 공연하셨죠? 그때 되게 힘들었었다고 얘기했던 그 공연.

안치환 : 공연 타이틀이 '우리 소원은 통일'인가.

박준흠 : 김민기 씨가 전화해서 김광석처럼 한번 해보라고 해서 했다는 공연인데, 그런 식의 공연은 그게 처음이었나요?

안치환 : 그전에도 많이 했는데, 한 달 동안은 안 했었나? 한 달이 길더라고요.

박준흠 : 힘들어서 다시는 안 하겠다고 그러다가 나중에 또 한 번 하고.

안치환 : 한 달 동안 하면 힘들겠죠. 다른 곳보다 소극장에서 장기공연하면

제일 좋은 게 뭔지 알아요? 팀웍이 확실해져요. 팀 사운드. 그다음에 가수로서도 굉장히 훈련이 많이 되는 시간이고, 여러 가지 면에서 좋은 점이 있어요. 단 하나는, 너무 잔인(?)하다는 거죠. 오랫동안 그렇게 하는 건 우리나라만 그렇게 하는 거 같아요. 무슨 뮤지컬도 아니고 콘서트를… 그때는 젊었으니까 그렇게 많이 했었고.

박준흠 : 하루에 공연 두 번도 하고 그러나요?

안치환 : 많았어요. 마당 세실 같은 데서 할 때, 하루에 두 번씩 보름 동안 한 적도 있고 그런 것 같은데… 하루에 두 번 하는 게 굉장히 힘들어요. 대충 부르는 것도 아니고.

박준흠 : 중간에 한 2시간 정도 쉬고 또 하는 거예요?

안치환 : 밥만 먹고 하는 거죠. 그런데 그때는 그게 가능했어요. 젊었으니까.

박준흠 : 안 쉬고 이렇게 공연을 하게 되면 공연 끝나고 뒤풀이도 못 하고, 그냥 계속 가야 하는 시스템인가요?

안치환 : 장기공연하면 뒤풀이 안 하죠. 마지막 날만 하지. 대신 연주자들은 맨날 술 먹지 뭐. 노래하는 사람은 바로 집에 들어가죠. 몸을 관리해야 되니까. 그건 진짜 몸 관리를 철저히 해야 해요.

박준흠 : 중간에 뭐 감기 걸렸거나, 그런 적 있으세요?

안치환 : 그런 건 없어요. 극도의 긴장으로 계속하고 살기 때문에 그냥 딱 노래하고 집에 들어가서 씻고 밥 먹고 자고, 그다음에 일어나서 또 낮잠을 잘 수 있으면

287

자고… 잠을 최대한 많이 자고, 먹는 거 잘 먹고 그렇게 해야죠.

박준흠 : 체력적으로 힘들고 몸이 지치는데도 오히려 감기 같은 것도 안 걸리고 그런다는 거예요?

안치환 : 감기 같은 건 안 와요. 그리고 신기한 게, 목이 쉴 법하잖아요. 그런데 목이 안 쉬고, 약간 가라앉고 그래도 무대에서 리허설 한 번 딱 하면 목이 탁탁 틔어요. 그건 참 무당 같은 그런 게 있는 것 같아요. 특히나 내 노래가 조용히 부르는 노래들이 아니잖아요. 유익종 형처럼 노래하면 1년 내내 할 수 있어요. 장필순처럼 노래하면 2년 내내 할 수 있어요. 그런데 내 노래는 그렇게 하는 게 아니라 육질로 내 짖는 목소리라서 이건 체력전이에요.

필순이 누나도 익종이 형도 밤새 술 먹고 와서 다음 날 이렇게 노래하는 거 보면 약간 코맹맹이 소리가 있어도 별로 티가 안 나는데, 나는 티가 탁 나거든요. 술 먹고 가면 코가 막히고 그래서 술을 절대로 안 먹어요. 콘서트 전날이 아니라, 콘서트 내내 그래요. 그건 자기 관리니까. 내가 내 몸을 관리하는데 어떻게 해야 하는지 아니까. 수도사처럼 살아야 하죠, 다른 짓 안 하고.

박준흠 : 혹시 앞으로 몇 살 때까지 라이브에서 이 컨디션을 계속 유지할 수 있을 것 같아요?

안치환 : 글쎄, 잘 모르겠어요. 〈자유〉라는 노래가 3집이면, 1993년도 죠. 지금 30년 되었어요. 그거 C 메이저거든요. 그 키를 안 내리고 그대로 부를 수가 있어요. 물론 저 높은 데서는 약간 좀 힘들게 내지만 낼 수도 있어요. 그 정도면 굉장한 거라고 생각을 해요. 내 음악의 음역이 좀 높긴 하지만 다른 노래들, 이렇게 엄청난 체력이 필요하지 않은 그런 노래들은 얼마든지 할 수 있겠죠. 뭐 예를 들어 〈수풀을 헤치며〉 이런 것들도 올해에 해보니까 별문제 없더라고요. 그런데 앞으로 60대 중반 되고 후반 되고 그러면 어느 정도는 티가 나겠죠.

박준흠 : 그러니까 음역도 예전처럼 안 올라가고 파워가 떨어진다는 얘기죠?

안치환 : 다른 가수들, 외국 록커들 보면 다 내려 부르잖아요. 본 조비(Bon Jovi)도 엄청나게 내려서 불러요. 브루스 스프링스틴(Bruce Springsteen)도 내려 부르고 다 그렇게 해요. 그런데 내려 부를 때 그게 자연스러운 거면 좋은데, 내려 부르면 또 재미없는 노래들도 있잖아요. 그런 것들은 다 몸에 맞게 편곡해서 하면 돼요. 예전처럼 젊은이의 그것보다는 그 나이에 맞는 그런 게 있겠죠. 나는 그렇게 노래하는 것도 괜찮겠다 싶어요. 나이가 들면서 조금 더 편하게.

참, 〈거울 속에 나〉라는 노래가 있어요. 발표는 안 했는데, "세월은 어쩔 수 없어, 거울 속에 너를 바라봐. 거기 보면 안 돼- 뛰어가지 마- 뛰어가지 마- 이제 나는 천천히 걸어야 해. 안 돼, 소리치지 마- 이제는 조용히 불러요- 천천히 걸어야 해." 이런 가사고, 최근에 만든 노래예요.

내가 나를 바라보면서 이렇게 나이가 들고, 여러 가지 늙고 그러면서 어떻게 예전 젊은 시절의 그런 것만으로 살 수는 없잖아요. 그런 나를 받아들이는 것, 거울 속의 나를 바라봤을 때 이제 나이가 들었구나. 머리도 하얗고, 그런데 찡그릴 필요 없어. 너만 그런 게 아니고 우리 다 똑같이 나이 들어가는 거고, 세상은 다 그러니까. 그걸 받아들이는 그런 내용의 가사에요. 그래서 예전처럼 소리치고 막 그렇게 부르지 않아도 되고, 예전처럼 막 뛰지 않아도 되는 그런 나이가, 그렇지 않아야 할 나이가 돼가고 있는 나에 대해서 받아들이는 그러한 매력의 노래에요. 약간 이글스(Eagles) 같은 느낌으로 만든 곡이죠.

박준흠 : 뮤지션 중에서 가장 나이 들어서 오래까지 활동할 수 있는 분야가 블루스 기타리스트인 것 같아요.

안치환 : 비비 킹(B.B. King)?

박준흠 : 비비 킹은 80대에도 연주가 가능하죠. 힘드니까 앉아서도 했고요.

안치환 : 잘 유지해서 정말 오랫동안 노래할 수 있었으면 좋겠어요. 소극장을 만든 게 그래서 만든 거예요. 녹음실 만들 듯이. 일상적으로 내 공간에서 공연할 수 있으면 좋고 뭐 그런 거잖아요. 그래서 그런 욕심들을 내가 아직 부린다는 거고, 그런 투자에 대해서 주저하지 않고 투자한다는 얘기죠. 가수가 자기 공간, 극장 갖는 건 없지 않아요? 가수가 자기 녹음실 갖는 거, 몇 명 없었잖아요. 이승철이나 이승환처럼 부자면 다 하지만. 미래를 준비하고 생각하고 그런 것도 나는 좋아요. 물론 내가 점점 세

력을 잃고 뭐 인기도 더 떨어지고 그렇겠지만, 그래도 내가 노래할 수 있는 공간을 가지고 욕심을 점점 버리고 할 수 있으면 좋겠다 싶어요.

박준흠 : 한국에서는 전성기 때의 연주를 유지하면서 현역처럼 활동하는 몇 안 되는 뮤지션 중에 한 분이 엄인호 씨죠. 엄인호 씨가 1952년생이거든요. 1952년생이면 올해 만 70세죠. 그런데 엄인호 씨는 최근 연주가 전성기 연주보다도 좋을 때가 있어요. 작년에 '리턴 오브 더 레전드'(Return of the legends)에서 연주한 〈거리에 서서〉, 〈비의 블루스〉나 2016년에 발매한 신촌블루스 30주년 앨범은 무척 뛰어납니다.

안치환 : 보컬에서는 송창식 형이 가장 현역으로서 유지를 잘하고 있는 거 같아요.

박준흠 : 2001년에 나온 [청량사 산사 음악회] 음반에 〈내가 만일〉,〈자유〉,〈귀뚜라미〉,〈사람이 꽃보다 아름다워〉,〈광야에서〉 이런 노래들이 수록되었고, 언제인지 저도 현장에 가 본 것 같아요.

안치환 : 그 라이브를 음반으로 만들어서 팔았나요?

박준흠 : 제작자는 청량사라고 나왔는데, 중간에 프로모터 비슷한 사람이 있지 않았을까요. 스님들이 음반을 만들었을 리는 없으니까. 2002년에 [안치환과 자유 Live Best '01 -'02] 앨범이 2CD로 나왔습니다. 이 라이브 음반은 어떤 생각으로 만들었나요?

안치환 : 그때는 라이브앨범을 내고 싶었어요. 우리가 밴드로 한창 할 테니까, 라이브앨범 한번 내보자 그래서 두 군데서 공연한 것으로 만들었죠.

박준흠 : 연강홀하고, 세종대 대양홀에서.

안치환 : 그때 한참 우리가 열심히… 그 뭐랄까 젊을 때 혈기 왕성할 때니까.

박준흠 : 마음에 드세요?

안치환 : 부족한 것들은 녹음실 와서 손도 좀 보고 그렇게 해서 한 거니까 마음에 들죠. 앨범이 되게 멋있는 것 같아요.

박준흠 : 그럼 그 이후에는 라이브앨범을 안 낸 이유는 시장 상황 때문인 가요?

안치환 : 시장도 그렇고 라이브 앨범을 낸다는 것 자체가 별로 의미가 없는 상황이니까. 새로운 앨범, 정규 앨범은 내겠는데, 그리고 기획 앨범은 정말 하고 싶어요. 라이브앨범을 또 낸다는 건 좀… 노래들이 중복되는 것도 있고 그래서 별로 하고 싶지 않더라고요. 모르겠어요. 앞으로는 어떻게 될지.

박준흠 : 2012년에는 정식 발매는 안 된 라이브 음반이 있었죠?

안치환 : 라이브앨범, [혼자 부르는 노래].

박준흠 : 그거는 왜 발매가 안 되었나요? 홈페이지에서만 따로 판 것 같은데.

안치환 : 그랬을 거예요. '혼자 부르는 노래'로 몇 번 공연했는데, 녹음해 놓은 게 있어서 그냥 기록으로 남기자고 만들어놓은 앨범인 거예요.

07

김남주, 정호승… 시인詩人들

"그냥 시가 마음에 들면 메모를 해놓고 계속 자주 봐요.

가끔 보다가, 어느 날 그 시가 나를 간질간질…

하여튼 뭔가가 떠오를 때가 있어요.

그때 한번 기타를 딱 잡거나, 건반 앞에 앉거나 해서 시작을 하는 거죠.

어느 부분에 멜로디를 한번 붙여봐.

그게 괜찮아지면 그때부터 확장하는 거죠.

그때부터 쫙 만들어 봐요. 발전시켜 나가는 거죠.

그렇게 되는 것도 있고, 그냥 짧게 되는 것도 있고…

노래라는 게 뭐 천차만별이죠."

1) 시詩를 노래로 만드는 순간

박준흠 : 시를 읽다가 이걸 노래로 만들고 싶다, 그러니까 만들 수 있겠다는 그런 생각이 어느 순간에 드세요? 그동안 대단히 많은 시를 읽었을 텐데.

안치환 : 내가 늘 하는 얘기인데, "왜 시를 읽습니까? 왜 시로 노래를 만드세요?"라는 질문을 꽤 많이 받았어요.

박준흠 : 제가 한 질문은 그 질문은 아니고요.

안치환 : 남녀 간의 관계 속에서 일어나는 이야기로 노래를 만드는 것도 사랑 이야기겠지만, 난 그런 데서 좀 벗어난 노래를 만들고 싶다는 생각이 있죠. 그러기 위해서 내가 능력이 안 되면 기댈 수 있는 게 글 아니냐? 책도 소설도 읽고 시도 읽다 보면 거기에 걸리는, 내가 걸려드는 시가 있으면 그 시를 자연스럽게 자꾸 보고, 자꾸 보면 그게 자연스럽게 노래가 되기 시작하는 거예요. 그러니까 나는 계속 일상적으로 시를 읽기 시작한 거예요. 일상적으로 시를 읽는데 어떤 때는 그냥 아무것도 아니었다가 나중에 한 번 더 읽어보면 좋은 것도 있고. 이런 식이죠.

그래서 시를 갖고 노래를 만들기 시작했는데, 처음에는 정말 작곡자의 욕심으로 내가 만들어 놓은 어떤 멜로디에 시가 안 맞으면 막 자르고 난도질해서 온갖 해부를 하고 맞춰서 하는데… 그러면서 그 시를 갖고 노래를 만들었다고 얘기를 하죠. 그런데 그거 할 짓이 아닌 거예요. 왜냐? 시는 시 자체가 벌써 하나의 문학 작품인 거거든요. 예술품이죠. 그 예술품을 막 이리저리 난도질해서 자기 입맛에 맞게 해놓고 그 시를 갖고 노래를 만들었다고 하는 건 너무너무 불순한 짓이지.

시에 대한 문학에 대한 예의가 아니에요. 그래서 처음에는 그런 나쁜 짓인지 모르고 그렇게 했다가 나중에는 〈소금인형〉 같은 곡도 시를 거의 안 건드리고 만든 노래일 거예요. 이제는 점점 시를 갖고 노래 만들 때 그렇게 건드리면 안 된다. 시 자체가 완전히 내 품에 받아들여서 완전히 멜로디화해서 다 발현이 되지 않으면, 그 시를 훼손하면서 만들지 말자.

 예를 들어 '모란이 피기까지는'이라고 하는 김영랑 시인의 시 있잖아요. 오래된 시가 굉장히 멋지잖아요. 어느 날, 이 시가 그냥 노래가 되는 거예요. 별로 안 건드렸어요. 조사 하나를, 예를 들어 '은'을 '의'로 바꾸거나 이런 식의 변화는 있어도, 시의 행을 바꾸거나 시를 다르게 바꾸는 거는 하지 않았어요. '모란이 피기까지는' 이게 어떻게 노래가 되는지 나중에 원곡 시랑 비교해서 한번 들어봐요. 그다음에 '행여 지리산에 오시게 되거든', 이 시도 굉장히 길지만 별로 많이 안 건드려요. 그 시에서 안 쓴 부분이 있지만 있는 걸 바꿔서 쓰진 않았어요.

박준흠 : 올해 초 싱글 〈껍데기는 가라〉(신동엽 시/안치환 곡)를 발표했는데, 이 노래 좋아한다고 한 것 같은데.

안치환 : 이미 사람들이 알고 있는 유명한 시를 갖고 노래를 만들어서죠. 그 유명한 이름값을 또한 이겨내야 하잖아요. 무슨 말이냐면 시는 이렇게 좋은데 음악은 개떡 같으면 이게 한마디로 쪽 팔리잖아요. 그러니까 그 시만큼 뛰어난 음악, 노래를 만들어줘야 해요. 그런데 '껍데기는 가라'는 20년 전에도 그 시를 읽었고, 정말 노래를 만들고 싶은데 노래가 안 되는 거예요. 이게 그전에도 만든 게 있어요. 김철호 선생님이라고 국악 하는 분이 불렀는데, "껍- 데기, 껍데기는 가라- 4월도- 알맹이만 남고오오- 껍데기는- 가라-" 뭐 이런 식이예요. 그런데 그거는 원래의 시를 그렇게 따르지 않아요. 그냥 만들다 보니 모티브나 생각이 자꾸 거기에 맞게 제한되고. 그런데 내 노래를 비교해서 들어봐요. 그대로죠. 다만 "껍데기는 가라"가 한 번 반복되거나… "껍데기는 가라- 껍데기는 가라- 4월도 알맹이만

남고- 껍데기는 가라-." 그다음에 국악 리듬 확 바뀌면서 "아사달 아사녀가" 이걸 만들고 나서 내가 행복한 거예요. 이건 민족시의 가장 위대한 최고봉의 하나이기도 하면서, 내가 그걸 그대로 만들었으면서 중간에 국악적인 리듬의 변환과 이런 것들이 골고루 돼 있어요. 그게 너무 뿌듯한 느낌이에요.

 그래서 그 유족 중에 어르신이 계시는데, 교수님이신데 이번에 <마이클 잭슨을 닮은 여인>하고 그 두 개를 같이 낸다고 했어요. 그런데 <마이클 잭슨을 닮은 여인>이 갑자기 난리가 나니까… 내가 그걸 허락받으려고 전화를 드렸더니 주저하시더라고요. 혹시 이게 선거에 쓰인다거나 그런 거 아니에요? 그런 거 아니니 걱정하지 마시라고 했더니 좋다고 허락했어요. 그런 정도예요. 그러니까 노래를 들어보시라고 하고 싶어요. 나는 유족도 좋아하는 정도가 되어야 한다고 생각을 하는 거예요.

박준흠 : 본인이 얘기하고 싶은 어떤 메시지를 강하게 넣고 싶을 때는 본인이 가사를 쓰고, 어떤 문학적인 완성도가 있는 노래를 만들고 싶을 때는 시를 가져오는 건가요?

안치환 : 그것을 구분해서 하는 거죠. 지금은 그냥 일상적으로 독서를 하잖아요. 책을 읽는데 그중에 시집이 있으면 한 번 쓱 보다가 괜찮은 시가 있으면, 노래로 한번 만들어봤으면 좋겠다, 해서 노래를 만드는 거죠. 그래서 시로 만들어지는 노래도 있는 거고. 또 제가 어떤 노래를 만들고 싶은데 그것에 대해서 이해하게 하는 시가 없으면 내가 쓸 수밖에 없죠.

그리고 나도 살면서 내 삶이 있잖아요. 내 개인적인 삶의 어떤 이야기를 쓰고 싶을 때는 또 그걸 쓰고, 그런 거죠. 그런 것들이 모이는 거예요. 앨범이라는 걸 그렇게 해서 만드는 거니까. 노래는 이렇게 해서도 만들고 저렇게 해서도 만드는 거니까요. 여자랑 이렇게 있다가 내가 지금 뭐 하는 걸까? 이렇게 만들 수도 있고, 역시 너는 아닌 것 같아 이렇게 만들 수도 있고.

 좀 웃긴 얘기지만 내 12집(2018년)에 〈빨간 스카프를 맨 여자〉라는 곡이 있어요. "예쁜 색 빨간 스카프를 맨 여자 어디 있나요-" 그게 다 꿈에서 나온 노래거든요. 꿈에서 내가 내 고향 어느 동산을 넘어가는데 거기에 소풍 온, 중학생인지 고등학생인지… 교복 입고 빙 둘러서 (노래) 빨간 스카프를- 춤추고 놀아. 그런데 그 멜로디가 너무 좋은 거예요. 그래서 깼어요. 내려가서 잽싸게 핸드폰에다 "예쁜색 빨간 스카프를-" 딱 녹음하고 잤어요. 그다음 날 일어나서 틀어보고 녹음한 그 멜로디 갖고 후렴구가 되고, 노래를 만들었죠. 그렇게 되는 거예요. 모티브라는 것은 어느 때든 생기기 나름인데, 그러니까 뭐든 충분히 가능한 일이고.

박준흠 : 시로 노래를 많이 만드신 분으로서, 시에다가 곡을 붙이는 본인만의 노하우가 있으신가요?

안치환 : 글쎄요, 뭐라고 얘기하기 어려운데….

박준흠 : 그래도 무슨 방법론이 있을 것 아니에요. 김창기 씨는 '네 컷 만화'를 먼저 만들어 본 다음에 노래를 만든다고 하는데, 이런 식의 작법 방법론.

안치환 : 난 그런 방법론은 없고, 그냥 시가 마음에 들면 메모를 해놓고 계속 자주 봐요. 가끔 보다가, 어느 날 그 시가 나를 간질간질… 하여튼 뭔가가 떠오를 때가 있어요. 그때 한번 기타를 딱 잡거나, 건반 앞에 앉거나 해서 시작을 하는 거죠. 어느 부분에 멜로디를 한번 붙여봐. 그게 괜찮아지면 그때부터 확장하는 거죠. 그때부터 쫙 만들어봐요. 발전시켜 나가는 거죠. 그렇게 되는 것도 있고, 그냥 짧게 되는 것도 있고… 노래라는 게 뭐 천차만별이죠.

2) 시詩가 완전히 자기 품 안에 들어가서
녹지 않으면 건드리지 마라

박준흠 : 〈솔아 솔아 푸르른 솔아〉 이 노래가 시를 갖고 처음으로 노래 만든 거라고 했는데, 이제 대단히 많잖아요. 시를 갖고 노래를 만들려고 할 때, 시인들한테는 어떻게 얘기해요?

안치환 : 얘기 안 해요. 생각해봐요. 맨 처음 1980년대에는 그냥 어떻게 그러고 지냈는데, 내가 시를 읽기 시작하면서 시로 노래를 만들기 시작하는 거예요. 처음에는 시를 내 입맛대로 막 분해하고 해치면서 써먹는 거죠. 그런데 그것이 가장 하지 말아야 할 일이에요. 왜냐면 시는, 시 자체가 하나의 완성된 예술 작품이에요. 그걸 완전히 품지 못하면 건드리지 말아야 해요. 그건 시에 대한 예의도 아니고 문학에 대한 예의도 아니고 시인에 대한 예의도 아니죠. 그래서 몇십 년씩 오랜 세월을 했지만, 난 요즘에 내가 만든 곡을 보면 시를 거의 건드리지 않고 만들어요. 그게 불가능하면 안 만들어요. 가끔 나한테, 안치환 씨가 불러줬으면 좋겠다고 노래 좀 들어보라고 보내요.

박준흠 : 누가요?

안치환 : 노래 만든다는 사람들, 내가 모르는 사람들이 보내요. 자기는 그냥 지구상에서 가장 위대한 일을, 뭐 엄청난 일을 한 거예요. 들어보면 형편없고 말도 안 되는… 노래라는 게 그런 거예요. 어떤 뭐 하나가 빠져 있으면 그게 판단이 잘 안 설 때도 있고 그러니까 노래에 대한 객관적인 평가를 스스로 하기가 어려워요. 그런 사람들이 많아요. 그러니까 노래를 쓴다는 것이 어찌 보면 별것 아니고, 볼품없는 노래도 대단한 것처럼 느껴질 때가 있고 그렇겠죠. 왜냐하면, 계속 집중해서 반복하고, 내가 그걸 하다 보면 그렇게 돼요. 그런데 그 미몽에서 깨어나는 게 중요한 거죠.

　나로서는 그냥 "네, 고맙습니다." 하고 무시해 버리면 그만인데… 노래 쓴다는 걸 그렇게 생각하는 사람들이 많아요. 안치환 씨가 부르면 딱 어울릴 것 같다느니, 민족의 뭐가 어쩌고저쩌고… 시로 노래를 만든다는 게 그렇게 조심스럽게 됐어요. 그러니까 맨 처음에는 내 욕심 때문에 마구 달려들다가 이제는 조심스럽게 된 거예요. 내가 말한 몇 가지 이유로 그래요. 그런데 시를 갖고 노래를 만든다고 했을 때, 노래가 다 완성됐어, 노래가 좋아, 자꾸 들어봐도 괜찮은 것 같고.

박준흠 : 그럼 그때 연락하나요?

안치환 : 시인이 들어도 괜찮을 것 같고 그러면 연락하죠. 그리고 내가 아

는 사람이면, 무조건 먼저 녹음을 해요. 녹음해서 그걸 들려줘요. 그러면 대부분이 좋다고 그래요. 혹시나 알아요? 이게 히트하면 평생 보험이죠.

박준흠 : 저작권료 수입.

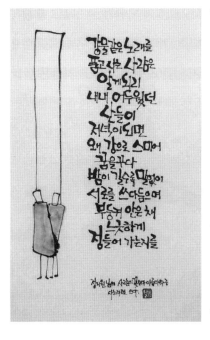

안치환 : 예를 들어 〈사람이 꽃보다 아름다워〉 이 곡을 정지원 시인이 얼마나 좋아하는데요. 저작권료의 50%를 받아요. 내 저작권료에서 거의 7-80%가 〈사람이 꽃보다 아름다워〉일걸요. 노래방에서 노래 부르고 또 출판되고 그러면 그대로 그만큼이 정지원 시인한테 가요. 시인에게 그 정도 수입이라는 건 너무너무 땡큐죠.

박준흠 : 혹시 쓰지 말라고 한 시인도 있었나요?

안치환 : 한 분 있었어요. 내가 노찾사 시절에 김수영의 '풀', 그 시를 노래

307

로 만들었는데 정말 말도 안 되게 원시를 훼손해서 만든 거죠. 그리고 굉장히 구려요. 그런데 이거를 노찾사에서 음반에 넣자고, 자꾸 그러는 거예요. 나는 별생각 없는데. 그래서 그 유족한테 들려줬나 그랬나 봐요. 유족이 듣고 좋아하겠어요? 원작 시랑 많이 다른데. 뭐 "칼바람이 붉은 햇살을- 갈래갈래 찢고- 저 푸르디푸른 벌판에- 목마른 빗줄기- 날려-" 여기까지가 내 글이고, "풀이 눕는다-" 이렇게 되어가는 거예요. 이렇게 되면 원작 시랑 전혀 다른 거 아니에요. 그러니까 저로선 참으로 고마운 게, 유족이, 원작 저작권 가족이 하지 말라고 했던 거예요. 지금은 나 스스로 허용이 되지 않는 일입니다.

노찾사면 1988년인데, 이때 가사를 몇십 년이 지나서 내가 지금 바로 기억하잖아요? 그만큼 나는 뭐를 하기 위해서 애쓰고 많이 반복했을 겁니다. 그렇게 했는데 어쨌든 간에 노래가 원작 시랑 다르단 말이에요. 저는 이것을 거절했던 그 김수영 시인의 가족이 굉장히 잘하신 거로 생각해요. 지금 내가 '풀'이라는 시를 갖고 노래를 만들면 못 만들 거예요. 그 이유가 너무나 유명한 시고 너무나 훌륭한 시이기 때문에 그걸 노래로 만든다는 데 아주 큰 부담감을 느낄 겁니다.

〈껍데기는 가라〉가 그랬어요. 4집의 〈시인과 소년〉 알아요? 그거 신동엽 시인의 시거든요. 물론 그때 유투(U2)도 좋아해서 약간 U2 풍이? 그런데 진행이 구리지 않잖아요. 무슨 운동권 가요 그런 것 같지 않고. 그게 신동엽의 '금강'인가 하는 노래 가극에 어떤 한 부분의 노래로 만들어 달라고 문호근 선생이 나한테 요청해서 내가 그걸 만든 거예요. 그런데 지금 봐도 굉장히 잘 만들었어요. 그게 진행이 메이저에서 마이너로 갔다가 다시 메이저로 가고 그런 것들이 굉장히 잘 표현이 됐어요. 시인과 소년의 어떤⋯ 그런데 그것도 전체 시를 쓸 수 없었기 때문에 부분으로 쓰고, 이렇게 저렇게 해서 다 쓰지 않고 필요한 부분만 썼던 거예요. 내가 나중에 다시 읽어보니까 그랬어요. 그런데 그 정도는 괜찮다고 생각해요. 하나의 원작 시에서 벗어나지 않게 노래를 만든다는 거니까.

박준흠 : 혹시 그렇게 엄격해진 계기가 있나요?

안치환 : 남들이 만들어 놓은 거 보고 엄격해졌어요.

박준흠 : 그게 무슨 얘기죠?

안치환 : 남들이 시를 갖고 노래를 만든다고 해서 만들잖아요. 그래서 다시 보면 원작 시는 느낌은 아주 간데없고, 그냥 작곡가의 의도라고 해도 거기에 시가 가지고 있는 원래의 의도가 없어요. 그러니까 자기 마음대로 다 짜깁기해서 노래를 억지로 만들어버린다는 거죠. 내가 다시 얘기

할게요. 시는 하나의 완성된 작품입니다. 그래서 그것을 그대로 살려줘
야 해요.

박준흠 : 시 노래 동인同人 같은 데서 만든 노래들을 말하나요?

안치환 : 나는 내가 많이 하므로 나름대로 그렇게 된 것 같아요. 시인에
대한 예절과 시에 대한, 문학 작품에 대한 예의가 있어야 한다고 생각하
는. 그리고 좋은 시를 갖고 같지 않은 노래 만드는 건 쪽팔리잖아요. 그럼
하지 말아야 할 짓이잖아요. 시만큼 좋은 가사를 못 써서 시를 쓰는 건데
그럼, 곡이라도 좋아야 하잖아요. 그런데 곡도 후져요.

예를 들어 정호승, 김남주 시인의 시를 갖고 음반을 만들려고 해서 김남
주 시인의 시로 만들어진 노래들을 쫙 뽑아 봐요. 내가 만든 것도 만든 거
지만, 다른 사람이 만든 것도 봐요. 〈함께 가자 우리 이 길을〉 이거는 완
전히 그냥 난도질해서 만든 거거든요. 그런데 그래도 그 정도면 봐줄 만
해요. 다른 것들은 못 봐주겠어요. 노래도 아니에요. 특히 무슨 성악, 클
래식 중에서 만든 노래는 무슨 이런 사람들이 돈 내고 공부를 했나? 그런
생각이 들어요. '정호승 시인을 노래하다'도 주변에 만들어 놓는 노래를
보면 그냥 그저 그만한… 정호승 시인의 최고 백미는 〈이별 노래〉죠. "떠
나는 그대-". 최종혁 씨가 노래를 참 잘 만들었어요. 시는 그런 식이어야

하는 것 같아요. 시가 완전히 자기 품 안에 들어가서 이렇게 탁 녹지 않으면 함부로 건드리지 마라.

박준흠 : 김남주 시인의 시로 만들었던 안치환 6.5집 [Remember] (2000년)에서는 대부분 노래에 곡을 직접 다 붙이셨는데, 안치환 9.5집 [정호승을 노래하다](2008년)의 대부분 다른 사람들이 곡을 만들었는데.

안치환 : '나팔꽃'에서 만든 노래들도 꽤 돼요. 내가 만든 게 한 4곡쯤 될걸요?

박준흠 : 예. 그러니까 직접 곡을 만든 건, 〈고래를 위하여〉, 〈우리가 어느 별에서〉, 〈강변역에서〉, 〈풍경 달다〉 이렇게 4곡인데, 마지막에 〈연어〉에서는 대금을 연주했고.

안치환 : 그때 정호승 선생님은 음반 만들자고 했고, 만들어놓은 게 워낙 많았어요. 그래도 추린 거예요. 정말 말도 안 되는 노래들이 많아요.

3) 인간에 대한 예의가 있는 진보進步,
따뜻한 보수保守를 원함

박준흠 : 시인 중에서 김남주, 정호승 두 분을 가장 좋아하는 건가요?

안치환 : 김남주 시인은 돌아가셨지만 정말 내가 존경하고 좋아하는 분이고, 정호승 선생님은 지금 오랫동안 만나 뵙고 있지만 정말 신사죠. 정말 좋은 어른이세요. 따뜻하고 좋은 어른. 선생님이 보수적인 부분도 있고 그런 적이 있지만, 나는 그런 게 보수라고 생각해요. 우리는 보수라는 개념을 잘 몰라요. 수구와 완전 꼴통, 같잖고 비인간적인 야만적인 걸 보수라고 알고 있고, 진보도 정말 좋은 진보를 잘 모르고 있는 것 같아요. 그냥 싸움질만 하고 그런 거만 진보라고 생각하는데….

박준흠 : 안치환 씨가 생각하는 '참 진보'는 어떤 걸까요? 진짜 진보.

안치환 : 참 진보라… 모르겠어요. 뭐라고 얘기해야 할까? 나는 얼마 전에 진보라는 것들에 대해서 굉장히 실망했던 적이 있어서. 내가 생각하는 참 진보가 뭘까?

박준흠 : 보수는 하도 꼴 보수, 진짜 보수, 이런 얘기들이 미디어에서 많이 나왔기 때문에 그간 논의가 많이 됐거든요. 그런데 오히려 '진짜 진보' 이야기는 별로 안 한 것 같아요.

안치환 : 나는 인간에 대한 예의가 있는 진보가 됐으면 좋겠어요. 그러니까 싸울 때 싸울 줄 알고 인간에 대한 예의가 있고, 적어도 품위 있는 진보였으면 좋겠어요. 세상에 싸가지 없는 진보보다 더 재수 없는 건 없어요. 그리고 이기적인 진보보다 더 재수 없는 건 없어요. 그건 가장 나쁜 놈들이야. 난 인간에 대한 예의가 있어야 진보적이라고 생각하고, 품위가 있어야 한다고 생각해요. 그러니까 진보적인 사람들은 맨날 회의하다가 싸우고, 단합이 안 되고 싸우고, 그래서 망한다고 얘기하잖아요. 갑자기 누가 잘 되면 싸우고.

진보의 조건은 인간에 대한 예의가 따뜻한 보수가 가져야 할 그 조건만큼 똑같이 갖고 있어야 한다고 생각해요. 멋진 진보가 어떤 건지 우리는 잘 몰라요. 내가 생각하기에는 문재인 전 대통령 같은 분은 그냥 보수라고 생각해요. 따뜻한 보수, 진보적이지 않아요. 내가 항상 얘기하지만, 한 개인이 모든 면에서 다 진보적일 순 없어요. 어떤 면에선 굉장히 진보적이지만, 어떤 면에서는 굉장히 수구적일 수 있어요. 나도 그래요.

어느 날 생각해보면 나는 요즘 젊은 세대에서 얘기하는 성性소수자 문제에 대해서 진보적이라고 생각하는데, 그런데 날 좀 건드리지 마- 이런 정도 수준이에요. 당신들끼리 좋아서 어떻게든 하는 건 괜찮은데 자꾸 나한테 판단을 요구하지 말고 건드리지 마라. 예전에 어떤 게이커플인가… 결혼하고 나서 당신들끼리 사세요, 왜 나한테 와서 그래. 지상파에 나와서 떡하니 식 올리고. 그냥 당신들 둘이 사랑하고 그렇게 남자끼리 사랑하고 그냥 사세요. 자꾸 그러지 않았으면 좋겠다, 이런 느낌도 있어요. 이건 진보가 아니잖아요. 어쩌면 굉장히 수구적인 면도 있잖아요.

그런데 다른 면, 정치적인 면이나 노동자 인권에 대한 문제나 이런 데서는 진보적일 수 있어요. 인간이 그렇다는 걸 나는 너무 늦게 알았어요. 내가 모든 면에서 진보적이라고 착각하고 살았던 시간이 많았던 것 같아요. 남도 그렇다는 걸 이해하게 된 거죠. 인간은 다중적인 인격체라는 거예요. 집안에서 자기 자식한테 따뜻한 인간이 소아 성애자일 수도 있고, 자기 아내한테 예의 바른 인간이 딴 여자한테 강간범일 수 있고… 이렇다는 거죠. 다양한 면, 내가 영화를 너무 많이 봤나 봐요.

4) 발표를 기다리는 아직도 많은 노래들

박준흠 : 정호승 시인의 시 갖고 두 번째 '시 음반'을 냈는데, 세 번째로 내고 싶은 시인이 있으세요?

안치환 : 아직 없는데, 안도현도 생각해 봤고.

박준흠 : 정지원 씨가 아닐까? 라는 생각도 해봤는데.

안치환 : 정지원? 그런데 지원이는 시인으로서 활동을 별로 안 하는 것 같아요. 난 지원이가 나랑 굉장히 잘 맞는다고 생각하거든요? 내가 원해서 이런 것 좀 한번 써보라 해서 지원이가 며칠 밤을 써서 보낸 게 8집의 〈물속 반딧불이 정원〉이고.

박준흠 : 그 노래 가사는 의뢰했다는 거죠?

안치환 : 의뢰한 건 아니고, 어느 날 지원이가 써서 보냈어요. 그런데 그 시를 보는 순간 얼마나 지원이가 고통 속에서 쓴 시라는 걸 느끼겠는 거예요. 교감 같은 것일 수 있는데, 내가 시를 이해하는 능력이 있다면 그게 감사해요.

박준흠 : 한 6-7곡 정도 들어가는 EP를 만들 수도 있지 않을까요?

안치환 : 그 정도는 충분히 되죠. 지원이 시 갖고 만든 노래가 여러 곡 되죠. 다음에 발표하는 노래도 있고. 그래서 나중에 여유가 생기면 만들 수도 있겠죠. 내가 지금 음반 낼 게 두 장이 다 마스터링까지 끝나 있어서요. 분량으로 따지면 세 장이에요.

박준흠 : 그 노래들은 언제 만든 노래들인가요?

안치환 : 저번에 포크 음반에 관해서 얘기한 적 있죠.

박준흠 : 발표가 밀렸다는….

안치환 : 그 다음에 최근에 만든 노래들, 음원으로 발표한 노래들이 있고 아직 발표 안 한 노래들도 많고. 그래서 내가 포크 음반을 더 미루면, '유작 앨범'이 되겠다 싶어서요. (웃음) 그냥 그거 먼저 내고 싶어서 다음 앨범으로

생각하고 있는데, 어쩔지 모르겠어요. 그리고 이번에 만든 노래들은 하도 뭐라는 사람들이 많아서 조금 시간이 지나서 그때 내려고 생각 중이에요.

박준흠 : 지금 내놓으면?

안치환 : 나는 괜찮은데, 주변에서 자꾸 말려요. 내 가족들도 그렇고. 요새는 댓글이나 이런 것들이 예전과 다른 것 같아요. 공권력에 의한 탄압이라든지 그런 것은 별로 두렵지 않은데, 무슨 막말을 해대고 이러는 것들 있잖아요. 이게 SNS가 발달해서 그래요. 과학이 발달해서. 다들 하나씩 스피커를 갖고 있는데, 그런 부분이 좀 귀찮아졌어요. 그리고 며칠 전에, 가장 최근에 만든 노래가 있어요. 〈쪽팔리잖아〉라는 노래예요. 마스터링도 거의 끝냈어요.

박준흠 : 아직 발표하지 않은 곡들이 많나요?

안치환 : 아까 들었던 〈패배주의자〉도 안 했고, 이 노래도 지금은 안 할 거예요. 나중에 음반으로만 낼 거예요. 〈마이클 잭슨을 닮은 여인〉 그걸 발표하고 경험했는데… 내가 〈마이클 잭슨을 닮은 여인〉 정식 버전을 들려줬나요? 가사가 달라요. 정식 버전은 윤석열 씨가 대통령이 되고 나서 만든 거예요. "진짜 된 거니, 영부인."

5) 안치환 6.5집 김남주 헌정 앨범 [Remember]

박준흠 : 2000년에 나온 6.5집 김남주 헌정 앨범 [Remember]에서는 이전에 발표했던 노래들도 다시 부르고, 신곡 새로 넣고 해서 음반이 나왔는데. 김남주 시인에 대한 애틋함, 그리움 때문에 만든 음반인가요?

안치환 : 어느 정도 이렇게 활동하다가 음반을 내다보면, 또 시를 갖고 노래를 만들다 보니까 김남주 선생님 시를 갖고 만든 노래가 꽤 돼요. 그럼, 선생님 음반을, 시로만 만든 음반을 하나 만들어 볼까? 그런데 곡 수가 좀 부족해요. 그러면 또 시를 갖고 노래를 만들어보는 거죠. 그래서 〈지는 잎새 쌓이거든〉 이것도 내가 그 이후에 만들었던 것 같고, 〈산국화〉는 그때 만들었던 건가? 이 노래 참 좋은데. 하다 보니까 열 곡을 내가 만들었네. 김 선생님 시집 가지고.

 이 정도면 개인 시인의 헌정 앨범을 만들 수 있잖아요. 무엇보다 선생님 돌아가신 지 꽤 됐고, 그리고 이런 것이 하나의 작품으로 남겨지는 게 나는 의미 있다고 생각하고, 내가 할 수 있는 소명의식이에요. 장사가 되는 게 아니잖아요. 돈을 벌 수 있는 일이 아니에요. 그런데 내가 돈을 써서 이 음반을 만들었어요. 그래서 하나의 작품으로서 헌정 앨범이 될 수 있어요. 그리고 그때 얼마 드리지 못했을 거예요. 그냥 한 장당 몇백 원 정도? 선생님 유족에게 드리는 거로 해서 했었어요. 그런데 앨범이 그 이후에 별로 많이 안 나갔던 것 같아요. 기존의 〈노래(죽창가)〉랑 〈함께 가자 우리 이 길을〉 빼고는 다 내가 만든 노래예요. 〈똥파리와 인간〉도 그때 만든 곡이고, 이 앨범을 작업하기 위해서 새로 만든 노래가 세 곡이에요.

박준흠 : 이 음반을 만들고 나니까 어떤 느낌이 들었나요?

안치환 : 나는 내가 할 일을 할 수 있어서 참 좋다고 생각했어요. 소명의식이라는 말은, 나 아니면 할 수 있는 사람이 없는 거죠. 그런데 그만한 가치를 갖고 있고 그렇게 대접을 받을 수 있는 하나의 작품을 가진, 김남주라고 하는 이름이 있어요. 이 사람에 대한 나의 예우로 내가 투자를 해서 음반 하나를 만들어 드리는 거잖아요. 물론 나에게도 가치가 있지만. 나를 위해서도 하는 일이고, 그래서 그걸 딱 만들어놓으면 기분이 좋죠. 다른 걸 다 떠나서 김남주 선생의 시를 갖고 뭔가 하나를, 1980년대를 거쳐 온 뮤지션으로서 자기가 할 일을 한 번 더 했다는 생각을 하는 거예요.

박준흠 : 김남주 시인이 1994년 2월에 돌아가셨는데, 김남주 시인 돌아가신 다음에 얼마 안 있어 〈물 따라 나도 가면서〉를 만들었잖아요. 1994년 2월 24일 자 신문 기사를 보면, 병원에서의 에피소드도 있고.

안치환 : 정동 쪽에 있는 삼성 의료병원. 마지막에 하도 위중하시다니까 얼굴 뵈러 갔는데, 난 그때 암 환자 얼굴을 처음 본 거예요. 정말 그냥 얼굴이 흙빛에다가 피골이 상접하고, 물론 살찌는 양반은 아니었었는데. 잠깐 있다가, 선생님 저 가겠습니다. 힘내세요. 병실 문을 열고 딱 닫으려는데 닫는 것과 동시에 안에서 선생님이 "치환아", 그러는 거예요. 그런데 문을 닫았어요. 그래서 다시 못 들어갔어요. 그냥 나왔는데, 계속 그 생각이죠. 선생님이 나한테 뭐라고 말씀하려고 그랬지? 무슨 얘기를 하려고 그랬었지? 나는 그래도 복 받은 놈이라 선생님하고 몇 가지 추억이 있어요. 그 위대한 전사 김남주 시인의 인간적인 내면도 봤고요. 예전에 김남주 시인과 나에 대한 일화를 누가 책으로 낸다고 해서 내가 글로 써보는 게 있어요. 참고하세요.

김남주 시인과의 소중한 인연

에피소드 - 1

1988년이던가… 김남주 시인의 석방을 환영하는 축하의 자리가 당시 여의도 백인회관에서 열렸다. 나는 공연자로 참여했고 행사를 마친 후 전설의 김남주 시인과 직접 인사하는 기회가 있었다. 악수를 하며 반갑게 인사했다. 그 시대 젊은이들의 가슴을 뜨겁게 흔들어 놓은 투쟁의 혁명전사! 김남주 시인을 마주한 내 첫 느낌은 "아, 어른의 눈이 저렇게 맑을 수도 있구나!"였다.

에피소드 - 2

김남주 시인이 출소 후 얼마 안 되어 민중문화운동연합에서 주최하고 문호근 선생이 연출하신 '다시 서는 봄'(?)에 나는 가수로 김남주 시인은 낭송자로 참여했다. 전국을 순회하는 대규모 집체극이었다. 부산공연을 마치고 공연 참여자들은 여느 때와 같이 술과 함께 열심히 뒤풀이를 하고 부산 동래의 큰 온천장에서 널브러져 잤다.

다음 날 아침 눈을 떠보니 큰 방에 열 명도 넘는 사람들이 여기저기 늘어져 자고 있었는데, 한쪽 벽에 좌선하고 계신 김시인이 보여 아침 인사를 드렸다. 잠시 후 김남주 시인께서 비몽사몽인 나에게 조용히 하신 말.

"치환아, 해방의 역사에서 뭔가 할 일이 있는 자는 스스로 자기의 몸을 잘 다스리고 지켜야 한다. 그렇지 않고 이렇게들 스스로 망가뜨리면 적들이 얼마나 좋아하겠나…." 잘 새겼어야 할 말씀이었는데.

에피소드 - 3

　내가 만든 김남주 시인의 시노래 첫 곡은 〈저 창살에 햇살이〉(원제: 창살에 햇살이)다. 김남주 시인 출소 전에 만든 노래이고 서정적인 멜로디이다. 그 후 인연이 계속되어 공연에서 김남주 시인이 낭송하신 '자유'를 듣고 얼마 후 노래로 만들었다. 그 시대 저항가요로써는 조금 파격적인 록풍의 노래다. 〈저 창살에 햇살이〉를 들으실 땐 아무 말씀 안 하시더니 〈자유〉를 들으시곤 노래 좋다고 칭찬해 주셨다. 나는 열심히 〈자유〉를 부르고 다녔다.

　그런데 문익환 목사님 추모 공연이던가… 어느 공연에서 〈자유〉를 부르고 난 후 대기실에서 어느 선배라는 가수로부터 "왜 우리 편을 욕하는 그런 노래를 부르는가?"라는 비난하는 듯한 항의를 받았다. 기분은 더러웠지만 참고, 후에 김남주 시인께 그 일을 말씀드렸다. 단호하게 말씀하셨다. "뭔가 켕기는 놈들이 그런 말 하겠지.. 그런 말 들을 놈들은 당연히 들어야한다. 부끄러워해야 할 놈은 당연히 부끄러워해야 한다. 치환아, 신경 쓰지 말고 맘껏 불러라!" 그 후 지금까지도 나는 먼저 나 자신을 부끄러워하며 열심히 부른다. 〈자유〉를….

에피소드 - 4

몇 년의 세월이 흐른 어느 날이었다. 김남주 시인과 인천의 어느 행사에서 만났다. 일을 마치고 방향이 같아 선생님을 모시고 가는 길에 넌지시 물으셨다. "치환아, 앨범은 잘 나가냐?" "아유 뭘요… 별로 안 나가요." "그래? 요샌 통 시집도 잘 안 나가고 그렇다. 세상이 변해가는 것 같다." 선생님의 모습이 왠지 조금 쓸쓸해 보이는 느낌이었다. 그런 일에 초연할 것 같은 이 시대의 거인이 자신의 내면을 보여주신 것 같아 가깝게 느껴지기도 했지만, 왠지 약한 모습을 본 것 같기도 해서 내 마음도 좀 쓸쓸해졌다.

에피소드 - 5

선생님이 돌아가시기 며칠 전. 당시 고려병원에 병문안을 갔다. 충격이었다. 시커멓게 타버린 얼굴과 뼈만 남은 앙상한 모습에 어떤 말씀을 드려야할지 몰라 허둥대다 몇 마디 못 나누고 나왔다. 말하기도 힘에 부쳐 보였다. "선생님 얼른 나으세요…." 하고 문을 열고 나와 닫는 순간 선생님이 "치환아-"라고 부르는 소리가 들렸지만, 문은 닫혔고 다시 들어갈 수가 없었다. 많은 분이 순서를 기다리고 있었기에. 그것이 선생님과의 마지막이었다.

김남주 시인이 세상을 떠난 후 지금도 나는 가끔 생각한다. 오래 살아서 세상을 진정 바른길로 이끌 분들은 왜들 일찍 돌아가시는 걸까? 그때 선생님은 나에게 무슨 말을 하시려던 거였을까? 지금도 궁금하다.

안치환 : 나는 선생님 만나고, 선생님하고 같이 공연 다니고 또 나중에 개인적으로도 왔다 갔다 하고, 돌아가시고… 이 과정들이 짧은 시간이었는데 나에게는 내 인생에서 너무 소중한, 그런 분이셨어요. 그래서 나중에 6.5집도 일부러 혼자 하려고 한 거고.

박준흠 : 그때 병원에서 병실 문 닫고 나가려는데 김남주 시인이 하시려던 말씀이 너무 궁금하네요.

안치환 : 무슨 말을 하려고 했을까 계속 궁금해요. 이런 상황이잖아요. 선생님 안녕히 계세요, 하고 돌아서 문을 딱 닫는 순간, 딱 닫힌 거예요. 그런데 못 들어가겠더라고요. 왜냐하면, 그 안에 선생님만 있는 게 아니고, 다른 분들도 있었고. 사람들이 계속 선생님을 보러 오잖아요. 나는 그중에 한 명이라서 그냥 그랬던 거 같아요.

그리고 돌아가셨고 선생님 추모음악회 같은 거, 그 장례식에서 부를 노래. 문호근 선생님이 친구이고 또 작업도 같이했으니까, 문호근 선생님이 그런 제안을 한 거죠. "치환 씨, 뭐 추모곡 없을까?" 그래서 열심히 김남주 선생님 시집을 들추다가 〈물 따라 나도 가면서〉 노래를 만든 거죠.

박준흠 : 그 노래가 4집에 실렸잖아요.

안치환 : 장례식장, 그때 노제인가 어디서. 김영남이라고 노래하던 후배 여자애가 있어요. 그냥 걔한테 그 노래를 불러라. 내가 부르기는 너무 마음이 아프고 해서. 그때 불렀고, 내가 4집 음반에 실은 거예요. 그 노래도 급하게 만든 노래일 수 있겠죠.

박준흠 : 김남주 시인과 슬픈 에피소드에 관해 좀 얘기해 주세요.

안치환 : 전달한 에피소드에 보면 "스스로 몸을 망가뜨리지 마라. 뭔가 세상에 할 일이 있는 사람은, 자기 몸을 잘 간수해야 돼. 스스로 몸을 망가뜨리면 적敵들이 얼마나 좋아하겠니." 선생님도 스스로 몸

을 잘 못 돌보셔서 암 걸려 돌아가시고, 나도 암 걸려서 개고생할 때 그 얘기가 가끔 생각나더라고요.

올해에 내가 좋았던 기억이, 세상이, 견딜 수가 없어서 스페인 순례자 길을 갔어요. 순례자 길을 몇 시간 걷다가 자전거를 빌려서 그 길을 자전거를 타고 가는데, 생전 처음 보는 풍광과 그 아름다운 자연이 너무너무 좋고, 그냥 눈물이 나고 막 떠오르는 거예요. 아, 광석이 형, 김남주 선생님, 아버지, 누구누구 미안해… 나만 이런 거 봐서. 나만 이렇게 좋은 거 봐서 정말 미안해. 같이 봤으면 너무 좋았을 텐데… 미안합니다. 그러면서도 나라도 이런 걸 보고 죽을 수 있어 다행이라고 생각할 것 같은 사람들 있잖아요.

박준흠 : 올해 언제였나요?

안치환 : 4월 말부터 6월 초까지.

박준흠 : 꽤 오랫동안 갔다 오셨네요.

안치환 : 거기 걷는데 40일, 스페인에 차 갖고 일주하고 몇 명이랑 갔다 왔는데, 그때 좋은 걸 볼 때 그 사람들이 생각나더라고요. 그중에 한 분이

김남주 선생님이고 김광석도 생각나고… 살아 있었으면 같이 이런 거 보고 좋았을 텐데… 미안합니다.

박준흠 : 6.5집의 맨 마지막에 피아노 반주에 시 낭송만 하는 노래 있잖아요. 〈이 가을에 나는〉. 수인으로 교도소 이송되는 과정 나오고, 시 낭송 듣는데 너무 절절한 거예요.

안치환 : 그게 김남주 선생님 목소리예요. 시 낭송 앨범이 있어요. 문호근 선생님이 만드셨어요. 윤민석이 배경음악을 만들었고요. 거기에 낭송한 게 꽤 많아요. 여러 개 있어요. 유튜브 한번 찾아봐요. 거기에 '자유'도 있어요. 거기 실린 것 앞부분을 썼어요.

6) 안치환 9.5집 [정호승을 노래하다]

박준흠 : 2008년에 발표한 9.5집 [정호승을 노래하다] 얘기를 하겠습니다. 정호승 시인은 어떤 분이고, 어떤 이유로 이 음반을 만들게 됐나요?

안치환 : 1987-1988년 정도인 것 같은데. 지난번 이야기했던 부산 친구, 일산에서 '마실'이라는 카페 하는 친구가 잠깐 새벽 노래 팀에 왔다 갔다 할 때. 하여튼 그 친구가 대학교 때 결혼한다고… 황당하죠? 이대 다니는 여자인지, 결혼식 날짜 잡았는데, 양가가 흔쾌히 함께 준비하는 게 아니라 자기들끼리 결혼하겠다는 얘기예요. 그것도 결혼식장도 아니고, 그냥 선배 사무실인가 보다. 상 하나 놓고, 전통혼례를.

 그런데 뭘 해줘야 하는데, 날짜는 다가오고… 결혼식 축가를 만들어줘야 할까? 우리가 음악 하는 놈들인데. 그래서 결혼식 축가를 만들려고 혼자 집에서 뭐 하다가 정호승 선생님 시집에서 〈우리가 어느 별에서〉 그 시를 본 거예요. 내가 그걸 가지고 노래를 만들었어요. 결혼식 축하용으로. 그렇게 나는 정호승 선생님 시를 처음 만났고.

박준흠 : 그분은 언제 처음 만났나요?

안치환 : 1990년인지, 1992년
인지 잘 모르겠는데, 그때 설악
산 어디 콘도 같은 데서 출판인과
문학인들의 캠프 같은 모임이 있
었어요. 거기 노래하러 갔다가,
정호승 선생님을 처음 뵈었어요.
거기에 황석영 선생님도 오시고,

한국 굴지의 모든 출판업계 사장들도 왔고. 그리고 문학 하는 소설가 이
런 분들이 잔뜩 왔어요. 시인도 있고 다 있었어요. 거기서 노래했는데,
끝나고 다들 성에 안 찼는지 로비에 모여서 노래하고, 내가 기타 쳐주고
한 곡에 5백 원, 천 원 이렇게 받고. 난 그때 돈 받고 갔거든요. 그래서 반
주 값으로 받은 건 같이 온 이름 없는 가수들한테 갈 때 밥 먹으라고 줘버
렸어요. 그때 한 10만 원 넘었을걸요? 하여튼 돈이 많이 모였어요. 이문
열 선생님은 1만 원인가 얼마 딱 내고 노래하고. 우리가 이렇게 호텔 복
도에 앉아서 기타치고 노는 거예요. 술 갖고 와서. 그때는 그게 가능했었
나 봐요. 그때는 이상한 이념 그런 게 아니라, 아주 그냥 잔치가 벌어진
거죠. 거기서 내가 일부러 "노래하는 사람 반주비 1천 원입니다" 해서 이
제 노래하고, 그거 모아서 사람들 밥값 줬다고요. (웃음)

 아무튼, 그때 만났고, 그 이후에 선생님의 시로 만든 노래들이 〈강변역

에서〉일 수도 있고. 선생님하고는 어쩌다가 〈우리가 어느 별에서〉 때문에 다른 시인과 다르게 인간적인 연을 맺게 된 거죠. 내 콘서트 할 때도 와주시고 그런 식으로 띄엄띄엄 인맥을 이어가다가 '나팔꽃' 하면서 또 자주 뵀죠. 그땐 다른 시인들도 같이 뵀지만. 거기서는 이 시인 저 시인, 이 사람 저 사람 노래 좀 쓴다는 사람들 막 뒤죽박죽 옴니버스잖아요. 그런 거 말고 한 시인에 대해서 해보고 싶은 게 있었어요.

박준흠 : 9.5집은 '나팔꽃' 스타일로 만든 거죠? 정호성 시인의 시로 노래들을 만들었는데 작곡자들은 여러 명 참여했잖아요.

안치환 : 그렇긴 한데, 나 혼자서 그냥 한 시인에 대해서 내고 싶다는 생각이었죠. 왜냐하면, 저에겐 그 이전에 김남주 시인에 대한 경험이 있잖아요. 그래서 그때 김남주 선생님 것도 냈는데 정호승 선생님 것도 한번 내보자고 생각을 해서 말씀드렸는데, 좋다고 하셔서 내게 됐어요. 그래서 내가 음반 만들기 전에 선생님 시로 만들어진 노래들을 모아보니까 엄청 많더라고요. 이래저래 들어보니까 재미난 노래는 별로 없어요. 정말 이별 노래가 최고의 수작秀作이고, 나머지는 그냥 고만고만한데, 나팔꽃에서 만든 몇 곡과 내가 만든 몇 곡, 〈풍경 달다〉나 〈고래를 위하여〉 이런 건 다 새로 만들었어요.

330

박준흠 : 6.5집에서는 대부분 곡을 본인이 썼는데, 여기는 작곡에 참여한 사람들이 많잖아요. 김현성, 유종화, 류형선, 이지상, 최종혁 이렇게.

안치환 : 내가 혼자 다 쓰기에는 이미 있는 노래들이 꽤 있어서, 그걸 내가 불러야 하겠다는 생각도 했었고, 거기서 좀 골랐어요. 음악이라는 게 하나의 맥락이 있어야 해요. 약간 포크적인 노래들, 이런 쪽으로 엮어나갔는데 부족하니까 내가 곡을 좀 더 만들어서 했던 거죠.

박준흠 : 6.5집하고 9.5집을 비교하면?

안치환 : 다르죠. 김남주 시인과 정호승 시인은 내 음악 인생에 굉장히 중요한 두 축이에요. 물론 다른 시인들도 있지만 중요하게는 그래요. 김남주 시인은 진보적 전사戰士의 이미지를 가지고 사회와 세상의 변혁 운동에 대한 어떤 정신적인 길잡이? 그런 분이고. 정호승 선생님은 그 한쪽에 아티스트로서 경도될 수 있는 감정들도 있잖아요? 한쪽으로만 기울지 않게 따뜻한 서정성 같은 걸 가지고 있는 그런 느낌에서 또 한

축이고. 그래서 두 분은 전혀 다른 사람인데, 나로서는 굉장히 소중한 시인들인 거예요. 내 음악에 있어서는 그래요. 음악 자체도 이쪽 저항가요의 맥락에 김남주가 있다면, 저쪽의 좀 서정적인 측면의 노래로 정호승 시인이 있는 거로 생각해요.

박준흠 : 굳이 6.5집과 비교를 한다면, 저는 생각보다 잘 표현이 돼서 만들어진 음반 같지는 않거든요. 김남주 앨범 6.5집이 있고, 나팔꽃에서 나왔던 음반들이 있다면, 9.5집은 중간 정도 수준? 안치환이라는 가수한테는 김남주의 텍스트가 잘 맞는 것 같기도 하고.

안치환 : 정호승 선생님은 내 음악 인생에서 계속 인연을 가진 분이고, 그건 내가 선생님을 생각해서도 헌정할 수 있는 일이라고 생각하고, 그걸 다 내가 직접 만들지 않은 이유도 있고. 그래서 조금 더 편하게 작업을 했던 것 같아요.

박준흠 : 지난번에 얘기한 것처럼 이제 세 번째 시인으로 음반 작업하실 생각은 있나요?

안치환 : 아직은 없어요. 생각해 보다가 지금은 그러고 싶지 않은 느낌도 있고, 세상이 바뀌고 사람이 바뀌듯 내 생각도 바뀌는 거죠. 모르죠… 또

앞으로 그럴 수 있는 사람이 있다면. 예를 들어 고은 선생님 같은 경우에는 위대한 시인이긴 해요. 미투me too 그 이미지 때문에 내가 안 하는 게 아니라. 9집에 있는 〈혼자서 가는 길 아니라네〉가 고은 선생님의 시거든요.

그 이후에 사모님이 시 하나를 보내주셔서 만들어 놓은 노래가 있어요. 그게 좀 철학적인 내용이에요. 이런 거 노래 만들면 어떻겠냐고. 아직 발표는 안 했고 다음에 발표할 거지만, 그런 것도 있고. 생각해보면 충분히 음반 작업을 해드릴 만한 분인데, 뭔가 세상이 바뀌고 이렇게 저렇게 되고 나서 작업을 하기가… 그럴 필요까지 있겠느냐는 생각도 들기도 하고요.

"노래 하나를 처음 만들기 시작하면, 한 시간 안에 대충의 얼개가 나와요. 내가 오래 걸리는 건 디테일한 부분이에요. 가사의 어느 한 부분, 가사의 어느 한 조사, 어느 멜로디에 이 가사가 안 어울려… 이게 무슨 가사가 어울릴까?

그냥 일상생활을 하면서 계속 생각하고, 왜 계속 떠나지 않는 생각들 있잖아요. 내가 밥을 먹고 TV를 보고 노래를 어디서 뭘 하건, 그런데 항상 생각은 거기에 가 있는 거죠. 완성될 때까지. 완성되면 그걸 혼자서 데모를 만들어보고 혼자 듣고 다녀요. 나만 듣는 내 노래.

그때가 가장 행복한 시간이에요. 다른 사람들 아무도 몰라요. 내가 딱 만들어서 그래서 밴드랑 붙어서 노래 녹음하기 전까지, 내가 녹음해서 듣는 내 노래. 가장 행복한 시간들….."

1) 안치환 8집,
2004년 시기를 다루는 노래들

박준흠 : 이제 40대에 들어서서 2004년에 8집 [외침!! (Clamour)]이 나오잖아요. 8집은 3년 만에 나온 음반이고, 여기는 몇 가지 특이한 점이 있습니다. 도종환 시인의 〈산맥과 파도〉가 있고.

안치환 : 그때 '나팔꽃'도 할 때죠. 그래서 시인들을 계속 만났던 때죠. 안도현부터 시작해서, 김용택, 도종환, 정호승 선생님은 물론이고. 이렇게 시인들을 만났던 때인데, 그래서 그 시들을 읽어보고 그랬던 거죠. 〈산맥과 파도〉 멋있었어요. 굉장히 록적으로 그냥… 그리고 그다음에 9집에 있는 도종환 선생의 시로 만든 〈늑대〉도 너무 좋은 거예요. 시가 마치 내가 늑대같이 자기 이입을 해서.

박준흠 : 그런데 왜 도종환 시인의 곡은 이 두 곡으로 끝났어요?

안치환 : 도종환 선생님 시가 너무 선생님의 시잖아요. 그다음에도 계속 읽었을 텐데 별로 내가

337

하고 싶은 시를 못 골랐던 것 같아요.

박준흠 : 도입곡으로 〈외침!!〉이 있고, 12집(2018년)에 〈Intro 2〉가 맨 처음에 있잖아요. 〈Intro〉를 1, 2로 해서 앨범들에 넣은 이유가 있나요?

안치환 : 밴드니까요. 해보다가 〈Intro〉 같은 거 한번 해볼까? 그래서 해본 거죠. 이때 리듬들이 쫙 들어가 있는, 그런 것들을 되게 좋아했어요. 맨 처음에 우리가 무대에 등장할 때 이렇게 1분 좀 넘는 음악이 있으면 좋겠다 해서 밴드랑 같이 만든 거예요. 내가 코드 만들어주고 멜로디 해 놓고, 용민이가 일렉기타 친 거 몇 번 반복해서 이런 게 좋겠다는 걸 만든 거예요. 사실 우리가 라이브를 많이 하고 콘서트를 많이 하는 사람이라 서 처음에 등장할 때, 걸어 나갈 때 아무것도 없으면 좀 쑥스러우니까. 한 1분 정도의 음악을 틀면 딱 나와서 준비하고 바로 시작하는, 그러한 용 도로 만들고 싶었던 거죠.

박준흠 : 〈물속 반딧불이 정원〉은 정지원 시인한테 의뢰해서 받았다고 했는데.

안치환 : 내가 요즘 음반 만드는데, 좋은 가사 없냐? 이렇게 얘기를 하죠. 좋은 노래 만들만한 좋은 글 없어? 있으면 좀 써봐. 아니면 이런 주제가

있는데 이러한 주제의 글을 내가 못 쓰겠다. 네가 좀 써주라 그러기도 하고. 예를 들어, 촛불집회 처음 했을 때, 그때 이명박 땐가 언젠가… 하여튼 내가 그걸 음반으로 만들고 싶은데, 다른 노래들이 너무 좀 뭐랄까, 가볍다고 해야 할까? 나로선 그때 나온 다른 노래들이 좀 가볍고. 그래서 이걸 촛불집회에 대한 내 느낌대로 만들 수 있는 게 없을까 해서 해보는데 아무리 써도 못 쓰겠더라고요. 그래서 지원이한테 글 좀 써보라 해서 지원이가 썼고, 그래서 노래를 만들었는데 노래가 좀 구려요. 내가 별로예요. 그러니까 너무 억지스럽다고 그래야 하나? 진부하다고 해야 하나. 뭐 옛날 운동권 가요의 그런 느낌이어서 음반으로는 넣지 않았어요. 〈촛불의 노래〉인가, 하여튼 그래서 한 게 또 있긴 해요.

박준흠 : 이렇게 의뢰를 한 경우가 더 있나요? 아니면 정지원 씨한테만 의뢰했나요?

안치환 : 거의 그렇죠. 다른 곡은 이미 완성된 시를 갖고 쓴 거고, 정지원한테는 그런 작업을 했던 것이고.

박준흠 : 정지원 시인의 〈부메랑〉, 〈피 묻은 운동화〉도 8집에 같이 있어요.

안치환 : 〈부메랑〉도 그랬던 거죠. 말하자면 정지원과 나의 공동작업?

〈부메랑〉은 언론에 관해서 얘기하는데, 이런 느낌이고 이러이러한 이야기를 좀 썼으면 좋겠다, 그렇게 해서 쓴 가사고요. 〈피 묻은 운동화〉도 그렇게 작업한 거죠. 월드컵 때죠. 내가 축구를 좋아해요. 그때 또 맨날 공연하고 다녔었어요. 경기 끝나면, 지면 무슨 노래할까? 이기면 무슨 노래할까? 그러면서 공연하고 다녔었는데… 내가 미선이 효순이에 대해서 노래를 만들기가 느낌상 어렵더라고요. 그 안타까운 이야기를 만들고는 싶은데. 그래서 지원이한테 가사 좀 써달라고 의뢰해서 했던 작업이에요. 아주 멋진 소중한 작업이네. 그게 되게 잘 맞았어요. 정지원이랑 그런 부분들이.

박준흠 : 그 이후에는 의뢰해서 만든 노래가?

안치환 : 별로 없는 것 같아요. 다음 앨범에는 의뢰가 아니라, 지원이랑 시로 만든 예쁜 노래가 하나 있어요.

박준흠 : 그리고 〈개새끼들〉이라는 노래가 있고, 〈America〉도 있고. 앨범 후반부에는 2004년도 그 시기를 다루는 노래들인데. 이라크 문제나 여러 가지 문제가 섞였던 것 같아요.

안치환 : 이라크 전쟁, 미국에 관한 얘기지만, 〈꼭두각시〉는 지역감정에 대한, 지역 차별에 관한 얘기고. 시대적인 그런 것에 굉장히 좀 집중해서 노래를 만들었던 것 같아요. 특히나 미국에 대한 화가 너무 났거든요.

그리고 사실 난 〈개새끼들〉이라는 노래를 되게 좋아해요. 내가 왜 좋아하냐면, 이거는 아티스트로서 굉장히 중요하고 혁명적인 노래라고 생각했어요. 솔직히 내 개인적으로는 그래요. 왜냐하면 내가 인간에 대한 내면을 이렇게 집중해서 확 열 받아, 그런 거죠. 자본주의 세상에 사는 이 인간들. 우리가 가진 뭐랄까? 인간들은 비루하고 비겁하고 던적스럽다. 이 말 알아요?

박준흠 : 마지막 단어를 잘 모르겠네요.

안치환 : 이거 김훈 선생님이 쓴 글이죠. 인간이라는 것은 참 비루하고 비겁하고 '던적스럽다.' 던적스럽다는 게, 치사하고 지저분하고 막 그런 거예요. 그 말이 나는 굉장히 중요하게 와닿았어요. 요즘 내가 사람들을 보

면서 말이나 내면을 똑바로 꿰뚫어 보려고 애쓰고, 그다음에 내가 경험했던 시대와 사람들에 대해서 정말 나로서는 과감하고 직접적으로 그 부분을 이야기하고 싶었던 가사 같아요. 내 밥그릇 앞에 떳떳한, 자기를 희생하는 인간들의 그런 게 별로 없잖아요. 다들 밥그릇에 목매고, 개인적이고… 그것을 그렇게 표현했던 것이 지금 기분 좋아요. 나는 〈개새끼들〉이 되게 중요한 노래라고 생각해요.

박준흠 : '개새끼들'이라고 하니까 오해를 많이 받지 않았나요?

안치환 : 무슨 오해? 나는 너무 멋진 말이라고 생각해요. 뭐가 달라요? 밥그릇 앞에 다 몰려드는 것 같은데. 어떤 오해를 받는다는 거죠?

박준흠 : 일례로 〈이무기〉라는 노래도 나중에 나왔는데, '이무기'가 이명박 전 대통령 관련된 얘기인데 '개새끼들'이라는 게 누구를 지칭하는 제목인가, 뭐 그런.

안치환 : 나도 개새끼고 너도 개새끼다. 그러니까 우리가 이렇게 서글픈 존재들이고, 이렇게 서글픈 시대에 살고 있다는 걸 얘기할 뿐이에요. 나도 내 밥그릇 앞에서 자유롭지 못하고, 너도 네 밥그릇 앞에서 그렇고. 그런데 우리는 어떠한 인간의 숭고한 의지나 순간에 어떤 가치를 위해서

또 싸워야 하고. 그런 부대낌과 그런 서글픔이 있잖아요. 그렇잖아요. 그런 것들을 이야기한 거예요. 누구를 지명한 게 아니고, 인간에 관한 이야기였어요.

2) 세상의 정의正義라는 것은,
너의 정의正義인 거야

박준흠 : 〈America〉,〈Stop the War〉,〈총알받이〉,〈오늘도 미국 대사관 앞엔〉,〈꼭두각시〉,〈내버려 둬!〉 계속 들으면서 이게 그 당시에 무슨 음악극 같은 걸 만들고 싶었나? 그런 생각도 했었거든요. 이게 좀 일관된 스토리 구성이잖아요.

안치환 : 그게 아니라 집중했던 것 같아요. 그러니까 세상에 정의라는 것은, 너의 정의인 거야. 기독교가 얘기하는 건 걔네들의 정의인 거죠. 어떻게 세상에 신神이 자기들이 얘기하는 신 하나밖에 없어요? 말도 안 되는 소리지.

박준흠 : 종교가 있나요?

안치환 : 없어요. 이 세상에 신이 없다면 도대체 이 광대무변한 우주와 일어나는 것들을 어떻게 설명할 것인가. 신은 있어야 하는데… 있다고 생각하자. 그런데 우리 인간들이 생각하는 그런 신은 없다. 하여튼 뭐 그런 건데. 정의라는 것도 그렇고 다 인간들이 만들어낸 자기편의 이야기들이에요. 그렇다면 미국 사람들이 자기들이 옳다고 생각하는 건? 그럼, 이라크 사람들이 자기들이 옳다고 생각하는 것에 대해서는 왜 인정을 안

해? 그러니까 이건 강자強者의 논리에요. 전쟁이라는 건 야만野蠻인 거고, 힘에 의한 거고, 2000년대에 이런 일이 벌어진다는 것에 대해서 너무 화가 났던 것 같아요. 그래서 쓰기 시작한 거고, 〈오늘도 미국 대사관 앞엔〉은 개인적인 경험이에요. 내가 미국에 갈 일이 있는데 지상이 데리고 가서 한번 구경시켜주고 싶어서 데리고 갔다가 걔가 퇴짜 맞았어요. 비자가 안 나왔어요.

박준흠 : 무슨 사유가 있었나요?

안치환 : 뭐가 안 됐겠죠. 그때 면접 봤던 그 여자 얘기예요. 양키 옆에서 통역해 주는 그 여자를 보고 쓴 노래죠. 뭐 이런 여자가 다 있어?

박준흠 : 태도에 문제가 있었다는 거죠?

안치환 : 그러니까 이 양키는 무슨 말인지 모르니까 영어로 쓰는 거 그냥 오피셜하게 얘기하는데, 이 여자가 얘기하는 것은 한국말이잖아요, 한국말은 내가 네이티브예요. 그 여자의 억양, 말하는 태도, 표정 이런 걸 보면서 너무 화가 나는 거예요. 내가 미군 부대 옆에 살았던 사람이에요. 진짜 X같은… 생각이 드는 거예요. 그래서 너무 화가 나서 만든 노래라고요. 가사에 내가 증오한다고 그랬잖아요. 국적이 미국일 수도 있겠죠.

영어를 잘하는 거 보면. 그런 여자가 한국 사람을 이렇게 깔보면서 약간 비아냥거리면서 얘기하는데….

박준흠 : 미국 사람은 오히려 오피셜하게 얘기하는데, 그 여자는 감정이 섞였다는 얘기네요.

안치환 : 예. 그래서 내가 그 노래를 만들었는데 언젠가 어떤 여자가 〈오늘도 미국 대사관 앞엔〉을 들었다는 거예요. 자기가 미국 대사관에서 일을 한다는 거죠. 그 노래를 듣고 너무 화가 나고, 충격적이었다는 거예요. 그래라 나는 그러라고 이런 노래 만든 겁니다. 내가 민족주의자는 아니에요. 난 그런 거 별로 좋아하지 않아요. 그냥 있는 그대로, 사실은 사실대로 얘기하자고 하는 거죠.

박준흠 : 그런 분들이 가끔 있나요? 전화로 항의도 하고요?

안치환 : 〈마이클 잭슨을 닮은 여인〉 때는 엄청나게 왔을걸요? 안 받았지만. 그런데 그런 거 가끔 내가 한두 번 받았던 것 같아요.

박준흠 : 혹시 8집 나오고서 사모님이 좀 걱정했나요? 9집에 있는 〈아내에게〉 라는 노래 가사에 "안심해-" 이런 가사들 있잖아요.

안치환 : 내가 사회적으로 무슨 해코지 당할까봐?

박준흠 : 그런 걸 포함해서요.

안치환 : 그런 거 없었고요. 와이프가 처음으로 그런 부분에서 우려했던 건 〈마이클 잭슨을 닮은 여자〉 나오고 나서 이후예요. 그때부터 내가 전에 들려줬던 〈쪽팔리잖아〉 같은 노래 발표할까? 물어봐요. 그러면, 당신이 아티스트로서 하는 건 내가 막을 수는 없지만 발표할 때 미리 좀 알려달라고 하더라고요. 자기가 마음의 준비를 해야 한다. 이런 식인데, 그

347

이전에는 그런 얘기 전혀 없었어요.

박준흠 : 〈아내에게〉는 다른 글들을 갖고 와서 만든 노래이긴 한데….

안치환 : 너무 8집과 극단적으로 다르죠? 그 이유를 예로 들면, 8집에 너무 극단의 강한 메시지를 담고 나서 9집은 좀 더 밝고 따뜻하고 환한 앨범을 만들고 싶다. (웃음)

박준흠 : 그 노래가 8집의 영향 때문에 진짜 그런 게 있었나, 그 생각이 들었어요.

안치환 : 아닙니다. (웃음) 너무 걱정하지 마세요.

3) 본인 녹음실 '참꽃'에서 느긋하게

박준흠 : 녹음실 만들고 나서 8집 때는 녹음 시간이 길었나요?

안치환 : 오랫동안 했어요. 이번에는 마음대로 한번 써보자. 그전에 렌트 비가 한 프로(3시간 30분)에 50-60만 원 하고… 하루에 100만 원이면, 녹음하는데 미니멈 15일을 써도 1,500만 원이에요.

박준흠 : 옛날에 렌트해서 녹음했을 때는 한 앨범에 몇 프로 정도 썼어요?

안치환 : 편곡자한테 맡기면 많이 안 쓰죠. 왜냐하면, 다 편곡해 가지고 와서 뒤로는 빨리빨리 하니까. 한 20프로 이상은 쓰지 않나요? 그래서 그 돈 생각하면서 시간 아끼려고 못하고 그런 것들도 있을 거 아니에요?

그래서 내가 녹음실을 만든 거죠. 그럴 수 있는 상황이 돼서 너무 감사한 일이지만.

박준흠 : 이 녹음실은 외부에서는 거의 이용을 안 하는 거죠?

안치환 : 초창기에는 했어요. 그때는 엔지니어가 있어서 엔지니어 따라서 하고, 녹음실 처음 하니까 또 좋다고 소문나니까, 굉장히 좋은 녹음실이었거든요. 그래서 뭐 이상은도 와서 했었고, 서태지가 키웠던 밴드도 했고. 여러 팀이 와서 했어요. 그런데 시간이 지나면서 엔지니어가 바뀌고, 뭐 그 사람들은 엔지니어가 마음에 안 들었는지 안 오더라고요. 이제 더는 SSL 큰 콘솔이 필요 없는 세상이에요. 그러니까 프로툴로 다 할 수 있고, 컴퓨터로 할 수 있고. 그래서 작년에 그 콘솔 빼고 진짜 최고의 홈 레코딩 스튜디오를 만들었죠.

박준흠 : 9.5집 마지막 곡 〈연어〉 시 낭송 트랙에서 정호승 시인은 낭송하고 안치환 씨는 대금 연주를 했잖아요. 2005년부터 대금을 배웠다고 하던데.

안치환 : 2년 동안 진짜 열심히 배웠죠.

박준흠 : 피아노도 2007년인가에 배우셨고.

안치환 : 피아노도 열심히 배웠고, 클래식 기타도 배웠고. 그런데 음악은 몸에 새겨져야 해요. 그래서 어릴 때 배워야 하는 거죠. 내가 기타를 치는 사람으로서 클래식 기타를 칠 때도 악보를 보고 천천히 다 칠 수 있어요. 그런데 이게 속도를 낼 수는 없어요. 손가락 2개 가지고 되게 빠르게 하는 게 있어요. 그런데 이게 안 되는 거야. 그 빠르기가 연습하면 된다고 했는데, 내가 보기엔 안 돼요. 어릴 때 해야 해요. 지금 40, 50 넘어서 이걸 하려면 아무리 빨라도 지금 사람들보다 빨리할 수는 없어요. 피아노도 짜잔짜잔짜잔- 영화 '스팅' OST, 이거 재밌게 잘 쳤는데 지금은 못 쳐요. 다 잊어버렸어요. 이걸 만약에 어릴 때 배웠으면 지금도 칠 텐데.

대금도 악보 보고 잘 불어요. '황태중임남'(음률을 산정하는 방법으로 삼분손익법(三分損益法)이다. 이는 삼분손일법(三分損一法)과 삼분익일법(三分益一法)을 교대로 사용하는 것으로서, '삼분손일법'은 율관(율을 측정하는 관)을 3개로 나누고(三分) 그중 1/3을 없애서(損一) 2/3가 되는 지점을 찾아가고, '삼분익일법'은 율관을 3개로 나눈 것에(三分) 1/3을 더해(益一) 4/3이 되는 지점을 찾아가는 방법이다. 그렇게 두 가지 방법을 교대로 적용해 얻는 음으로 황종, 대려, 태주, 협종, 고선, 중려, 유빈, 임종, 이칙, 남려, 무역, 응종의 12율명이 있는데 이중 가장 많이 사용하는 5개의 율을 '황태중임남'이라 한다.) 보고 했는데

2년 열심히 하니까 아마추어로서 배울 건 다 배웠어요. 더 이상 배울 게 별로 없어서 다른 거 하는데 재미가 없더라고요. 대금 악보라는 게 옛날 한문으로 보거든요. 한문으로 이렇게 칸막이로 되어있어요.

박준흠 : 그러니까 오선지가 아닌 다른 거네요.

안치환 : 내가 마음대로 어떤 멜로디를 연습해서 불 수는 있지만, 그 소리가 '파리' 소리도 아니고… 그런데 대금을 어릴 때부터 분 전공자들의 소리는 '벌' 소리가 나요. 그 통에서 나는 소리가. 그래서 역시 나는 그냥 아마추어로 즐기면 되겠구나.

박준흠 : 또 배운 악기는 뭐예요?

안치환 : 그냥 남들 하는 거… 만돌린, 우쿨렐레, 차랑고, 뭐 이런 거는 다 해요. 그건 기타 치는 것하고는 손잡는 게 다 달라요. 그런 건 배우고 몇 번 연습하면, 기타를 치기 때문에 다 되는 거죠.

박준흠 : 2005년에 대금 배울 때 매우 의욕이 있으셨는지, 그다음 2006년에는 국악관현악단과 앨범을 만들겠다, 뭐 이런 얘기도 했잖아요. 그런데 그 앨범이 나온 건 아니고 [Beyond Nostalgia]가 나왔네요. 그 앨범에 국악기 세션이 있고.

안치환 : 국악 하는 최고의 연주자들이 참여했어요. 사실은 제가 그런 걸 하고 싶었어요. 〈내가 만일〉을 국악으로, 가야금 두 대, 북 하나 딱 해서 하면 대단히 깨끗하고 예쁘게 나올 것 같은 거예요. 국악단과 연주도 많이 해봤어요. 〈사람이 꽃보다 아름다워〉 하는데 이 곡이 E거든요. E 메이저. 그런데 국악으로는 E 메이저로 연주가 안 돼요. 플랫(Flat)으로 반은 내려서 해야 해요. 반음 낮으니까 노래 부르는 사람으로서는 노래가 좀 재미가 없는 거죠.

박준흠 : 김수철 씨의 전성기 시절에 나왔던 [황천길] 같은 앨범이 나온다고 하면, 해볼 만하죠.

안치환 : 크로스오버같이 될까 봐. 국악기도 연주하면 뒤에 베이스기타 한 명 앉혀놓고, 건반 신디사이저 스트링 앉혀놓고 해요. 왜냐면 왠지 소리가 불안하고 비니까 그걸로 뒤에서 채우는 거죠. 국악관현악단도 그렇게 해요. 그래서 내가 조금 주저되는 건, 몇 곡은 그렇게 해도 재밌을

것 같다 싶지만, 예를 들어 〈사람이 꽃보다 아름다워〉를 거문고로 하게 해도, 가야금도 하고, 대금 불고 이렇게 해도 사실 재미가 없거든요. 어느 정도 리듬 쪽이나 이런 것들이 좀 혼용된 거로 생각하면, 크로스오버밖에 될 수 없는 거예요. 국악기를 완벽하게 다 사용하지 않으면.

박준흠 : 황병기 씨는 가야금 연주로 연작 앨범을 내셨죠.

안치환 : 난 그 연주 좋아해요. 가야금 연주자가 그런 식의 최고를 보여준다는 건 기록해놓을 만한 거예요. 그리고 김영동 선생도 국악의 대중화에 크게 이바지 한 분이죠. 김수철, 김영동 선생님도 대단하다 생각하고, 그다음에 슬기둥도 있잖아요. 그런데 국악 하는 사람들이 왜 그런지 이해는 해요. 굉장히 답답하거든요. 그 멜로디 라인과 국악에서 표현의 한계가 사실은 매우 답답해요. 그래서 자꾸 일탈을 시도하는데 그게 좋은 말로 퓨전이고, 더 좋은 말로 뭐 크로스오버니 그런 거잖아요. 어디서 보니까 거문고 하는 사람이 와서 그냥 막 하는데 그것도 멋있어 보였어요.

박준흠 : 잠비나이(JAMBINAI) 같이 국악기 갖고 헤비메탈을 하는 밴드도 있어요.

안치환 : 그런 식으로 요즘 젊은 사람들은 무수히 몸부림을 치는 거죠. 그런데 언젠가 좋은 게 하나 나올 거예요. 북한 사람들이 얼마나 답답하면 개량 국악기를 찾겠어요. 국악기 자체가 답답하니까 개량도 쓰고 그러잖아요.

박준흠 : 저도 슬기둥하고 김영동 음반 전체는 아닌데 어느 정도 갖고 있습니다. 그런데 저한테 감흥을 주는 음반은 그리 없는 것 같아요. 결국은 다 창작의 문제로 귀결되는 것 같아요. 적절한 비유인지는 모르겠는데 원래 정통 재즈에서 출발했던 마일스 데이비스(Miles Davis) 있잖아요. 트럼펫 연주하시는 분. 그분 같은 경우가 재즈 쪽으로 섭렵하다가, 1960년대 와서 퓨전 재즈 음반을 처음 만들잖아요. 굉장히 획기적인 시도를 했죠. [Bitches Brew]라는 2장짜리 음반. 그러니까 걸맞은 창작과 리메이크가 결부돼야지 연주만으로는 한계가 있는 것 같습니다.

안치환 : 당연해요. 창작이 뛰어나지 않은 연주자는 한계가 있죠.

박준흠 : 9.5집에서 〈강변역에서〉는 재즈 음악입니다. 그간 장르적으로

다른 시도를 한 노래들은 생각보다 많지는 않은 것 같아요.

안치환 : 생각을 많이 했는데요, 다른 시도를 뭘 할 수 있을까. 한동안 댄스음악 쪽으로, 완전 그쪽으로 한번 해볼까 하고도.

박준흠 : 만들어본 게 있나요?

안치환 : 해보면 어떨까 하고, 우리끼리 한번 얘기해 보고 그랬어요. 그런데 결국 그게 아니라는 생각이 들더라고요. 포크록 하는 사람이 음악적인 변신을 뭘 또 해야 하나? 꼭 해야 하나? 싶더라고요.

박준흠 : 꼭 해야 하는 건 아니고요.

안치환 : 〈강변역에서〉도 다행히 그때 기타 치던 녀석(임선호)이 그런 걸 좀 알고 있어서 그쪽으로 편곡 좀 해보자 해서 그렇게 하니까 멤버들도 잘하더라고요. 건반 치는 신엽이도 너무 좋아하고, 잘하고 있어서 그때 편곡할 때 팀 분위기가 맞는 게 있었어요.

박준흠 : 〈연어〉에서 안치환 씨 대금 연주는 음반에 실렸는데, 그동안 배웠던 피아노 연주라든지 이런 게 실릴 가능성이 앞으로 있나요?

안치환 : 그냥 공연 때는 어떻게 한 번씩 하는데, 솔직히 나는 내가 어느 정도 연주 수준이라는 거 알잖아요. 정말 괜찮은 그런 것들은 다 그 사람들의 몫이 따로 있는 거예요. 난 내 몫이 있고. 그 대금 소리는 지금 들어도 너무 모깃소리 같고, 부끄럽고, 음도 부정확하고 그래요. 멜로디는 내가 만들었지만. 그러니까 그걸 내가 불고 싶은 욕심에 했는데, 좀 미안해요. 대금 연주자면 훨씬 더 잘했겠죠.

4) 안치환 9집,
음악적인 폭을 넓히기 위해서 애쓴 개인적인 흔적들

박준흠 : 2007년에 발표한 9집 [안치환9]는 8집하고는 대비되는 음반입니다. 전체적으로 보면 노래들이 좀 한 발 떨어져서 세상을 바라보는 느낌? 이런 것도 있고, 가족에 대한 고마움 이런 것도 있고, 사람들한테 당부하는 그런 노래도 있고, 〈혼자서 가는 길 아니라〉(원제 : 동행) 이런 노래도 있고.

안치환 : 뭐라 할까, 8집에서 내가 그만큼 강렬하게 집중을 했는데, 흥행이나 이런 것은 망했다고 해야 하나?

박준흠 : 판매가 잘 안됐나요?

안치환 : 네. 그러니까 그때부터 앨범이라는 게 사실 잘 안 나간 때인지도 모르지만.

박준흠 : 혹시 9집은 8집보다는 많이 팔렸나요?

안치환 : 아닐걸요? 비슷한 것 같은데. 앨범 판매량을 떠나서, 한 주제에 이렇게 집중하고 나서부터는 내가 거기서 한 발짝 좀 벗어나고 싶은 마음도 있잖아요. 예를 들어, 너무 격하고 강한 메시지들로 하다 보니까 이번 앨범은 좀 따뜻하고… 아까 얘기했지만 밝고 새로 시작하는 어떤 마음, 그런 신선한 것 좀 해보고 싶다.

박준흠 : 그래서 〈처음처럼〉(신영복 글/안치환 작곡)을 처음에 넣고 뭐 그런 것도 있나요?

안치환 : 그런 것도 있네요. 〈알바트로스〉 이런 거 있잖아요? 나는 그런 노래를 되게 좋아하거든요. 어쿠스틱 기타의 청량함? 그런 것들이 좀 살아 나는 걸 하고 싶다고 생각했던 거 같아요. 그래서 〈처음처럼〉부터 시작해서 그렇게 한 거죠. 이렇게 저렇게 만들고, 〈늑대〉도 있었구나.

박준흠 : 〈늑대〉가 세 번째 노래죠.

안치환 : 〈행여 지리산에 오시려거든〉은 그때 스타일러스를 좀 배워서 이미 있는 리듬에서 골라서 같이 쓰고, 사운드에 보탬이 되게 만드는, 그래서 그런 것들을 좀 해보고 싶었던 것 같아요.

박준흠 : 당시에는 지리산 같은 데 가서 잠시 살고 싶은 생각, 그런 것도 있었나요?

안치환 : 그게 아니고, 제가 구례공연 갔다가 이원규 시인이라고, 원규 형이 구례에 살았는데 내려갔다가 만나고 술 먹고 그러다가… 포장마차 가 있는데 이 포장마차가 그냥 왔다 갔다 하는 게 아니라, 움직이지 않는 허름한 포장마차였어요. 거기에 시인들의 시들이 많이 걸려 있어요. 그 중에 하나가 '행여 지리산에 오시려거든'이 있었는데, 거기서 술 먹다가 시가 좋아서 캡처해서 나중에 노래를 만들었죠.

박준흠 : 9집은 다양한 음악적인 시도 같은 것을 해보고 싶은 게 발현이 된 거겠네요. 〈담쟁이〉 창작도 그때 좋아했던 해외 뮤지션과 관련 있잖아요.

안치환 : 그렇죠. 음악적인 시도라고 해야 하나? 가사가 다르면 음악도 달라지는, 멜로디도 달라지잖아요. 리듬도 그렇고. 내 전체적인 생각 은 좀 더 밝고 좀 진부하지 않고, 신선함을 실은 어떤 느낌이었으면 좋겠 다는 생각을 하고 있었던 거 같아요. 그중에 이제 제임스 블런트(James Blunt)가, 저번에 얘기하다 말았는데, 제임스 블런트의 유명한 노래 중에 창법이 가성과 육성을 왔다 갔다 하는 게 있어요. 〈담쟁이〉도 제임스 블 런트를 내가 한동안 좋아하다가 그런 느낌의 노래를 만들고 싶어서 만든

거죠. 말하자면, 그게 음악적인 폭을 넓히기 위해서 많이 애쓴 개인적인 흔적들인 것 같긴 해요. 이렇게 저렇게 막 해보고, 이런 리듬도 써보고 뭐 그런 것들. 좀 더 가벼워지려고 애쓰고 그런 거.

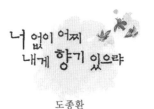

박준흠 : 〈늑대〉를 부른 이유는 한 마디로 말해서, 8집 때 나는 할 말을 다 했으니 여러분들도 양들이 사는 세상에서 '늑대' 같은 인간이 한번 되기를 원한다, 그런 의미인가요?

안치환 : 인간이 두려워하는 동물 중 하나가 늑대예요. 늑대는 길들여지지 않잖아요. 늑대를 죽이는 영화 본 적 있어요? 혹시 '더 그레이(The Grey)'라고, 리암 니슨 나오는 영화. 그거 보면 되게 재밌어요. 그런데 나는 그런 걸 떠나서 늑대 이미지를 그냥 동일시화 시키는 거죠. 내가 이렇게 오랫동안 음악을 해오고 어느 정도 상업적인 성공도 거두고 살고 있지만, 나는 내가 음악을 처음 시작하고 해왔던 그런 야성野性들을 잃지 않겠다. 나는 끊임없이 내가 노래를 처음 시작했을 때의, 나 스스로의 그 처음 출발점을, 초심初心을 잃지 않는 내가 되고 싶다. 세상에 대한 열

정과 인간에 대한 그런 게, 굳이 얘기하자면 그러한 음악적인 야성을 잃지 않겠다는 생각이 '늑대'라는 그 시와 동일시됐던 것 같아요.

그러니까 너는 왜 길들여지지 않는가, 놀고먹고 이제 뻔뻔하게 지내도 되는데. "너는 왜 길들여지지 않는가, 편안한 먹이를 찾아 먹이를 주는 사람들을 찾아 다들 개들의 무리 속으로 떠나가는데." 다들 옛날의 야성은 잃어버리고 배부른 돼지가 돼버리거나 인간이 던져준 뼈다귀 하나 입에 물고 저기 그늘에 가서 자빠져 있는 그런 개처럼 살아가는. 주변에 많이 보잖아요. "너는 왜 바람 부는 들판을 떠나지 않는가/ 너는 왜 산골짝 바위틈을 떠나지 않는가." 자기 존재에 관한 이야기잖아요. "오늘은 사람들 사이에서 늑대를 본다 / 그대의 빛나는 눈빛 속에 늑대를 본다." 홀로 어슬렁거리는 자유로운 영혼. 그게 나랑 동일시시키는 거죠. 내가 얼마나 그 시를 보고 기분 좋았겠어요. 그래서 늑대라는 시를 오랫동안 봤어요. 화장실에 책 같은 거 놔두면서. 그러다가 그게 어느 날 딱, 노래가 됐어요. 그런데 굉장히 멋지게 됐어요.

박준흠 : 네, 잘 나왔죠. 사람들이 늑대를 두려워하는 거는 길들여지지 않아서일까요, 아니면 저게 늑대인지 개인지 구분이 안 되어서 두려워하는 걸까요?

안치환 : 개와 늑대의 시간이라는 게 있잖아요. 그 어스름한 저녁 시간에 오는 저게 개인지 아니면 나를 잡아먹으려고 오는 늑대인지… 그러니까 어떤 인간이 나와 맞는 인간인지, 나의 동지인지 적인지를 구분하는 그 시간을 개와 늑대의 시간이라고 어떤 철학자가 얘기하잖아요. 그래서 늑대를 두려워하는 건 아니에요. 늑대가 가지고 있는 야성, 인간이 아무리 길들이려 해도 인간에 길들여지지 않는 그것 때문에 인간은 늑대가 두려운 것이죠. 호랑이는 날카로운 발톱과 큰 몸집 그거에서 두렵고 사자도 그렇겠지만, 늑대는 만만하잖아요. 크지 않은데도 늑대는 무슨 개나 그런 것처럼 길들여지지 않았기 때문에 인간이 두려워한다고요. 나는 그런 길들여지지 않는, 어떤 자본의 밥과 돈과 그들의 당근에 길들여지지 않는 그런 야성이 좋다는 얘기에요.

박준흠 : 그리고 〈아내에게〉 뒤에 있는 〈너의 환상〉이나 〈내 안의 나〉 같은 노래는 만든 이유가 어떻게 되나요?

안치환 : 〈너의 환상〉은 어떻게 보면 좀 낯간지러운데, 팬들이 나를 대단한 사람으로 생각하잖아요. 그런데 나는 그런 사람이 아니라고요. 나도 찌질한 면도 있고, 이런 면도 저런 면도 있고 그런 사람이니까 너무 그러지 마세요, 이런 얘기죠. 환상을 갖지 말라고 얘기하는 거죠. 그러나 나는 그렇게 살고자 애쓰는 사람이긴 해요.

박준흠 : 〈내 안의 나〉가 〈너의 환상〉과 같이 붙어 있는 게, 그러면서도 결국 힘들 때 내 안의 나를 찾는다, 그런 맥락인가요?

안치환 : 그런 것도 있고, 〈내 안의 나〉는 내 안에 이런 내면이 있다. 내가 굉장히 강해 보이고 하지만 이래도 내 속에 나는 이렇게 여리고, 착하고 이런 내가 있다. 내가 세상에서 살아남기 위해서 투쟁 중이고 싸우고 그러지만 결국 나도 이런 사람이다. 그러니까 〈내 안의 나〉는 내면을 바라보는 이야기잖아요.

박준흠 : 9집도 보면 8집에서처럼, 〈담쟁이〉부터 〈굿나잇〉까지 가사에서 일관된 흐름이 보이거든요.

안치환 : 나는 음반에 노래 배치를 그렇게 하는 거예요.

박준흠 : 이게 배치의 문제가 아니라 이 당시에 어떤 의식의 흐름 속에서 이렇게 계속해서 만든 노래들이기도 하나요?

안치환 : 그러니까 노래들을 다 녹음하잖아요? 노래를 녹음하고 나는 앨범에서 처음에 어떤 노래를 시작하면 좋겠다. 이렇게 정하잖아요. 〈처음처럼〉이라는 노래는 처음에 다시 시작하는 마음으로 첫 번째로 딱 놓고,

뒤에 계속 듣기에 좀 지루하지 않은 노래들을 배치하는 거죠. 리듬이나 뭐 그런 것들을 고려해서 순서를 정해놓은 거죠. 아마 그런 고민을 하고 정했을 거예요.

박준흠 : 콘셉트 앨범이라고, 앨범 전체를 관통하는 주제를 하나 정하고 노래들을 만드는 분들도 있잖아요.

안치환 : 난 그런 콘셉트 앨범을 만든 적은 없어요. 콘셉트 앨범 이라는 건 주제가 있잖아요. 예를 들어, 사람이라고 하면 그 사람에 대한 어떤 이런저런 얘기를 쭉 해서, 그렇게 만들 수 있잖아요. 난 그런 식으로 노래를 만든 건 아니죠. 그런 쪽으로 생각한다면, 가장 가까운 건 8집이겠죠. 8집은 어떤 시대상이나 인간의 내면을 좀 더 강하게, 그냥 날로 한번 해보고 싶었어요. 그리고 그때 처음 내 녹음실을 만들어서 처음 작업하는 거라 너무 열정이 넘쳤고.

박준흠 : 정희성 시인의 시로 만든 〈세상이 달라졌다〉는 "세상이 달라졌으니 그렇게 살지 마" 이런 얘기에 대한 어떤 반감 같은 게 있었던가요?

안치환 : 그게 아니고, 거기 가사가 그런 거잖아요. "항상 투쟁鬪爭은 우리가 했고, 저항抵抗은 우리가 했고." 그런데 갑자기 노무현이 정권을 잡고 나니까 이 온갖 수구 세력들이 '저항'을 시작하는데, 이 꼬락서니들을 보니까 이거 진짜 과거는 청산되지 않았구나. 과거 청산이 없는 세상에서 미래는 희망이 없다. 그런데 이것들이 저항하네? 그러던 중 그 시가 딱 보이는 거예요. 정희성 선생의 시가.

저항은 영원히 우리들의 몫인 줄 알았는데, 이제는 다 가진 것들이 저항하고 있네. 아까 표현했듯이 뼈다귀 하나 물고 저기 가서 늘어져 있는 한낮의 개처럼 사는 사람들이, 진보 진영도 그렇고. 저항은 어떤 이들에겐 배부른 밥이 되고. 우리 같은 얼간이들은 그러한 저항마다 빼앗겼어, 얼마나 멋진 얘기예요. 딱 그게 그때 세상이잖아요.

세상은 확실히 달라졌어요. 이제는 벗들도 말수가 적어지고, 그렇잖아요. 개들이 뼈다귀를 물고 나무 그늘로 사라진 뜨거운 여름날에 한때처럼. 권력은 그들의 밥이 되고, 한낮 보통 사람들은 그걸 바라보고 있는 세상이고. 어떤 권력이 바뀌었다고 해서 세상이 바뀐 게 아니잖아요. 정희성 선생님 시가 그걸 얘기하고 있는데, 내가 그걸 좀 록적으로 표현해보고 싶었고. 그 시대가, 노무현 시대가 그랬던 것 같아요.

더불어민주당 문재인 시대는 더 어정쩡한, 그냥 아무것도 안 하는, 그 연예인 놀이만 하는 대통령 같은 느낌이 드는 거예요. 시대는 엄청난 걸 요구하고 있는데 그 시대가 만들어 놓은 대통령은, 권력자는 아무것도 안 하고 연예인 짓거리만 하고 있어요. 그게 문재인 시대였던 거죠. 그래서 결국 이런 집단이 다시 권력을 잡는 거예요. 그래서 권력자가 어떤 사람이냐가 그렇게 중요한 거죠. 노무현은 그냥 해보려고 발버둥 치다가 죽었지만… 나는 문재인 시대가 더 심각하고 형편없다고 생각해요. 권력자는 착한 사람은 필요 없어요. 착한 대통령? 개나 물고가라 해. 그런 거 필요 없어. 권력자는 국민이 바라는 걸 목숨을 걸고 해야 하는 것이 권력자죠.

5) 안치환 10집.
오늘의 삶, 노동자, 트로트, 사랑 노래

박준흠 : 2010년에 10집 [오늘이 좋다]가 2장짜리 음반으로 나옵니다.

안치환 : 노동자에 대해… 좋은 노래가 많아요. 2장짜리라는 건 디스크1은 그래도 약간 '저항가요'의 DNA가 있는 노래들, 디스크2는 조금 '개인적이고 서정적인', 어떤 사랑 이야기라든지 그런 편한 이야기들… 그런 식으로 나눈 거예요. 노래가 굉장히 많네요. 나는 지금까지 노래가 부족했던 적은 없었어요. 항상 노래가 넘쳤는데 이건 퀄리티를 반영하는 건 아니고. 노래가 부족하지 않아서 음반을 낼 때 어떤 곡을 빼야 하는지 고민하는 상황이 참 다행이라고 생각하고, 감사해요. 그렇게 되니까 9집 이후에 9.5집 내고, 거기 9.5집에도 새로운 노래가 있었는데, 10집을 두 장짜리 앨범으로 내고.

박준흠 : 〈오늘이 좋다〉가 앨범 제목이면서 타이틀 곡인데.

안치환 : 타이틀이라고 하기엔 좀… 하여튼 대중적으로 알리는데 제일 편한 노래, 그런 거죠.

박준흠 : 그때 '오늘이 좋다'로 앨범 타이틀을 붙인 이유가 있나요?

안치환 : 내가 대학을 1988년에 졸업했는데, 2008년인가 그때 대학 동창회에 갔어요. 졸업 20주년 됐다고 동창들 한번 만나자 그래서 어쩌다 동창들 만나서 신촌에서 밤새워서 술 먹고 집에 들어와서 자고, 그 며칠 있다가 만든 노래죠. 동창회라는 게 난 너무 싫어요. 그걸 또 좋아하는 사람들이 있죠. 과거의 기억 속에서 이렇게 노니는 거. 그런데 나는 그런 걸 별로 좋아하지 않아요. 어쨌든 그날 가서 동창들 보고 놀다 왔는데, 그때쯤 되니까 그런 생각이 드는 거예요. 그러니까 우리가 이렇게 살아있고, 네가 지금 뭘 하든 서로 건강하게 살고, 이렇게 만나서 싸우지 않고 서로를 응원해주고 격려해 줄 수 있는 우리가 좋다, 그런 마음. 〈오늘이 좋다〉 가사가 다 그런 거거든요.

박준흠 : 그때 동창회에 가 보니까 시집 안 간 친구도 있고, 외기러기 친구도 있고 그랬나 봐요.

안치환 : 네. 아직도 결혼 안 하고 있는 여자 친구가 두 명이 있고, 그리고

누군 죽었고, 누군 이민 가고, 뭐 이런 사람들 많잖아요. 그래서 남은 인생 우리가 앞으로 몇 번이나 보겠냐? 앞으로 한 번도 못 보는 사람들도 있을 거고, 가끔 어떻게 또 한두 번 볼 수 있겠지. 그땐 우리가 60대일 거고, 또 70대일 수 있고, 그게 인생인 거야. 생각해보면 굉장히 무섭잖아요. 앞으로 내가 몇 년 더 살지 모르는데 60대고 70대면 인생은 이제 거의 뒤로 넘어가고 황혼기로 가는 건데, 그런 생각들을 하면서 그냥 이렇게 만나는 게 너무 좋다. 서로의 남은 인생을 축복해주자, 응원해주자, 이런 얘기들이에요. 얼마나 좋아요. 그러니까 나는 이런 가사를 내가 썼다는 것이 좋은 거예요. 뭐냐 하면, 젊은 시절에는 이런 걸 쓰지 않았겠죠. 쓸 수 없었겠죠. 왜? 앞만 보고 엄청 바쁘게 살고 하니까. 그런 나이에 쓸 수 있는 가사는 아니라고 생각해요. 어느 정도 삶을 관조할 수 있는 나이가 됐다는 거죠. 그리고 이 곡을 부르면 사람들이 좋아하더라고요. 처음 듣는 사람도 되게 좋아하니까, 내가 항상 무대나 행사장 같은 곳에서 첫 곡으로 불러요.

박준흠 : 이 음반에는 〈내 이름은 비정규직〉,〈내 친구 그의 이름은〉,〈나는 노래하는 노동자다〉처럼 노동자를 직접 거론하는 노래들이 있습니다.

안치환 : 이 자본주의 세상에서 나는 노동자의 편이고 싶어요. 노동자 화물연대가 지금 파업하잖아요. 그런데 계속 수구 언론에서 하는 얘기들

이 진짜 비겁하고 더러운 얘기인데, 돈 많이 버는 사람들이 왜 파업하느냐 이런 식으로 얘기를 하고 있죠. 물류 애들이 돈을 얼마나 버는데 어쩌고… 뭐 이런 기사들 있잖아요. 개 쓰레기들.

박준흠 : 어제 뉴스 보니까, 무슨 A라는 중소기업이 수출하는 기업인데 화물연대 파업 때문에 지금 외국 바이어들한테 큰 실수하게 생겼다, 이런 뉴스들.

안치환 : 나쁜 놈들. 그런데 노동자만큼 순진한 사람이 어딨어요? 노동자가 자본가만큼 악랄한가? 노동자들이 왜 그러는지를 그것도 그 수많은 사람이 왜 거리로 나와서 그런지를 진정 열린 마음으로 같이 대화를 해보라고요. 그러면 그들이 그렇게 하겠냐고요.

그러니까 내가 〈패배주의자〉라는 노래 들려줬었죠? "오늘도 또 노동자가 죽었다네." 기억하나요? 그것도 노동자가 맨날 죽는데, 사회적으로 관심이 없어요. 그냥 단편 뉴스거리예요. 왜? 내 일이 아니라서. 그러니까 지금도 노동자들이 죽어가죠. 우리나라가 그렇게 이상한 나라예요. 그러니까 그때도 김주익이라고 하는 한진중공업의 노조위원장이 고공 농성에서 목매달아 죽었잖아요. 그거 보고 너무 속이 상해서, 가슴 아파서 만든 노래가 〈내 친구 그의 이름은〉이에요.

그다음에 자본과 노동이라는 주제에 대해 아주 많은 생각을 했던 때가 있어요. 그래서 〈나는 노래하는 노동자다〉라는 제목이 내가 만들었지만, 욕 많이 먹겠다. 왜? 너 같이 돈 많이 버는 뮤지션이 무슨 노동자야? 그렇게 얘기할 수 있어요. 그런데 나는 나의 노동력을 팔고 사는 사람이에요. 나의 존재에 대한 명확한 인식 없이 어떤 허위의식으로 세상을 살 것인가라는 거예요. 맨날 홍세화 씨가 얘기하는 게, 의식이 존재를 배반한다고 그랬잖아요. 난 수없이 그걸 느껴요.

근로자라는 말 있죠? 노동자란 말을 숨기고 가리기 위해서, 노동자의 정체성을 흐리기 위해서, 노동자의 투쟁 의식을 가리기 위해서 그렇게 만들어진 용어라고 나는 생각해요. 노동자는 노동자죠. 자본가는 자본가이고. 노동과 자본입니다. 그 사이에 아무것도 없어요. 그런데 다들 자기는 노동자가 아니래요. 노동자면 창피한 거죠. 내가 노동자밖에 안 돼? 내가 저기 저 블루칼러 노동자야? 그러면서 자기 부정을 해요. 화이트칼러도 노동자고 블루칼러도 노동자고, 그런 존재에 대한 자긍심도 없거니와 노동자라면 괜히 창피해하고 애써 나는 회사원이야, 그러는 거죠. 내가 여성 노동자들 축제에 가서 여성 노동자 여러분, 딱 했더니 분위기가 싸한 거예요. 자기들은 노동자가 아니라는 거죠. 자기들은 회사원이라는 거죠.

박준흠 : 〈내 이름은 비정규직〉은
트로트로 만든 노래고, 이게 저번
에 얘기했던 '노동자의 음악적인
정서' 쪽에 가까워서 트로트로 했
다고 얘기했는데.

안치환 : 그냥 그런 이야기를 좀
비아냥거리듯이 만들어보고 싶었어요. 그러니까 비꼬는 건 아니지만 그
렇다고 투쟁가요로 만들 필요는 없잖아요. 그런 멜로디가 싫어서 그냥
다르게 만들고 싶었어요. 다른 노래는 좀 록적이고 포크적이고 그렇지
만 그 노래는 또 다른 풍으로 만들고 싶어서 그렇게 만들었어요.

박준흠 : 그런데 트로트로 만들기 쉽지는 않죠?

안치환 : 원래 조용히 부르면 되게 우울해요. 기타 트로트 리듬을 그렇게
써서 그렇지 느리게 부르면 되게 우울해요. 그런데 편곡을 그냥 그렇게
한 거죠. 쿵짝 쿵짝-

박준흠 : 트로트는 흔히 말해서 노래 부르면서 '잘 꺾는' 기교가 필요하다
고 하는데.

안치환: 꼭 그렇게 할 필요가 있을까요. 꺾으려면 얼마든지 꺾고 다 하겠죠. 그런데 그렇게까지 지저분하게 할 이유는 없고, 그냥 뭐라 할까… 아주 우울하고 슬픈 이야기를 슬프고 우울하게 부르고 싶지 않다는 느낌 있잖아요. 그냥 좀 트롯풍에 쿵짝 리듬에 실어서 불러버리는 그런 정도였어요.

박준흠: 〈사랑하기나 했던 걸까〉, 〈아무 의미가 없어〉는 대상에 대한 어떤 실망 때문에 만든 노래들인가요?

안치환: 그거는 그냥 상상한 거예요. 사랑 노래죠. 예를 들어 '원스(Once)'라는 영화, 길거리에서 버스킹 하는. 주인공이 노래 부르는 것 중에 혼자서 막 절규하면서 부르는 노래가 있어요. 멋지게 부르죠. 저런 노래도 만들고 싶다. 약간 그런 거 생각하면서 만든 거예요. 헤어졌는데 정말 그런 거 있잖아. 날 사랑하긴 한 거야, 이런 느낌 갖고 만들어 본 거고.

박준흠: 그거 김창기 씨 창작 방법인데.

안치환: 창기 형은 직접 채인 상태에서 만들었기 때문에 히트곡이 나오는 거고, 나는 채이지도 않았는데 상상해서 만들어서 히트곡이 안 되나 보다. (웃음) 하여튼 그다음에, 외국의 얼터너티브 록을 들으면 그 코드

진행이 멋진 것들이 있어요. 그냥 다 마이너인데 나도 그런 진행을 해보고 싶었고, 그런 느낌의 노래를 만들고 싶어서 그런 시도를 하다 만든 게 〈아무 의미가 없어〉 같은 곡이에요. 노래가 좀 다르죠. 그러니까 "떠오르는 태양, 빛나던 별빛도 아무 의미 없어-" 이런 부분들이 뭘 해보고 싶은 어떤 상상, 그런 걸 통해서 만들어진 노래들이에요. 그리고 약간 음악적인 욕심? 이런 코드와 이런 멜로디, 이런 편곡을 좀 해보고 싶다, 이런 거 있잖아요.

6) '노래의 힘'을 여전히 믿는다

박준흠 : 〈오늘이 좋다〉 관련 훈훈한 얘기가 있다고 하는데.

안치환 : 언젠가 그런 얘기를 뉴스에서 봤어요. 어떤 남자가 자살하려고 마음을 먹고 마지막으로 방송에 신청곡을 보낸 거예요. 그런데 약간 자살을 암시하는 신청곡이었던 게, 비지스의 〈Holiday〉인 거예요. 그래서 이 프로그램 PD가 뭔가 이상해서 119에다 신고를 해서 그 사람이 쓰러져 있는 걸 살렸어요. 나중에 시간이 지나서 다시 그 사람과 인터뷰를 하는데, 자기 사정을 얘기하고 고맙다고, 열심히 잘 살아야겠다고 그러면서 마지막에 신청곡으로 〈오늘이 좋다〉를 얘기했다는 거예요. 그 얘기가 방송에 나와서 누가 나한테 보내줘서 봤더니 기분이 너무 좋더라고요. 노래를 만든 사람이 그런 얘기를 들을 때 너무 행복한 거예요. 고마운 거예요. 어떤 사람이 내 노래 〈빨갱이〉 듣고 음반 아홉 장을 버렸다는 것도 고맙고, 어떤 여자가 〈오늘도 미국 대사관 앞엔〉 내 노래 듣고 실망했다는 것도 또 고맙고. 그게 노래의 힘이거든요. 그러려고 난 노래한다고 생각하는데, 더군다나 누군가 죽다 살아난 사람이 자기 삶의 의지를 다시 불태우면서 듣고 싶은 노래가 〈오늘이 좋다〉라고 하면 너무나 감사한 일이죠.

2010
나로부터 자유로운

박준흠 : 그 곡은 안치환 팬이 아
니면 모를 노래인데 팬이었나 보
네요.

안치환 : 그렇지 않아요. 이 노래
는 꽤 많이 알아요. 내가 많이 부
르고 다녔잖아요. 나는 새로운 앨
범이 나와서 그중의 한 곡을 알려야 되겠다 싶으면, 행사에서 꼭 그 노래를
불러요. 〈인생은 나에게 술 한 잔 사주지 않았다〉 이 노래도 내가 그렇게
알렸어요. 물론 방송에 나와서 하는 것처럼 알릴 수는 없지만, 사람들이 은
연중에 많이 알게 되고 좋아하게 되는 노래들이에요. 나에게는 그런 식의
방법밖에 없어요. 노래 자체가 갖는 힘, 그게 내가 생각하는 힘입니다.

박준흠 : 그 '노래의 힘'을 믿는 뮤지션으로서 그런 일을 겪으면 굉장히 기
분이 좋다, 라는 말씀이시네요.

안치환 : 좋을 뿐만 아니라 감사합니다. 특히나 이게 무슨 남녀의 찌질
한, 헤어지고 어쩌고가 아닌 삶과 죽음의 문제고. 그리고 내가 중요하게
생각하는 게 이런 거예요. 우리가 아메바가 아닌 이상 이렇게 복잡다단
한 스펙트럼을 갖고 사는 사람이 맨날 노래하는 건 왜 남녀의 연애 감정

에 국한된 가사밖에 없느냐? 우리는 그런 노래가 아니라 삶의 다양한 이야기를 노래해야 한다는 것이 노래운동의 모티브 중의 하나일 거라고. 세상을 바꾸고 인간해방을 꿈꾸고 통일을 꿈꾸고 이런 건 구체적인 거지만, 더 에둘러 얘기한다면 이런 것일 거라고요.

인간이 인간임을 생각하게 하는 그 모든 이야기를 노래하자. 누구 하나가 다 할 수는 없는 거지만 할 수 있는 건 하자. 그래서 주제와 소재들이 다른 거죠. 남녀 얘기도 있지만 8집 같은 데 보면 〈America〉 뭐 다 있잖아요. 하고 싶은 것도 있고, 해야 하는 것도 있고… 그렇게 마음을 먹는 것이죠.

박준흠 : 머릿속으로는 '노래의 힘'을 생각하지만 실제로 본인이 만든 노래로 그런 경험을 하지 못하면 사실 흔들릴 거로 생각하거든요.

안치환 : 그럼요. 그러니까 나는 그러한 경험들이 꽤 있는 사람이거든요. 〈솔아 솔아 푸르른 솔아〉도 그렇지만 〈철의 노동자〉 같은 것도 방송을 탄 노래가 아니잖아요. 영화 주제곡으로 나오긴 했는데 그 노래가 9시 뉴스에서 자주 들렸어요. 파업할 때 계속 불렀던 거예요. 저작권료는 안 들어와요. 돈을 안 내지만 그 노래를 노동자들이 파업할 때마다 집회할 때마다 부른다는 게 나로서는 얼마나 고마운 일이에요. 그렇잖아요. 그

게 '노래의 힘'이라고 생각하거든요. 그런 부분에 대한 경험과 약간의 환상이 있기에 버틸 수 있지만, 또 힘들 수도 있어요. 어쨌든 나는 내가 생각하는 대로 활동하다가 갈 거니까.

박준흠 : 사실 기획자한테도 그런 딜레마가 있어요. 그러니까 보통 '기획의 진정성', '기획자의 진심' 이런 얘기를 하잖아요. 머릿속으로는 그런 게 있는데, 그게 실제로 많은 사람한테 인정받는 걸 확인하지 못하면 굉장히 힘들거든요. 여러 이유에서 그렇게 계속하기가 힘들어져요.

안치환 : 성공을 해야 해요. 기획자는 혼자서 하는 게 아니잖아요. 많은 스태프와 뭐가 있잖아요. 그런데 뮤지션은 혼자서 할 수 있는 게 있어요. 물론 연주자가 있긴 하지만.

박준흠 : 혹시 아주 짧은 시간에 필요해서 노래를 만드신 적도 있나요? 김창기 씨는 동물원 1집을 다 녹음하고 나서, 뜰 노래가 없다고 해서 급하게 만든 게 〈거리에서〉라고 하던데. 들국화 1집에 있는 〈행진〉도 전인권 씨가 그런 요구로 만든 노래이고.

안치환 : 나는 그런 식으로 만든 거는 별로 없어요. 10집에 〈대지의 노래〉가 있어요. 어느 가극에 쓰려고 하는데 다른 건 다 다른 사람이 만들었는데, 시인이 나와서 하는 그런 장면에 쓸 노래가 필요하다는 거예요. 대서사시를 보내주더라고요. 신동호 시인의 시를 보고 노래를 만들었어요. 그 노래를 듣고 "역시 예술가는 다르네…!" 그러더라고요. 그게 뭐냐하면, 나는 그 시를 쭉 봤고 그 이미지를 가져오는 거예요. 그 시가 그래도 가극에서 어떻게 쓰일 거라는 걸 알고, 그 노래를 부를 가수가 아는 형이었는데, 그 형이 이 노래를 부른다면 이렇게 써봐야겠다고 생각했죠. 그리고 3절 가사와 나레이션 이런 걸 다 내가 해서 보냈어요. 급하게 만든 건 〈잠들지 않는 남도〉도 그런 곡이죠. 또 〈사람이 꽃보다 아름다워〉도 꽃다지에서 음반에 들어갈 노래 좀 만들어 달라고 해서 만든 거고.

박준흠 : 꽃다지가 발표한 뒤 1년 뒤에 안치환 5집에 넣은 거잖아요.

안치환 : 그들이 불렀는데 히트를 못 치니까 내가 부른 거죠.

박준흠 : 작곡하는 데 시간이 약간 오래 걸리는 타입인가 보네요.

안치환 : 노래 하나를 처음 만들기 시작하면, 한 시간 안에 대충의 얼개가 나와요. 내가 오래 걸리는 건 디테일한 거예요. 가사의 어느 한 부분, 가

사의 어느 한 조사, 어느 멜로디에 이 가사가 안 어울려… 이게 무슨 가사가 어울릴까? 그냥 일상생활을 하면서 계속 생각하고, 왜 계속 떠나지 않는 생각들 있잖아요. 내가 밥을 먹고 TV를 보고 노래를 어디서 뭘 하건, 그런데 항상 생각은 거기 가 있는 거죠. 완성될 때까지. 완성되면 그걸 혼자서 데모를 만들어보고 혼자 듣고 다녀요. 나만 듣는 내 노래. 그때가 가장 행복한 시간이에요. 다른 사람들 아무도 몰라요. 내가 딱 만들어서 그래서 밴드랑 붙어서 노래 녹음하기 전까지, 내가 녹음해서 듣는 내 노래. 가장 행복한 시간들…

박준흠 : 노래 녹음하기까지 그런 과정을 거친다는 얘기죠?

안치환 : 그럼요. 굉장히 여러 가지 과정이 있어요. 그냥 공장처럼 뚝딱 만드는 게 아니에요. 특히 나는 악보를 쓰지 않기 때문에 모든 걸 기억으로 해요. 몸의 기억으로… 그래서 계속 반복이 되는 거죠. 그냥 몸에 새겨지는 거예요. 그러니까 밴드도 악보 없고 그냥 코드랑 가사만 주고, 내가 부르고 여기서 이렇게, 이렇게 되는 거예요. 어떻게 그 많은 가사를 다 외우냐고 물어보는데, 반복되는 시간을 따져보면 당연히 그럴 수밖에 없다고 생각해요. 노래를 만들 때 계속 반복되는 과정이, 노트에 계속 다시 써보고 마지막 몇 페이지에 가서 다 만들었을 때, 이제 바뀌지 않는다… 정도 됐을 때 다시 가사와 코드를 딱 써놓는 그 시간. 몇 년 몇 월 며칠, 딱

적어놓을 때 그 과정까지 계속 반복이죠. 그러니까 생각이 계속 반복되는 그 과정 중에서 자연히 외워지고 몸에 박히는 거예요. 그러니까 그 가사가 그냥 외워지는 거죠.

박준흠 : 항상 노트에 정리하세요? 그 노트에 옛날부터 기록이 다 있으세요?

안치환 : 다 있어요.

박준흠 : 노트가 상당히 많겠네요.

안치환 : 상당히 많을까요? 그냥 몇 권 되겠죠. 요새는 핸드폰 메모장에다가 가사를 써놓고 노래를 계속 만드니까. 가사 조금 바뀌면 또 바꾸고, 여기서 끝내는 일도 있어요.

박준흠 : 그런데 핸드폰에다가 디지털 글씨 쓰는 거 하고, 노트에다가 손글씨 쓰는 거는 느낌이 다르지 않나요?

안치환 : 다르죠. 그러니까 그런 때는 집에서 작업하지 않을 경우고, 보통은 그 노트에다 쓰면서 하죠.

7) 자본가들의 이너서클 내에서 만들어지는
음악과 유통

박준흠 : 전통적으로 뛰어나다고 얘기되는 음악창작자들은 가사 잘 쓰고, 멜로디 잘 붙이고, 이런 거잖아요. 그런데 한국 대중음악에서 젊은 뮤지션 쪽에서는 어떤 경향도 있냐면, 그냥 스타일리쉬하게 편곡한 연주를 선호하기도 합니다. 그러니까 연주만 들었을 때는 나쁘지 않은데, 기억에 남지 않는….

안치환 : 음악이 가사는 안 들리는.

박준흠 : 가사가 아예 없거나 영어 가사이거나 아니면 연주 중심으로 가거나. 이런 쪽에 감각이 뛰어난 아티스트들은 꽤 있어요. 대부분 대학 실용음악과 출신들인 것 같은데. 한마디로 기존 창작과 연습실 잼세션의 중간 정도인 노래들이 많죠. 그런데 창의적으로 그 분야를 잘하는 사람이면 인정을 해주겠는데, 그 수가 너무 적어요. 제가 뭐 때문에 이 얘기를 하냐면 최근의 음악적인 경향을 파악하기 위해서 음악을 많이 들으신다고 했잖아요. 그런데 지금 한국에서 젊은 뮤지션들의 음악 경향이 너무 많이 변했기 때문에 예전 기준으로 음악 들으면 제대로 파악이 안 될 것 같아서요.

안치환 : 스포티파이 보면 뭐 힙합, 요즘 히트하는 노래들, 그런 노래들 들어보면 사실 많이 변했어요. 우리가 전형적으로 알고 있는 음악들이 아니라 좀 적응하기 어려운 것도 있고 한데 그럼에도 불구하고 그런 걸 듣는다는 거죠.

박준흠 : 요새 아이돌 음악 작곡의 경우, 송 캠프 같은 거 열어서도 많이 하잖아요. 송 캠프가 뭐냐면요, 노래들을 만들기 위해서 여러 작곡가, 작사가들을 한자리에 모아놓은 다음에, 이들이 참여해서 만들어낸 것 중에서 부분별로 좋은 소절 따와서 하나로 합체해서 노래 만들기도 하죠. 그리고 샘플링으로 노래 만드는 일도 있고. AI가 노래 만드는 것과 비슷한 것 같아요.

안치환 : 요새 AI가 작곡해서 발표한 노래가 있나요?

박준흠 : 있을 겁니다. 그런데 아마 저작권 문제가 있을 것 같은데.

안치환 : AI가 하면, 분명히 AI한테 시킬 거고. 거기는 공장이잖아요. 난 이해해요. 그것이 자본주의 음악이고. 그러니까 한 뮤지션으로서는 그런 모습들이 얼토당토않은 일이고, 참 한심한 일이고, 어떤 면에서 또 부러울 수도 있고. 그렇지만 그래서 정말 아름답고 좋은 노래가 나온다면 반대할 이

유는 없죠. 그런데 한순간에 탁 띄우고 정말 불후의 명곡이 나온다면 괜찮은데, 그냥 한철 껌처럼 씹고 뱉어버릴 노래를 만든다면 좀 유감이죠. 그야말로 음악산업이잖아요. 음악산업이니까 그렇게 하는 것도 그들로서는 어쩔 수 없죠. 그런 식으로 해서 돈을 벌어야 하고, 아이돌 키워야 하고, 월급 줘야 하고… 그게 먹히는 세상이면 그렇게 또 작업을 하는 거고.

그런데 나 같은 뮤지션이 바라보고, 내가 노래를 만드는 과정을 생각하면 참으로… 진부한 비유지만 명품 수제품과 공산품과의 차이. 이 얘기하긴 좀 그런데. 과정은 그런데, 결과가 꼭 그렇지는 않다는 거. 그러니까 음악이라는 게 참 웃겨서, 과정은 수제인데 그렇다고 수제품으로 만든 것이 명품 대접을 받는 건 아니잖아요. 공장에서 대충 그런 식으로 만든 노래가 오히려 더 비싸게 팔리는 세상이잖아요. 그러니까 노래를 이렇게 만들 건 저렇게 만들건, 이 노래가 어떻게 팔리는가는 또 다른 문제인 거예요. 그건 그들이 가지고 있는 판매 루트나 영업 기술, 이런 것과 관련이 있는 거잖아요. 대개 뮤지션은 게임이 안 되는 거죠.

박준흠 : 영화 쪽에서 마틴 스콜세지(Martin Scorsese) 같은 감독은 "마블 영화는 시네마가 아니다"라고 일침을 가한 적이 있죠. 그 얘기가 옳고 그르고를 떠나서, 영화예술을 사랑하는 감독으로서 충분히 할 수 있는 얘기라고 생각합니다. 한국 대중음악계에서 K-POP 아이돌은 지금 경제 논리로 얘기되고 있고, MZ 세대가 좋아하는 음악으로 알고 있어서 음악예술 관점에서 얘기하면 '꼰대' 소리 듣기 십상이죠.

　전 청소년이면 무조건 아이돌 음악을 좋아한다고 생각하는 것 자체가 관습적인 생각이라고 여깁니다. 제가 고등학생 때인 1980년대를 생각하면 아이들 내에서도 다양한 취향들이 있었는데. 어떻게 보면 이 모두가 자본이 있는 자들끼리 만든 구도이고, 자본가들의 이너서클 내에서 만들어진 대표적인 문화상품 중의 하나가 아이돌 음악 같은데. 그래서 한국에 이를 정밀하게 얘기할 음악 미디어가 없다는 점도 안타깝고요. 그들이 돈을 버는 것까지는 좋은데, 음악 예술과 음악의 역사에 대한 존중심은 있었으면 하네요.

안치환 : 이해해요.

09

안치환 11–13집,
50대 그리고 노래인생 2막

"〈사랑이 떠나버려 나는 울고 있어〉는 내가 가수로서의 대중성이라든지 이런 부분들을 생각하면서 만든 노래예요. 내가 가진 대중적 파급력과 이런 것들이 도대체 뭔가. 나는 열심히 그대로 하고 있는데, 세상이 이렇고 저렇고 모든 것이 변해 떠나버려. 그냥 그런 부분들이 안타까운 느낌에 만든 노래죠.

그걸 사랑에 빗대서 표현한 노래고. 제목을 '추락'으로 하려고 했어요. 내가 꼭 날개 없이 추락하는 것 같아서 그러려고 했다가 제목을 바꿨는데, 차라리 '추락'이라고 했으면 어떨까 싶기도 한데. 내가 한 뮤지션으로서 좀 좌절하는 그런 상황을 빗대어서 한 표현이고."

1) '장루腸瘻'라고,
내가 그거 차고 공연하고 그랬어요

박준흠 : 2014년에 직장암에 걸렸는데, 왜 갑자기 몸이 안 좋아졌던 거예요?

안치환 : 여행을 갔다 왔는데 증상들이 뭐가 안 좋은 게 있었어요. 그래서 여러 가지 검진을 받아봤는데 암이었어요.

박준흠 : 암이 꽤 진전됐던 거로 들었는데.

안치환 : 2기에서 3기 사이.

박준흠 : 2015년에 11집을 발표했으니, 1년 만에 몸이 나으신 거네요.

안치환 : 치료를 1년 정도 받았어요. 암 치료라는 게 다 매뉴얼이 있어요. 그래서 치료 시작하면 항암 치료를 열두 번 하는데, 여섯 번을 하고 그사이에 좀 살려서 수술하고, 좀 더 나으면 그때 다시 항암 여섯 번 하고. 그 기간이 한 10개월에서 12개월 걸려요.

박준흠 : 통원 치료받는 식이었나요?

안치환 : 예. 그리고 알아서 살든지 죽든지 하고 살아 나면 일 년에 한 번씩 검사하면서 괜찮나 보고.

박준흠 : 지금은 완전히 다 나았죠?

안치환 : 8년 지나서 이제 9년째 가고 있어요. 5년 지나면 완치됐다고 했는데, 이제는 5년 지나도 완치됐다는 말을 안 해요. 왜냐면 완치됐다 그러면 또 신나서 술 먹고 뭐 하고 그럴까 봐, 재발할까 봐.

박준흠 : 대장암, 직장암 종류가 잘 안 낫는 암 종류라고 들었는데.

안치환 : 췌장암이겠죠. 췌장암이 제일 많이 죽어요. 이렇게 발전될 때까지 췌장암은 증상이 없어요. 너무 늦게 발견하는 거예요. 그래서 치료를 못해서 그냥… 김남주 선생님이 췌장암이었어요. 췌장암은 생존율이 10%가 안 될걸요? 대장암이나 이런 건 생존율이 거의 60-70%가 넘어요.

박준흠 : 당시 TV에서도 잠깐 봤었던 것 같은데, 그때는 진짜 심각한 환자 모습이었어요.

안치환 : 수술받고 나서 몸무게가 10kg가 넘게 빠졌어요. 그때 [Anthology : Complete Myself](2014년) 앨범을 그 치료 중에 수술받고 나서 발표했어요. 나도 참 웃긴 놈이지. 치료받을 때 '장루腸瘻'라고, 똥주머니 같은 걸 여기다 차야 해요. 그걸 맨날 갈아줘야 하고. 그런데 내가 그거 차고 공연하고 그랬어요. 그 앨범 발표해야 할 때도 그거 차고 있었어요. 그때 노래에 하도 힘쓰고 해서 장루 그 안에 내장이 밖으로 이렇게 나오고… 생각해 보면 되게 끔찍한 일이고 그런데, 나는 그런 과정 때문에 뭘 포기하고 했던 거 같진 않아요. 그냥 계속 밀고 나갔던 것 같아요. 물론 치료 열심히 잘 받고 했어요.

박준흠 : [Anthology : Complete Myself] 그게 이전에 계약이 돼서 나온 건가요?

안치환 : 그때 준비를 다 해놨었는데, 암에 걸린 거죠. 그런데 그사이에 그냥 발표하자. 미룰 이유도 없고, 다 준비된 거고 그래서 그때 냈어요. 그게 또 치료받으면서도 아무것도 안 하는 게 아니잖아요. 할 일은 해야 해요. 돈을 버는 일이 아니라 내가 작업해보고 발표하고 그랬던 건데….

박준흠 : 지금 나으셨으니까 하는 얘기인데, 혹시나 안 좋은 일이 발생할까 봐 낸 이유도 있나요?

안치환 : 뭐, 죽을 수도 있고 유작遺作이 될 수도 있겠지만 꼭 그래서 한 건 아니에요. 난 내가 죽는다는 생각을 별로 안 해봤어요. 가끔 내가 죽게 되면 어떻게 될까, 그런 생각을 해봤는데 그 과정이 굉장히 고통스러웠지만… 죽는다는 생각은 별로 안 했었어요.

2) 안치환 11집,
〈사랑이 떠나버려 나는 울고 있어〉

박준흠 : 2015년에 11집 [50]이 나옵니다. 11집은 암 치료를 받은 이후 나온 음반인데, 수록된 노래들을 얘기해 주세요.

안치환 : 〈사랑이 떠나버려 나는 울고 있어〉는 내가 가수로서의 대중성 이라든지 이런 부분들을 생각하면서 만든 노래예요. 내가 가진 대중적 파급력과 이런 것들이 도대체 뭔가. 나는 열심히 그대로 하고 있는데, 세 상이 이렇고 저렇고 모든 것이 변해서 떠나버려. 그냥 그런 부분들이 안 타까운 느낌에 만든 노래죠. 그걸 사랑에 빗대서 표현한 노래고. 제목을 '추락'으로 하려고 했어요. 내가 꼭 날개 없이 추락하는 것 같아서 그러려 고 했다가 제목을 바꿨는데, 차라리 '추락'이라고 했으면 어떨까 싶기도 한데. 내가 한 사람의 뮤지션으로서 좀 좌절하는 그런 상황을 빗대어서 한 표현이고. 나머지 노래들은 치료받으면서 느꼈던 자잘한 느낌들과 아내에 대한 고마움과⋯ 내가 사실은 어떻게 될지 모르는 그런 상황이 었잖아요. 그럼에도 불구하고 나는 내 길을 가겠다. 〈바람의 영혼〉 같은 거. 그렇게 버티고 그렇게 살아서 내가 '바람의 영혼'처럼 살다 가겠다, 그런 노래예요. 개인적으로 그 노래가 약간 구린 면도 없지 않아 있는데, 좋아해요.

박준흠 : 〈사랑이 떠나버려 나는 울고 있어〉, 〈바람의 영혼〉은 마음에 드는 노래입니다. 절박한 심정에서 만든 노래들이어서 더 와닿나, 그런 생각도 했고요.

안치환 : 그런 게 있어요. 육체적으로 굉장히 고통스러운 때였죠. 항암을 한다는 게 진짜 힘든 거거든요. 12번을 해요. 매번 할 때마다 굉장히 고통스럽고 힘들어하는 사람이 많은데 나는 그걸 그냥 묵묵히 했어요.

박준흠 : 머리카락도 빠지고 그랬죠?

안치환 : 처음에 머리카락이 한번 팍 빠지더라고요. 그런데 그다음부터는 또 괜찮았어요.

박준흠 : 다시 머리가 난 건가요? 그러고 보니까 머리숱이 아직도 많은 것 같아요.

안치환 : 다시 낫죠. 안에 흰머리 염색을 한 부분이 위로 올라오면 하얗고

약간 휑해 보이긴 하는데, 많은 편이죠. 물론 나이 들면서 머리카락이 가늘어지고 그런 것도 있잖아요.

박준흠 : 항암 치료 과정 좀 더 얘기해주세요.

안치환 : 항암 할 때, 그게 굉장히 고통스러워요. 먹는 것도 그렇고.

박준흠 : 음식이 잘 안 넘어가는 거죠.

안치환 : 안 넘어가는 것도 있지만 몸이 바뀌어요. 나는 몸이 건강하고 그래서 항암을 세게 하겠다고 그러더라고요. 내가 항암제를 2박 3일을 맞아요. 보통 사람들이 네 시간 맞고 가는데, 난 네 시간 맞고 요만한 폭탄, 수류탄이라는 걸 딱 차고 가요. 너무 강한 거라 조금씩, 조금씩 48시간 동안 맞는 거죠. 그거 다 맞으면 다시 병원에서 빼고, 또 며칠 있다 하고 일주일 회복하고 다시 또 그러니까. 할 때마다 며칠 죽고 또 살아 나서 열심히 먹고 또 며칠 죽고… 이런 게 반복되는 거죠. 딱 맞으면 여기가 빨개져요. 몸이 확 바뀌어 별의별 일도 다 일어나요. 응급실에 실려 가기도 하고, 로션을 발랐더니 갑자기 무슨 괴물처럼 얼굴이 변해요. 진짜 내 얼굴이 아니라 완전 만화처럼, 괴물처럼 변해서 깜짝 놀라고. 그런데 그게 한 반나절 지나면 다시 돌아오고. 결국엔 면역력이 약해져서 암도 걸리는

거거든요. 건강한 삶을 살지 못했던 거죠.

박준흠 : 술, 담배….

안치환 : 그렇죠. 그렇기도 하고 또 여러 가지가 다. 그런 과정들 다 겪고 죽다가 살아난 건데, 그러면서 사실 얼마나 많은 생각을 했겠어요. 말로 표현하지 않더라도, 내가 순간순간 얼마나 많은 생각을 했겠어요. 두려운 생각도 했을 거고, 이런저런 생각 했을 테죠.

박준흠 : 당시 몸이 힘들었을 텐데, 굳이 이때 11집 음반을 낸 이유가 있나요?

안치환 : 글쎄요, 나는 그냥 하고 싶어서… 노래도 있으니까. 그 과정에서 만들어진 노래들이 있고, 그걸 또 하나의 앨범으로 담아서 한 거죠.

박준흠 : 10집이 2010년에 나와서 너무 오랫동안 음반을 안 냈기에 낸이유도 있나요? 11집은 5년 만에 낸 음반이니.

안치환 : 그런 생각으로 했을 수도 있겠죠. 어떤 때는 솔직히 내가 너무쓸데없이 부지런한 거 같아요. 너무 부지런한 뮤지션인 것 같아요. 그러

니까 나로서는 다 가치 있고 소중한 노래인데, 너무 자주 부르다 보니까 어떨 때는 너무 막 만드는 것 같이 남들이 생각할까 봐 싫더라고요. 나도 남들처럼 앨범을 한 5, 6년 만에 한 번씩 내보고 해도 되는 거 아니야? 그런데 노래가 쌓이니까 빨리빨리 해치워야지, 또 노래 만들고 그럴 거 아니에요. 특히나 나는 내 녹음실이 있잖아요. 그러니 언제든 녹음할 수 있고, 녹음한다는 건 연주자들한테 내가 세션비, 연주비를 지급한다는 거고, 연주비를 지급한다는 건 그들에게는 생활에 도움이 되는 거죠. 여러 가지 면이 있어요.

박준흠 : 이지상 씨의 〈무지개〉하고 김현식 씨의 〈회상〉이라는 노래를 넣었잖아요. 노래가 부족했던 건가요?

안치환 : 그건 녹음해놓은 거였어요. 〈회상〉은 옛날에 어떤 분들이 와서 김현식 무슨 앨범을 만들자고 해서 녹음한 것이고. 그 노래를 불러 달라고 해서 그때 그 노래를 알았어요. 나중에 흐지부지되고, 그 노래는 내가 부른 음원을 갖고 있어서 넣은 거. 〈무지개〉도 이지상 노래를 여러 번 같이 불러보고 놀면서 녹음한 것이고.

박준흠 : 김현식을 좋아하나요?

안치환 : 나는 김현식 같은 풍의 노래를 되게 잘해요. 〈사랑했어요〉 그런 노래들을 잘 부르는 편이죠. 김현식은 내가 좋아하는 가수니까, 하자 그랬었어요.

박준흠 : 후반부에 있는 노래 3개, 〈길지 않으리〉, 〈레테의 강〉, 〈Shame on You〉는 특이한 노래입니다. 〈길지 않으리〉는 외국 시(Ernest Dowson의 시)를 갖다가 곡을 붙인 거고, 〈레테의 강〉은 연주곡이고. 그간 연주곡이 특별히 없었잖아요. 그리고 〈Shame on You〉는 가사가 "Shame on You"만 있는데.

안치환 : 〈길지 않으리〉는 영국의 염세주의 시인의 시인데, 그런데 그 시가 다가오더라고요. "술과 장미의 시절도 길지 않으리." 약간 염세주의, 그냥 놀다 갑시다. 그런 것일 수도 있지만, 당시 내 상황이 그 시를 깊게 받아들이는 상태였던 것 같아요. 내가 죽어 없어지면 다 끝이다. 그러니까 그런 이야기를 그냥 처량하게 한 거고.

〈레테의 강〉은 사실, '님아, 그 강을 건너지 마오'(2014년, 진모영 감독) 그 다큐가 너무나 좋았어요. 할머니 할아버지를 보고 있으면 재밌고 눈물도 나고. 그런데 그걸 어떻게 좀 표현하고 싶어서 노래를 만들다가 못 했어요. "님아- 건너지 마오-" 이런 멜로디를 만들었는데, 다른 걸 발전시키기가 어려운 거예요. 그래서 그 노래에 피아노 멜로디가 그 멜로디에요. 내가 이걸 신엽이한테 대충 알려주고 이걸 피아노로 만들어서 좀 쳐보라고 한 거죠. 사실 현재 가사는 없지만 쉬어가는 의미에서 신엽이에게도 그냥 네가 한번 만들어 봐라. 그런 거예요. 그냥 반은 신엽이가 친 거고, 반은 내가 주 멜로디를 주고 이런 거죠. 전반적으로 죽음, 이별에 관한 얘기네요.

〈Shame on You〉는 그 노래 만들 때, 참 웃긴 건데… 저항가요가 다 한국말이잖아요. 투쟁 어쩌고… 그런데 만약에 누구나 알 수 있는 저항가요가 있다면 그 가사가 어떤 걸까? "Shame on You" 같은 게 어떨까? 그러다가 만든 멜로디예요. 멜로디는 쉽게 다 풀렸는데 중간에 사실 "Shame on You-" 뒤에 "아베-" 하는 게 있는데, '아멘'인지 '아베'인지 헷갈릴 텐데 '아베'예요. 그때 아베가 한 짓거리가 극우들이 과거에 대한 반성도 없고, 전쟁할 수 있는 나라를 만들기 위해서 별짓을 다 하잖아요. 그래서 내가 그런 반대 집회 때 이런 노래를 한번 하면 어떨까 싶었는데, 그러면 한국말이 아니라 국제적인 용어로 전달할 수 있는 뭐가 있지 않을까 해서 그렇게 했죠. 그다음에 꼭 아베가 아니더라도 중간에 근혜일 수도 있고… 말하자면 약간은 좀 가볍지만, 재미있는 생각으로 만든 노래예요. 나름대로 국제적으로 통용될 수 있는.

박준흠 : 글로벌 저항가요네요.

안치환 : 그러니까 〈We shall overcome〉 그런 걸 들으면 우리가 알잖아요. 하여튼 부끄러운 줄 알아라, 아베. 이런 내용이었어요.

박준흠 : 아베 대신 트럼프가 들어갈 수도 있고, 이를 염두에 둔 거네요.

안치환 : 그런 거죠. 그런데 내가 생각을 해봤는데, 언어라는 게 원어민이 아닌 내가 영어를 갖고 얘기할 때 그게 꼭 맞는 게 아닐 수도 있어요.

내가 판소리 〈이무기〉를 할 때는 "바야흐로 옛날-" 그러면서 이런 추임 새도 있고 뭐 "좋다- 좋다- 얼씨구- 얼씨구- 잘한다- 아 잘한다-" 하잖아 요. 내가 일본에서 공연할 기회가 있어서 갔는데, 그걸 해달라는 거예요. 그런 소리를 하면서 공연하는 건 사람들에게 신선한 충격일 것 같다고. 그래서 내가 여기는 도쿄니까 새로운 추임새 하나 해보자 해서, 일본에 사는 재일 교포분께 일본말 "스고이-"(멋지다) 이런 건 어때요? 라고 물 어봤거든요. 그런데 일본에서는 그런 반응을 안 한다는 거예요. '스고이' 가 경치가 멋지고 할 때 쓰는 말이긴 하지만, 소리를 주고받을 때 그렇게 할 수 있는 말이 아니라는 거죠. 걔들은 무슨 전통의 어떤 거, "나까무라-" 뭐 이런 게 있다고. 그런데 그렇다고 내가 그거 할 수는 없잖아요. 그러니 까 나는 "스고이-"가 재밌을 거로 생각하는데, 원어민이 생각할 때는 그 게 아닌 게 있더라고요. 그래서 영어를 내가 그냥 쉽게 썼지만, 이 노래 〈Shame on You〉가 그렇게 전달될 수 있는 가사인지는 잘 모르겠다 이 거죠.

3) 미디어, 아직도 1980년대 민중가요 이야기를…

박준흠 : 2015년에 11집 나왔잖아요. 이제 투병 생활 막판에 나온 음반인 데다 5년 만에 나온 신보여서 인터뷰를 꽤 많이 했습니다. 그런데 2015년인데도 인터뷰하면서 안치환이 1980년대에 민중가요 노래패 노찾사에서 음악을 했다가 1990년대 들어와서 솔로로 활동하면서 '변절자' 얘기를 들었다는 둥… 이런 얘기들이 아직도 나옵니다.

안치환 : 인터뷰하려는 기자들이 공부하잖아요. 내 기사를 보겠죠. 안치환을 모르는데 기사는 써야 하고 안치환 음악을 다 들으려니 많고. 그러니까 기사를 대충 훑어보니 그런 게 있고. 그래서 그런 게 맨날 반복되는 인터뷰인 거죠. 반복되는 질문인 거죠. 그래서 내가 어떤 때는 화를 내요. 공부 좀 하고 와라… 그럴 때가 있어요. 기자의 수준이 심층적으로 어떤 뮤지션의 내면적인 이야기를 꺼낼 수 있는 수준이 아니었던 거죠. 그러니까 내가 그만큼 늙었다는 거죠. 너무 오래 살았어요.

옛날에는 〈솔아 솔아 푸르른 솔아〉(1990년 안치환 1집에서는 〈솔아! 푸르른 솔아〉로 제목이 바뀜) 부르던 안치환이 〈소금인형〉을 부르는 걸 변절變節이라고 얘기를 하는 거예요. 나는 그런 인간들에 대해서 참 측은하게 생각해요. 그러니까 〈솔아 솔아 푸르른 솔아〉의 안치환을 요구하는 건 이해해요. 그런데 늘 그 자리에만 있어야만 하고 그 노래만 불러야 한다? 이거는 인간에 대한 폭력이고 기만欺瞞이죠. 나를 아메바 취급하는 거죠. 나는 다세포 생물이라고요.

박준흠 : 1993년에 3집 나왔을 때 음악 같이 했던 동료들 말고 미디어 기자들도 비슷한 생각을 했을까요?

안치환 : 그런 질문을 할 수 있었겠죠. 〈솔아 솔아 푸르른 솔아〉에서 갑자기 노래들이 신선해졌잖아. 그때 난 신선해졌다고 생각해요. 민중가요라고 얘기하는 저항가요에서 완전히 변해버린 음악이잖아요. 〈귀뚜라미〉, 〈우리가 어느 별에서〉 뭐 이런 것들… 〈자유〉, 〈소금인형〉 이런 노래들이 기존의 노래들과 확 다르잖아요. 그래서 그걸 감당할 수 없었나 보죠.

박준흠 : 그런데 '음악을 덜 듣는' 기자들 말고 음악평론가들도 안치환을

평하는 걸 보면, 자기가 쓰고 싶은 텍스트에 안치환을 끼워서 맞춘다는 생각이 듭니다. 자기가 쓰고 싶은 텍스트가 이미 있고 거기에다가 안치환을 꿰맞춘다는 느낌이 드는 글도 있습니다. 결론적으로 다 안치환의 음악을 제대로 안 들은 거죠.

안치환 : 그러니까 내가 가끔 그런 얘기를 하죠. 〈내가 만일〉 듣고 나더러 변절했다 이렇게 얘기하잖아요? 그럼 나는 내 음반을 안 사는 사람이네, 그런 얘기를 했다니까요. 그 음반에 있는 노래가 뭔데요? 〈내가 만일〉 빼고도 〈너를 사랑한 이유〉부터 〈수풀을 헤치며〉, 〈당당하게〉, 〈고향집에서〉 그런 노래 듣고도 네 입에서 그런 얘기가 나오겠냐? 이런 생각이 든다니까요.

4) 안치환 12집, 내 나이에 내가 하는 음악이라는 것

박준흠 : 2018년에 현재로서는 마지막 앨범 12집 [53]이 나왔습니다. 그런데 본인 나이인 '53'을 붙인 것은 알겠는데, 이미 11집에서도 본인 나이 '50'을 붙였습니다. 이렇게 계속 나이를 앨범 타이틀로 붙이는 이유가 뭔가요?

안치환 : 이제는 그 앨범의 어떤 주제를, 그 앨범 타이틀을 정하는 게 좀 구차해지기도 하고. 귀찮아지기도 하고. 뭐냐면 11집에서 [50]이라고 했잖아요. 거기다 뭐 캔서(cancer)라고 할까? 암이라고 할까? 아니면 53이면 서바이벌(survival)이라고 할까? 뭐든 할 수는 있어요. 그런데 그런 거 안 하게 되면 그냥 나이를 얘기하는 것도 괜찮겠다 싶더라고요. 내가 53세가 된 거고, 다음에 낼 앨범은 58세일 거 같고… 이런 식으로 그냥 내 나이에 내가 하는 음악이라는 것. 이제는 그렇게 해도 되지 않는가 하는 생각이었어요. 이제 이 나이가 돼서 만들고 부르는 노래들이 이런 거라는 걸 일단 상징적으로 내 나이로서 해줘야 할 것 같고.

혹시 또 모르죠. 58세에 내가 음반 낼 때는 58하고 옆에다가 뭐라고 할지는 모르겠어요. '남겨진 것들', 뭐 이렇게 얘기할 수도 있고 아니면 노래 제목 중에 하난데 '난 언제나' 이런 게 될 수도 있어요. 아니면 '언제나 내마음속에'가 될 수도 있어요. 그런데 그때 나이를 좀 얘기하다 보니까 그나이에 맞는 상징이랄까, 나이가 모든 걸 상징할 수 있겠다는 생각이 든거죠. 이 나이에 내가 이런 노래를 만들고 이런 생각을 하고 그랬다는 거.

박준흠 : 12집을 내고 나서 그간 디지털 싱글 나온 게 열 곡이 넘는 것 같은데, 그렇게 내신 이유가 있으세요?

안치환 : 그걸 한번 해보고 싶었어요. 요즘 추세가 음원으로 낸다면 음원한 곡씩 내보고 그러려고 했죠. 그런데 그렇게 안 해도 되겠다 싶어요. 나같은 사람은 그냥 그런 노래들을 가지고 있다가 다 모아서 음반으로 내는 게 낫지. 음원으로 내는 건 활동에 별로 도움이 되는 거 같지도 않고, 내가 음원 안 낸다고 해서 노래를 안 만드는 것도 아니니까. 그런 활동을일 년 정도 해봤는데 별로… 또 시위라든지 이런 거에 자꾸 내가 민감하게 반응하고 그런 것보단 좀 삭혀서, 좀 시간을 두고 만들고 불러도 되겠다는 것도 있고. 내가 조금 전에 얘기했잖아요. 너무 직접적인 반응과 그런 것에 대해서 좀 한 걸음 물러설 필요가 있댔죠? 옆으로 벗어날 필요가있다. 활동가라면 그렇게 해야 하는데 아티스트가 갈 길은 좀 다르다. 그

런 생각을 했어요.

박준흠 : 12집에서는 〈길〉이라는 노래, 〈지나가네〉,〈불현듯 지는 꽃잎을 보며 떠오른 얼굴들〉, 〈4월 동백〉이 제 개인적으로 마음에 드는 곡들입니다. 12집에 수록된 노래들의 창작 배경을 소개해 주세요.

안치환 : 〈봄보로봄봄봄〉은 어느 날 봉주가 형 노래를 한번 쓰고 싶다고 그래서 봉주가 만들어서 보낸 노래예요. 역시나 봉주 노래가 좋아요. 그래서 편곡해서 불렀고. 〈풍림화산〉 같은 노래는 개인적으로 너무 좋아하는 노래에요. 정말로 내가 이렇게 살겠다는 거죠. 뭐 바람처럼 나 혼자 독립군처럼 살아왔지만, 이런 마음을 가지면서 세상을 싸우겠다, 이런 거고. 〈길〉도 마찬가지예요. 인생의 길, 오르막길과 내리막길이 다 있지만 내가 이렇게 살면 되지 뭐. 어느 날 정말 힘이 빠지고 그러면 내 길을

끝내면 되지. 뭐, 그런 인생에 대한 노래죠.

〈오, 마이 갓!〉 이런 풍의 노래들이 난 참 좋은데, 뭐랄까 그냥 왜 사람의 일상이라는 게 있잖아요. 어제도 오늘 같고, 오늘도 내일 같고 맨날 그렇게 사는 그런 것에 대해서 좀 구질구질하지만 표현한 거고. 〈난 여름이 좋아〉는 어느 날 내 나이에 좀 쑥스럽지만, 좀 밝고 경쾌한 노래를 만들고 불러보고 싶어서 만들었고. 〈막걸리〉는 함민복 형의 시를 갖고 만들었던 거고, 버전을 달리해서 한 거고. 〈빨간 스카프〉는 꿈에 들린 멜로디를 갖고 만든 노래라고 얘기했고요. 〈나를 잊지 말아요!〉도 그냥 내가 혼자 이렇게 기타 갖고 단순한 리프에 쭉 실어서 만든 노래였어요.

〈가을의 소원〉은 안도현 시인데, 시에다가 이런 멜로디 풍이 나는 좋았어요. 그래서 〈가을의 소원〉이 가진 가사와 멜로디가 잘 어우러진 것 같다는 생각을 했고. 〈지나가네〉도 〈길〉과 같은 노래예요. 그러니까 내 나이이기 때문에 만들 수 있는 노래예요. 삶을 되돌아보는 노래고. 너무 좋아하는 노래죠.

〈불현듯 지는 꽃잎을 보며 떠오른 얼굴들〉은 세월호를 중심으로 해서 진짜 어느 날 툭, 만들었고. 〈권력을 바라보는 두 가지 시선〉도 마찬가지예요. 그건 박근혜 정권 때, 권력이 어떤 인간한테 가면 이렇게 되는가. 어떤 야누스적인 권력의 속성이나 이런 것들을 이야기하고 싶었어요. 〈너와 내가 모이면〉은 촛불집회 이후에 내 느낌을 좀 밝게 표현해보고 싶었고.

〈빨갱이〉는 작년에 다시 버전을 좀 다르게 발표했죠. 12집 버전이 너무 마음에 안 들어서. 〈빨갱이〉는 내 인생의 노래 중에 가장 중요한 노래 중 한 곡이라고 생각해요. 〈개새끼들〉도 마찬가지지만 현대사를 관통해서 우리 남한 인간에 가장 많은 생활, 삶을 송두리째 흔들어 버릴 수 있는 단 하나의 말이 '빨갱이'라고 생각하거든요. 그 말에 집중한 거죠. 빨갱이란 말이 어떤 말인가를. 그리고 아직도 살아 있는, 시퍼렇게 살아 있는 말이고 아직도 우리 사회에 통용되고 있는 말이고. 그 종북좌파, 뭐 이렇게 얘기하길래, 이 작자들! 진짜 별 이상한 말 다 하네 라고 생각하면서 빨갱이란 말을 어떤 식으로 너희들이 써먹었는지를 이야기하고 싶었던 거죠. 난 이런 노래들이 중요하다고 생각했어요. 이런 노래들이 저항가요라고 생각하면 사실은 너무너무 중요한 노래라고 생각하고 있어요.

〈4월 동백〉은 〈잠들지 않는 남도〉 30주년에 만든 노래이고. 그런 것들이에요. 그 사이의 나의 음악적인 궤적이죠.

박준흠 : 12집을 냈을 당시에는 특별히 인터뷰한 게 없는 것 같은데요.

안치환 : 이제는 홍보를 별로 안 하는 거예요. 매니저가 홍보하거나 그러는데, 매니저가 없어서 그냥 음반을 내고 보도자료 한번 뿌리고 끝인 거죠.

박준흠 : 그러면 매니저를 언제부터 두지 않은 건가요?

안치환 : 11집 이후부터였나? 그랬던 것 같은데요. 그래서 12집은 언론 플레이를 별로 안 한 거고.

박준흠 : 그러면 앞으로 13집이 나와도 이런 방식으로 활동할 건가요? 외부 공연은 도와주는 회사가 있지만.

안치환 : 그래야 하지 않을까, 뭘 더 어떻게 해야 하죠? 음반 만들고 예전 식으로 노래 한 곡도 열심히 부르고 알리고, 그리고 노래 자체가 가진 힘 으로… 뭐 그런 거죠.

박준흠 : 노래의 힘을 믿기 때문에 노래를 잘 만들면 현재의 홍보 관행대 로 안 해도 문제가 없다, 그런 의미인가요?

안치환 : 문제없다가 아니에요. 그렇게 홍보해야 한다는 건 잘 알지만, 그럴 여력이 없다는 거죠. 무슨 매니저를 써서 일하거나 그러고 싶지 않 다는 거죠. 그런 마음 알아요?

박준흠 : 짐작은 되는데….

안치환 : 내가 매니저라는 사람들에 대해서 이제는 일로도 인간적인 유 대관계나 그런 것을 맺고 싶지가 않아요. 사람에 대한 실망 같은 게 있다 보니, 그런 것도 싫은 거죠. 그러니까 그냥 이렇게 열심히 내 음악을 하 고, 최소한의 알릴 수 있는 행보라면 내가 그렇게 할 수 있는 것 이상의 것 은 하지 말자, 그리고 그런 것들을 받아들이자, 그런 겁니다.

5) 향후 발표할 13집, 14집의 윤곽

박준흠 : 13집을 준비하고 계신 건가요?

안치환 : 마스터링까지 다 끝났고, 앨범 재킷 작업만 하면 돼요.

박준흠 : 내년 2023년에 나오나요?

안치환 : 내년 정도에 낼까 해요. 재킷 작업을 하려고 했는데, 마음에 드는 누구한테 해야 할지 잘 모르겠고. 여태까지 앨범 재킷 작업하면서 한 번도 만족해 본 적이 없어서, 내가 한번 해볼까 싶어요. CD니까 겉에 들어가는 그림이라든지 이런 건 다 준비가 돼 있는데, 가사도 내가 다 가지고 있는 거고. 그럼, 편집만 하면 될 거 아니에요. 그런데 그 작업을 좀 잘해보려고 해요.

박준흠 : 한 장짜리 CD인가요?

안치환 : 16곡. 한 장으로 낼 겁니다. 14집은 두 장으로 내려고 하고.

박준흠 : 14집도 마스터링까지 끝났나요?

안치환 : 예.

박준흠 : 14집은 언제 나오나요?

안치환 : 모르겠어요. 이 정권이 끝날 때쯤 낼 수도 있어요.

박준흠 : 윤석열 정부에서 음반 내는 것이 문제가 있나요?

안치환 : 아니요. 그게 두려워서가 아니라 지금 먼저 내야 할 음반이 13집인데 이걸 먼저 내야겠다. 그리고 최근에 만든 노래들을 다음에 내려고 하는데 그것이 한 3, 4년 정도 후면 적당하지 않겠는가? 라고 생각하고 있는 거죠. 사실 〈마이클 잭슨을 닮은 여인〉이라든지 그런 노래들도 포기할 생각은 없어요. 그런 노래들을 다 수록할 거고, 〈쪽팔리잖아〉도 수록할 건데, 뭐 그건 다음 앨범에 내겠다 싶어요. 음원으로 내는 거는 이제 별로 하고 싶지 않아요. 내 스타일은 아닌 것 같아요.

박준흠 : 13집하고 14집 내용 좀 얘기를 해주시겠습니까?

안치환 : 13집은 아주 깔끔하고 예쁜 포크송들입니다. 진짜 포크적인 노래. 어쿠스틱 기타 중심의 포크적인 노래들이에요. 지금까지 내가 음반 작업을 해오면서 따로 모아놓은 노래들이에요. 14집은 여러 가지 파격적인, 사실 뭐 록적인 음악들이 대부분이죠.

박준흠 : 13집은 저번에 얘기했던, 원래 11집 자리에 들어갔어야 할 그 음반이라는 얘기인가요?

안치환 : 언젠가 이걸 낼 건데, 자꾸 노래들이 만들어져서 순위가 뒤로 밀리는 거예요.

박준흠 : 창작했던 시간은 오래됐겠네요.

안치환 : 오래된 노래도 있고, 최근 노래도 있고 그래요. 성향들이 맞는 곡들이죠. 그냥 진짜 포크, 내가 생각하는 포크 곡들이에요. 아담하고 예쁜 노래들, 거창하지 않은 노래들, 그런 노래들이 될 겁니다.

박준흠 : 안치환과 자유가 세션은 했지만, 일렉트릭 기타나 그런 부분들은 많이 줄였겠네요.

안치환 : 일렉기타가 록 기타가 아니라, 기껏해야 어쿠스틱 기타를 뒤에서 살려주는 그런 정도죠.

박준흠 : 음반은 마음에 드시고요?

안치환 : 진짜로 마음에 들어요. 내 아내가 되게 좋아하는 노래들이에요. 우리만 듣고 다니던 노래들, 옛날에 차에서 늘 듣고 다니던 노래였어요. 이번에 내야 할 것 같아요. 그거를 내고 다시 또 현실로 들어와서 해야 할 것 같고.

박준흠 : 내년 상반기 정도에 낼 생각인가요?

안치환 : 뭐, 어쨌든 내년에 낼 생각입니다.

10
안치환이 따로 하고 싶은 얘기들

"그러한 경제적인 변화로 인한 심리적인 안정감을 느끼더라도, 그 어떤 파고를 넘어서 이렇게 잔잔한 물결 위에 배를 띄운 것 같은 마음이 들지라도 그 내면은 잔잔한 물결이 아니에요. 앞으로 내가 세상과 싸워나가고 만들어 나갈, 아무것도 보이지 않는, 있지도 않은 것에서 뭘 만들어내고 뭘 해야 하는 뮤지션의 삶은 전혀 다른 거라고 난 생각하거든요. 거기서 밥 굶지 않고 음악을 할 수 있다는 게 얼마나 행복하고 좋은 일이에요. 그래서 더 열심히 해야지. 더, 더 해야지. 안정된 멘탈 속에서. 다만, 나는 배고파요. 이런 음악을 만들면 내가 나를 배신하는, 내 의식이 존재를 배반하는 거니까 만들기가 좀 꺼려질 수도 있겠죠.

(중략)

그건 내가 가지고 있는 재물이 아니라 내가 가지고 있는 시선과 머리로써 판단하는 것이기 때문에 그 재물이 그 사람의 마음과 머리를 파괴하지 않는 이상, 먹어버리지 않는 이상 그 사람은 깨어 있는 정신으로 그것을 표현할 수 있는 뮤지션이 될 수 있다는 거죠. 그러니까 그 부분이 가장 중요한 것이죠."

1) 신선함, 식상함에 대하여

박준흠 : 로맹 가리(Romain Gary, 1914-1980년. 리투아니아 출신의 프랑스 외교관, 작가, 영화감독, 비행사이다. 에밀 아자르(Émile Ajar)라는 가명으로도 알려져 있으며, 대표적인 저서로는 《유럽의 교육》, 《하늘의 뿌리》, 《새들은 페루에 가서 죽다》, 《자기 앞의 생》 등이 있다. 프랑스의 가장 권위 있는 문학상인 공쿠르상을 1956년에는 본명으로, 1975년에는 가명으로 수상해 역사상 공쿠르상을 2회 수상한 유일한 인물이기도 하다.)에 대해 얘기하고 싶다고 하셨죠?

안치환 : 내가 로맹 가리 책을 읽었는데 재밌었어요. 그리고 내 성질에 맞고. 그런데 이 사람이 아예 다른 이름으로 책을 냈어요. 죽을 때까지 얘기를 안 하다가, 유언을 남겼어요. 인터뷰 중에 이 이야기를 왜 했냐면, 한 뮤지션이 평생 음악을 하는데 '신선함'이라는 게 있잖아요. 처음에는 다들 신인으로 시작하죠. 진짜 푸릇푸릇하고 나이도 젊고, 팬들도 젊고. 그런데 그 사람이 나이가 들어가고 음반 10개를 계속 발표를 한다고 생각해봐요. 뮤지션으로서는 그냥 진부한 게 아닌, 어떤 고인 물처럼 그냥 그런 음악을 내는 게 아니라 뭔가 새로운 내용과 음악 어법을 시도해도 사람들은 그냥 똑같이 안치환이 내는 음반인 거예요.

박준흠 : 그런 생각을 하시나요?

LA
VIE
DEVANT
SOI

자기 앞의 생

로맹 가리(에밀 아자르) 장편소설 | 마누엘레 피오르 그림 | 용경식 옮김

안치환 : 그런 부분에 대해서 가끔 속상하다고 느끼고, 또 그것이 굉장히 힘들게 하는 게 있어요. 예를 들어 내가 세계여행을 하면서 남미에 갔는데, 혹시 '차랑고'라는 악기 알아요? 남미 음악을 들으면 주 구성이 클래식 나

일론 기타 같은 거… 줄이 10개예요. 만돌린은 8개고. 차랑고는 줄도 나일론이고. 그냥 들으면 잘 모르는데 자세히 들어보면 좀 달라요. 나는 그런 곳에 가면 그 악기를 사와 갖고 그걸 녹음할 때 좀 써먹어요. 그런데 사람들은 몰라요. 내가 그렇게 관심을 가지고 뭘 써먹어도 이게 그 악기인지도 모르고, 기껏해야 만돌린이라고 생각할 것 같은데. 나는 그렇지 않거든요. 그러니까 어떤 새로운 악기를 써서 뭔가 변화를 주는데, 듣는 처지에선 다 그게 그거인 거죠.

가끔 나는 나를 그냥 벗어버리고, 다른 이름으로 활동하고 싶어요. 물론 목소리를 바꿀 수는 없어요. 예를 들어 젊은 세대의 열정이 넘치는 국악 하는 사람들이랑, 그런 친구들이랑 팀을 하나 만들어서 내 이름은 안 걸고 그냥 어떤 팀 이름을 다시 갖는 거죠. 그래서 거기서 활동하면서 그런 음악을 해보고 싶은 그런 마음이 굴뚝같은데, 그러지 못했어요.

그래서 난 이 사람, 로맹 가리 이 양반의 심정을 충분히 이해하고, 그리고 또 한편으로는 고소한 거예요. 이렇게 말하면 좀 그렇지만, 그만큼 대중들이라든지 평론하는 쪽이라든지 그들은 전혀 몰랐어요. 사람들이 에밀 아자르한테 로맹 가리 흉내 낸다고 그러고, 로맹 가리가 책을 내면 에밀 아자르를 흉내 낸다고 그랬던 정도지, 그게 같은 사람이라고는 생각도 못 했대요. 에밀 아자르를 다른 사람으로 내걸었기 때문에요. 그런 걸 보면 되게 재밌기도 하고, 고소하기도 하고… 통쾌하기도 하고 또 부럽기도 해요. 그 심리의 이해를 할 수 있는 거 같아요.

그러니까 내가 몇 집 내고 그만둘 거면 아닌데, 계속 음악을 하고 있으니까. 나 스스로는 아직도 어쩔 수 없어서 음악 하는 게 아니거든요. 나는 먹고살려고 음악 하는 게 아니고, 진짜 음악을 하고 싶어서 그 열정을 가지고 계속 음악을 하는 겁니다. 그런 나의 열정 자체가 어떤 진부함과 익숙함 속에서 그냥 이렇게 용해돼 버리는 그 자체가 조금 아쉽고 속상할 때, 그런 생각을 했다는 것을 얘기하고 싶어서 했던 얘기예요.

박준흠 : 언제부터 그런 생각을 하신 거예요?

안치환 : 늘 했었죠. 오래전에 했었죠. 이 로맹 가리의 책은 몇 년 전에 읽었고 그다음에 에밀 아자르도 읽고 했는데, 이 사람의 그런 모습을 나는

재미있게 생각을 했던 거죠.

박준흠 : 로맹 가리는 같은 완성도로 계속 자신의 문학을 발표한다고 하는데도 평론가들이 로맹 가리는 이제 갔다, 이런 얘기들을 하도 하니까 엿 먹어라! 하고 다른 사람인 양 에밀 아자르라는 이름으로 활동했다는 얘기네요.

안치환 : 그러니까 그게 통쾌하고 고소하다는 얘기.

박준흠 : 문학 창작과 음악창작이 정확히 어떻게, 얼마나 다른지는 제가 잘 모르겠지만 뮤지션 중에 보면 초기에는 창작적인 가능성이 별로 없었는데, 한 10년 차가 되니까 어떤 계기로 각성했는지 갑자기 아주 뛰어난 창작자로 재탄생하는 예도 아주 드물게 있습니다. 어떻게 생각하세요?

안치환 : 그럴 수 있죠. 사람은 모르는 존재예요. 인간을 어떻게 한 번에 다 파악하고 규정하겠어요. 그러니까 어떤 심성이라든지 그런 것들이 변화하기는 어렵다고 얘기하지만, 어떤 재능 이런 것들은 충분히 개발되고 할 수 있는 거예요. 10년이라는 세월은 엄청나게 긴 세월입니다. 맨날 아이돌로 나와서 군무만 추고 하다가 갑자기 이게 도대체 뭐야, 나 이렇게는 음악 하기 힘들어, 그래서 딱 그만두고 사라졌다가 열심히 공부

하고 해서 하나의 뮤지션으로 돌아올 수도 있죠.

최근 영화 중에 영국 영화인가? 아이돌이었다가 한물가서 먹고살아야 하는데, 건반 하나 들고 여기저기 기웃거리다가 음악 무대 소개해달라고 그랬더니 다들 술집 무대밖에 없고… 이러던 중 갑자기 천재적인 기타를 만나서 걔를 꾀어서 걔랑 작업해서 둘이 팀을 해서 음악적인 재기를 꿈꾸고, 막 이러는 영화도 있었어요. 넷플릭스에서 본 최근 영화에요.

박준흠 : 창작자들은 뭘까… 절박해졌을 때 좋은 음악이 나오는 것 같거든요. 안치환 씨 같은 경우도 10집, 11집, 12집이 있으면 저는 11집이 좋거든요. 2014년에 직장암 걸린 후 치료받으면서 2015년에 만든 앨범.

안치환 : 11집이요? 아플 때 노래들이라는 게 전체적으로 그냥 다 좋을 수는 없겠죠. 그때마다 하여튼 헝그리 정신이 살아 있으면 좋은 거죠.

박준흠 : 외국에 보면 결혼 여러 번 한 아티스트들 있잖아요. 그런 사람들 보면 이혼하고 나서 새로운 연인을 만나면서 또 음악이 좋아지는 경우가 있고 그래요.

안치환 : 어떤 계기와 어떤 상황에서 다 그런 게 있겠죠. 아무튼, 뮤지션

들, 음악을 업으로 해서 살아있는 음악을 계속 추구하고 열정을 가지고 있는 뮤지션들은 다 그럴 만한 가치가 있다는 겁니다.

2) 아티스트의 경제적인 안정과 창작의 밀도

박준흠 : 아티스트들이⋯ 로맹 가리도 그렇고 안치환 씨도 지금 말씀하신 거 보면, 넓게는 대중 그리고 좁게는 평론가들에 대한 약간의 의구심과 불신 이런 게 있다고 생각하는데, 사실 꼭 그렇지도 않다고 저는 생각을 하거든요. 반대로 음악을 듣고 글을 쓰고 음악 가이드를 하는 처지에서 이런 부분을 고민하는 음악평론가들도 있습니다.

안치환 : 누가 그렇지 않다고 그래요?

박준흠 : 아티스트가 오랜 노력 끝에 인정받고, 생활도 안정적으로 되는 순간에 흔히 말해서 어떤 격랑이 없어질 수도 있잖아요. 그러니까 감정의 파고가 사라진다고 할까, 사실 창작 할 때 필요할 수가 있는데. 아까도 제가 아티스트가 절박함이 있을 때 좋은 창작이 나오는 것 같다고 했는데, 비슷한 맥락인 것 같습니다.

안치환 : 나는 그건 조금 다르다고 생각해요. 그러니까 절박함과 불안감은 다른 거거든요.

박준흠 : 거기다가 생활까지 안정이 되고⋯ 예를 들어 저작권 수입이 막

들어오고 그러면 사실 삶에서 어떤 고민은 없어지는 거고. 이제 남는 거는 음악을 계속하고 싶은데, 어떤 동력으로 계속할 것인가, 그 부분만 남는 거잖아요. 예전에 가졌던 여러 다양한 종류의 고민은 이미 나이가 들어서라기보다는 그 사람이 현재 처한 환경 때문에 많이 없어지는 것 같거든요.

안치환 : 당연히 그런 게 있죠. 그런데 사람에 따라 다른 거죠. 나는 그런 생각을 했어요. 그러니까 음악을 처음 시작할 때 불안감이 있죠. 내 미래가 어떻게 될 거냐. 여러 가지 불안감이 있지만, 그중의 하나가 경제적인 부분이잖아요. 그냥 먹고 살 수 있나? 그런데 그런 거 자체도 내가 음악을 하고 싶은 그 열정을 막을 수는 없어요. 그래서 음악을 하는 거죠. 일단 젊고, 아직 어떤 다른 가능성을 갖고 음악을…

그렇다고 비겁한 그런 생각이 아니라, 일단 하게 되는 거죠. 그런데 어느 날 생각했을 때, 내가 열심히 하고 최선을 다하면 돈은 자연스럽게 따라올 것이다. 내게서 그걸 해결해 줄 것이다, 그 불안감을 불식시켜줄 것이다, 라는 생각을 어렴풋이 했어요. 그렇게 생각하고 음악을 했는데 어느 날 정말로 아무 대책 없이 내가 음악을 하다가 노찾사를 나오고, 하여튼 뭐 어떻게 해야 하지? 그런데 그때 대학 초청공연이 들어온 거예요. 축제 때 나한테 공연을 줬어요. 그래서 한 달 공연을 했더니, 그때가 몇 년 전이지? 뭐 30년 넘었잖아요. 한 달 수입이 그때 내 기억으로는 사백몇십만 원이었어요.

박준흠 : 그럼 여러 군데 돌았다는 의미인가요?

안치환 : 5월 축제 기간에 한 달 정도 했어요. 처음으로 혼자서 공연을 초청받아 가서 기타 하나 들고 노래를 하기 시작했는데, 그때 몇 번을 했는지 모르지만, 한 달 수입이 그랬어요. 항상 그런 것은 아니었고. 광석이 형이랑 나는 메뚜기예요. 그런데 따져보니까 이렇게 돈을 버는 거야? 내가? 그때 사람들 평균 한 달 월급이 얼마였을까요. 은행원이 100만 원도 안 되었는데. 그럴 때니까 큰돈이죠. 하여튼 그때 깜짝 놀랐어요. 그리고 그런 식으로, 말하자면 내 경제적 불안감들이 대학 공연으로 채워지기 시작했고, 경제적인 부분뿐만 아니라 내가 아티스트로서 성장하는 과정에 가장 밑거름이 됐던 게 바로 그 현장의 공연들이었어요. 초청공연에서 내가 한 공연. 그 이후에 몇십 년째 계속 그렇게 살아오고 있지만, 그것이 가장 중요한 행사였고 아티스트로서의 시작을 알리는 길이었고, 그다음에 이게 콘서트 뭐 이런 식으로… 아티스트로서의 무대를 밟아가는 첫 과정들이었던 것 같아요. 그렇게 돼서 그런 불안감들이 사라졌고, 경제적으로 안정감을 느끼고 하지만 그것 또한 뮤지션이 경계해야 할 부분인 거죠.

내가 돈을 벌어서 내 음악은 이제 나른해져야 하는가? 물 흐르듯 나긋나긋해져야 하고 기름기 있는 음악이 돼야 하나? 라는 부분에 대해서는,

그때부터 인간에 대한 고민, 나 자신에 대해 고민해야 하는 중요한 순간이라고 생각해요. 내가 부자라서, 내가 돈이 많은 사람이라서 돈 많은 부자들을 위한 노래를 하는 건 아니잖아요. 나는 그들과 다르다고 생각하고 그러니까 그 부분들에 대해서는 나중에 다시 좀 얘기하죠. 계속 얘기하자면 길어지니까. 그렇지만 경제적인 안정감이 한 뮤지션의 음악적인 지향성과 열정을, 그것을 파괴할 수 없다. 왜냐하면 뮤지션은 인간이기 때문에, 인간에겐 자유 의지가 있고 그 사람이 추구하는 삶이 있으므로, 생각이 있기에 그렇습니다. 그건 다른 부분이라고 할 수 있어요. 글쎄요, 그것도 사람에 따라 다르니까 그런 사람도 있겠고 뭐 이런 사람도 있겠죠.

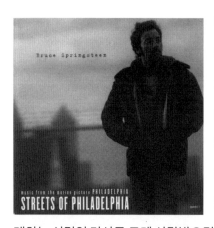

박준흠 : 일례로 브루스 스프링스턴(Bruce Springsteen) 같은 경우가 미국 노동자들의 정서를 대변하는 뮤지션이라고 하잖아요. 브루스 스프링스턴 그 자신도 노동 계급 출신이거든요. 그래서 미국 노동 계급의 꿈, 고난, 좌절을 노래하는 시적인 가사로 크게 사랑받으면서 가장 미국적인 록 가수라는 평가를 받고 있죠. 그런데 1970-80년대에 **엄청난 흥행으로 음반을 천만 장씩 팔고 하니까 돈을 상당히 많이 번 거잖아요. 하지만 이 사람은 돈을 그렇**

게 벌었을 때도 그 정서를 계속 갖고 그 이후에도 그런 정서를 반영하는 노래들을 발표했는데, 일각에서는 이제 비난을 하기 시작하거든요. 돈도 그렇게 많이 막 벌었는데 지금 그런 노래 만드는 거는 좀 안 맞지 않느냐, 하고. 그런데 안치환 씨한테도 그런 질문을 하는 사람들이 있을 것 같거든요?

안치환 : 당연히 그렇죠. 왜냐면 우리는 자본주의 세상에서 살고 있어요. 자본주의 세상에 살기 때문에 그런 부분에 대해서는 당연히 그럴 수 있고 당연하다고 생각해요. 사람에게는 질투심이 있고 시기심이 있고 또 비판할 수 있는 능력이 있고 비난할 수 있는 마음들이 있어요. 그러니까 그런 부분에 대해서 난 이렇게 봐왔고, 내가 김광석 얘기를 쭉 했잖아요. 그 사람이 왜 그렇게 심리적인 불안감을 느끼고, 심적으로 파괴되는 속상함이나 그런 것들에 관해서 얘기했던 그것이 다 돈과 관련된 부분이에요.

  그래서 브루스 스프링스틴의 〈Born In The U.S.A.〉부터 시작해서 〈Streets of Philadelphia〉 이런 곡들 들으면서 그 우울한 분위기는 알겠는데… 그리고 브루스 스프링스틴에 대해서도 당연히 그런 얘기들이 있겠죠. 돈을 엄청 많이 버는 사람이 무슨 노동자의 얘기를 하고 그러냐? 그게 오래된 얘기예요. 인류가 돈과 함께 살아온 이후에는 늘 그런 질문들이 있었을 거로 생각해요. 누가 부자가 되면 그냥 부자들을 위한 노래를 해야 하고, 나도 "우리 더 부자가 되어-" 이런 노래를 해야 하는 건가요?

박준흠 : 저는 지금도 그런 노래 부르는 브루스 스프링스틴을 좋아합니다. 안치환 씨는 그런 질문을 받았을 때 어떤 대답을 내놓는지요?

안치환 : 그런데 내가 얘기했잖아요. 그러한 경제적인 변화로 인한 심리적인 안정감을 느끼더라도, 그 어떤 파고를 넘어서 이렇게 잔잔한 물결 위에 배를 띄운 것 같은 마음이 들지라도, 그 내면은 잔잔한 물결이 아니에요. 앞으로 내가 세상과 싸워나가고 만들어 나갈, 아무것도 보이지 않는, 있지도 않은 것에서 뭘 만들어내고 뭘 해야 하는 뮤지션의 삶은 전혀 다른 거라고 난 생각하거든요.

거기서 밥 굶지 않고 음악을 할 수 있다는 게 얼마나 행복하고 좋은 일이에요. 그래서 더 열심히 해야지. 더, 더 해야지. 안정된 멘탈 속에서.

 다만, 나는 배고파요. 이런 음악을 만들면 내가 나를 배신하는, 내 의식이 존재를 배반하는 거니까 만들기가 좀 꺼려질 수도 있겠죠. 그러나 노동자가 어떻고, 노동자가 어떻게 했으면, 아니면 노동자의 삶이 이렇다는 것을 그냥 이야기로 할 수 있잖아요. 우리 세상이 이렇다는 걸 얘기할 수 있는 거고, 그건 내가 가지고 있는 재물이 아니라 내가 가지고 있는 시선과 머리로써 판단하는 것이기 때문에 그 재물이 그 사람의 마음과 머리를 파괴하지 않는 이상, 먹어버리지 않는 이상 그 사람은 깨어 있는 정신으로 그것을 표현할 수 있는 뮤지션이 될 수 있다는 거죠. 그러니까 그 부분이 가장 중요한 것이죠.

3) 최근 노래 가사가
왜 직설적이고 구체적 대상으로 표현되는지

박준흠 : "서정抒情의 시대時代는 갔는가?" 왜 최근 노래 가사가 직설적이고 구체적 대상으로 표현되는지에 대한 얘기도 하고 싶다고 했는데.

안치환 : 저번에 새로운 노래 들려줬잖아요. 그러니까 요새 다 그런 건 아닌데, 내가 얘기하는 건 시대성을 담으려고 하는 노래를 얘기하는 거예요. 난 저항가요가 답답한 틀에 있는 걸 너무 싫어했는데, 그래서 〈자유〉에서 록적인 어법을 시도하면서 그것을 좀 벗어나고자 노력했어요. 어느 정도 성공했다고도 생각하고. 예전 독재 시대에 민주화 운동을 했던 그 시대의 노래 가사처럼… 남들이 나한테 욕을 했던 게 내 노래가 너무 로맨틱하고 뭐 서정주의자라는 식의 비판을 받을 만큼 노래 가사들을 그러려고 애썼다고 생각해요. 〈마른 잎 다시 살아 나〉, 〈잠들지 않는 남도〉 이런 곡들이요. 심지어 〈철의 노동자〉도 직접적이긴 하지만 김호철 노래보다는 가사가 좀 더 폭넓었으면 좋겠다, 그런 생각이었어요. 그러니까 그런 식으로 생각하면서 쓴 노래들이에요. 노동자를 표현해도 〈노동자의 길〉이나 뭐 그런 것처럼 좀 더 생활과 어울리는, 생활 과정과 밀접해 있는 그런 가사, 이런 걸 쓰고 싶었어요.

〈이무기〉라는 노래는 이명박 시대에 만든 노래거든요. 그 노래도 그런 생각이었어요. 그러니까 정말 애써서 민주화를 꿈꾸고 해왔던 모든 그러한 세상에, 애썼던 밀알과 씨앗과 자원들이 다 사라지고 웬 이런 이무기 같은 이와 사이비 껍데기 같은 이, 뻔뻔한 이들이 이 세상을 지배하는가? 라는 생각을 하면서 만든 노랜데… 나름대로 약간 좀 돌려 얘기하는 그런 거였죠.

그런데 내가 최근에 만든 노래들은 깊은 고민보다는 보이는 현상을 쉽게 툭 던진 느낌이 없지 않아요. 왜? 딱 그 정도의 인간들에 대한 거니까. 그냥 〈마이클 잭슨을 닮은 여인〉, 마이클 잭슨을 닮은 건 사실이죠. 그때 사진들, 의상이나 그것들, 그것이 뭐가 문제입니까. 닮았는데. 그런데 왜 마이클 잭슨을 욕한다고 얘기하지? 그러면서 당신이 이 세상의 권력을 꿈꾼다는 건 말이 안 돼, 라고 한 노래지만 별로 깊이 고민을 안 했고. 그러니까 최순실 같은 사람은 한 명이면 돼. 더 이상 나오면 안 된다. 이렇게 그냥 가볍게 생각하면서 그냥 재밌는 리듬에 넣어서 만든 노래이고. 그런데 그 이후에 진짜 당선이 되면서 이 세상이 이렇군. 그러면서 다시 노래를 만들었어요. 〈마이클 잭슨을 닮은 여인 2〉를 들려줬었죠? 가사에 대해서 좀 더 신경을 쓰고, 발표는 안 하고 그냥 가지고 있는 거예요. 대상 자체가 가벼워서 거기에 그렇게 신경을 쓰지 않았어요.

또 하나는, 내가 약간 지금의 세상에 대해 경도傾倒된 느낌이 드는 거예요. 유튜브, SNS 이런 식으로 즉각적인 반응을 하는 것에. 그래서 노래를 발표하고 즉각적인 반응에 영향을 받는다.라는 생각이 드는 거예요. 그래서 멀어져야 하겠다. 내가 유튜브를 하고 있지만, 그 이후에는 별로 보지 않고요. 유튜브나 이런 걸 보면 지금 세상이 그런 거 같아요. 거기에 한 번 꽂히면 내가 자꾸 거기에 휩쓸린다는 생각이 들어서, 내가 거리를 좀 둬야 하겠다.

내가 그 얘기 했었죠? 민주당 전당대회 할 때 가서 내가 무슨 얘기를 했냐면, 내 팬들에 대해서는 관리하려고 하지 않는다. 내가 잘하니까 팬들도 나를 좋아하는 거다. 내 노래는 나를 싫어하는, 나를 잘 모르는 사람들에 대해서도 그들에게 감화를 주고, 그들을 내 음악에 끌어들이고, 내 음악을 듣게 만드는 게 그게 노래의 힘이고, 어떤 저항가요의 힘이다. 나는 그렇게 생각하고 음악을 해왔고, 그렇게 음악 한다. 정치도 마찬가지라고 생각한다. 당신들은 민주당 당원들만 좋아할 게 아니라, 당신들을 싫어하는 누군가에게 설득력이 있는 정치를 해라. 그것이 정치의 올바른 길 아니냐, 라는 얘기를 했어요.

그런데 내가 〈마이클 잭슨을 닮은 여인〉 발표하고 나서 그 수많은 댓글과 찬반 얘기하지만, 중요한 것은 사람들이 잘 모른다. 왜 누굴 비난하냐면서 비판하고, 왜 죄 없는 마이클 잭슨을 어쩌고 이렇게 얘기하는 대중들에 대해서는 좀 한심한 거예요.

아, 내가 상대하는 대중이 이런 거야? 좀 다시 생각해봐야겠다. 그러면 내가 생각했던 노래의 길, 이런 대중들을 내 편으로 끌어내야 한다고 생각했던 내 노래가 일단 실패한 것 같다. 그걸 너무 쉽게 생각한 것 같아요. 그 부분에 대해서 내가 노래운동, 저항가요의 가장 중요한 부분들을 내가 망각한 것 같다는 인정은 있어요.

그러고 나서 한 10개월 후에 〈쪽팔리잖아〉를 만들고 나서도, 이 노래도 사실 충분히 해야 할 이야기이긴 한데, 이것 또한 내 편이 아닌 사람들에게는 좀 그렇겠다. 그러니까 〈마른 잎 다시 살아 나〉를 불렀을 때, 적들도 이거는 좋다, 라고 생각할 수도 있어요. 그런데 〈마이클 잭슨을 닮은 여인〉 이후에 〈쪽팔리잖아〉를 들으면 윤 대통령을 좋아하는 사람, 노인이나 누구는 이 사람이 이런 노래를 또 만들었네, 라고 얘기할 거예요. 이것이 노래가, 저항가요가 갈 길인가? 지금 시대가 필요로 하는 노래인가를 생각하게 되더라고요. 물론 발표를 할 거예요. 이것도 내 음악이기 때문에.

박준흠 : 그런 고민은 계속하고 계신 거예요?

안치환 : 하고 있어요. 해야 하는 것이고. 그래서 어떻게 해야 하는가. 생각 안 하는 것보다는 해야 하는 게 낫잖아요. 그래서 그것에 대한 답을 갖고 있냐고? 도대체 이 시대 저항가요의 가사는 어떻게 만들어야 하는 건지… 이렇게 그냥 맨날 까발려지는 그 가벼운, 누구도 책임지지 않는 그 익명성 뒤에서 숨어서 XX 떠는 말도 안 되는 이 시대와 이런 대중들의 풍토 속에서 노래운동이 가야 할 길이라는 게 어때야 하는 건지. 이 저항가요는 어떤 식으로 표현해야 하는 것인지가 고민이 된다는 얘깁니다.

박준흠 : 1987-1988년에 〈마른 잎 다시 살아 나〉를 들어줬던 대중들하고 지금의 대중은 너무 많이 다르거든요. 그러니까 〈마른 잎 다시 살아 나〉보다 10배나 좋은 예술성을 가진 음악이 나온다고 하더라도 지금 대

중에게 감홍感興을 줄지는 미지수거든요. 그냥 뭐 저만의 생각인지 모르겠는데, 우리 사회의 보편적인 '교양 수준'이 낮아진 것 같아요. 세상은 부유해지고, 인터넷 모바일 정보의 시대에 살지만, 그 '교양 수준'은 오히려 1980년대 수준도 안 되는 것 같은 느낌?

안치환 : 내가 늘 그래서 하는 얘기가, 시대는 진화해요. 과학에 의한 삶의 수준들은 진화하지만, 인간의 사고나 수준은 진화하는 게 아니다. 그냥 하나만 얘기할게요. 조선 시대에 그 얼빠진 우매하고 야만적인 인간들이 맨날 왕을 두고, 이놈 저놈 파가 나뉘어서 몇백 년 동안 어떤 뭐에 사로잡혀서 말도 안 되는 짓거리들 하고, 이 조선이라는 나라가 그렇게 바보 같은 나라였어요. 그런데 그 시대와 지금은 다른 게 뭐지? 지금은 비행기가 날아다니고, SNS 이거 사진 찍고, 다 핸드폰 보고, 다 알고, 뭐 왕이 뭐 했네. 이렇게 과학이 진보했는데, 그때나 저 때나 똑같아요.

  그럼, 우리가 좀 더 많은 국민을 위해서 이 부분은 서로 양보합시다. 그래서 우리가 이렇게 해서 노동자들이 좀 더 인간다운 삶과 자긍심과 자존심을 갖고 살 수 있도록, 우리 노동자들이 좀 더 편하게 그렇게… 일하다 죽으면 이렇게 좀 책임을 지고 할 수 있는 법을 만들어서 그렇게 합시다. 재벌, 돈 당신들도 많잖아요. 굶어 죽지 않으니까 양보해서 노동자들에게 좀 더 나눠주고, 그래 좀 삽시다. 아이고, 화물연대가 트럭 안 모는데 큰일 났네, 그러면 그 사람들이 뭔 얘기하는지 정확히 좀 들어요. 이 사람들이 몇백만 원을 버는데, 돈 버는 게 중요한 게 아니라 왜 이렇게 얘기하냐고요? 왜 이 사람들이 파업하면서 이러냐고요? 돈 많이 버는데 파업한다고 이런 식으로 몰지 말고, 왜 그러냐고? 그걸 국민에게 알리라고요. 그리고 노동자 얘기를 들으라고요. 무슨 맨날 불법이고 어쩌고저쩌고하면서 뭐 행정명령 그런 거 하지 말고 대화 좀 해보라고요. 당신들 이렇게 양보해도 다 먹고 살잖아요. 죽을 거 아니잖아요. 이러면서 인간들이 성숙하게 대화하나? 안 하잖아요. 조선 시대랑 뭐가 다르지? 세금 뜯어가고 국민이 그렇게 하고 뭐가 달라졌지?

박준흠 : 저희도 할 수 있는 일이 있긴 있어요. 그러니까 켄 로치는 "영화가 세상을 바꿀 수 있다"라는 신념을 갖고 80 노구에도 '미안해요, 리키 Sorry We Missed You'(2019년)와 같은 영화들을 만든 거잖아요. 저는 이 부분을 굉장히 높게 평가하거든요.

안치환 : 박준흠 씨가 얘기하는 건 너무나 당연한 얘기죠.

박준흠 : 한국에서도 뮤지션이건 아니면 저 같은 기획자들도 그런 생각이 현재도 필요하다고 생각합니다. 그런데 이를 '저버리지 말아야 할 가치'라고 생각하는 사람들이 얼마나 될지는 잘 모르겠어요.

안치환 : 있어야 한다고 생각하고, 제발 좀 그랬으면 해요. (한숨) 지금 세상이 너무나 이렇다는 걸 인식하고 알고 있다면. 유명한 말이 있잖아요. "글을 쓰는 사람은 글로 써. 음악을 하는 사람은 음악을 해. 뭘 하던 자기 능력을 갖추고 있는 그 사람은 그것으로 이 세상에 관해서 이야기하고 싸워라. 그게 투쟁의 방법이야. 예술가는 예술로서 싸워라." 싸운다는 건 이게 치고받고가 아니잖아요. 작품으로 얘기하라고… 내가 얘기하는 건 그거죠. 자기가 뮤지션이면 음악으로, 그걸로 싸우라고요.

박준흠 : 1990년대부터 많이 나왔던 얘기인데, 지금은 이를 '철 지난 얘

기'로 생각하는 것 같아요. 지금 세상에는 '트렌드' 얘기만 하고….

안치환: 패배주의자요, 패배주의자. 그 얼마나 무력하고 패배주의적인 얘기입니까. 나도 그런 생각을 해요. 도대체 어떻게 해야 하는지….

박준흠: 저도 답을 모르지만, 안치환 씨가 말하는 그런 '어떤 가치를 저버리지 않는' 건 굉장히 중요하다고 생각해요.

안치환: 사람들의 마음, 정신을 뜯어고쳐야 하는 건데. 내가 요새 읽고 있는 책이 있는데 김누리 교수던가, 중앙대학교 독어독문학과 교수. 그분이 한 말이 지금 독일이란 나라가 가장 이성적이고 가장 민주적인 나라라고. 68세대가 만든 지금의 독일은, 그 이전 나치즘에 찌든 나라에서 완전히 나라가 바뀌었어요. 국민이 바뀌었어요. 그 이유는 정치가, 교육이 그러한 인간들을 만들어 냈던 거죠. 정치가는 자신들의 부끄러움을 정말로 인정하고 과거를 청산하고, 정말 민주적인 세상을 만들기 위해서 최선을 다해서 정치했고, 교육도 그러한 인간형을 만들기 위해서 노력하고. 굴종하지 않는 인간, 저항할 수 있는 인간, 이러한 이성적인 인식이 확실하게 뚜렷한 인간, 그런 부분에 민주적인 인간, 이런 것들을 초등학교 때부터 계속 교육해왔던 그 노력 때문에, 지금의 높은 민주 의식이 독일에 있다고 얘길 해요.

그런데 우리나라는 그렇게 할 수도 있었는데 못 했다고. 우리도 그렇게 해야 했는데 그 기회를 놓쳤죠. 문재인 씨도 그런 절체절명의 의무를 다 저버리고 연예인 짓거리나 하다가 끝냈고. 그래서 다시 이런 야만적인 시대로 돌아온 거라고요. 교육을, 정치를 그렇게 해야 하는데. 그런 것들을 뜯어고치고 싸우고 투쟁해 나가는… 대한민국을 개조해 나갈 수 있는 정치가가 나와야 하는 거라고 알고는 있죠.

4) 안치환 TV

박준흠 : 유튜브 채널 안치환 TV가 2020년 5월부터 시작을 했잖아요. '안치환 TV'를 보면 계속해서 예전 노래들을 다시 리메이크도 하고 있고, 그리고 예전하고 달리 노래에 대한 설명도 해주잖아요. 창작앨범을 지속해 낼 수 없는 상황에서 빈 곳과 시간을 메꾸는 방법이라고 생각하시는 건가요?

안치환 : 그걸 왜 했겠어요?

박준흠 : 코로나 상황이 다는 아닐 것 같은데.

안치환 : 그때 나로선 코로나가 먼저였어요. 뮤지션의 완전한 공백, 진공 상태가 돼버린 거니까. 뭐 아무것도 할 수 없잖아요. 그게 시작되는데, 나로서는 굉장히 미치겠더라고요. 집에만 있고, 집에서 혼자 노래하고 연습하는 것도 한두 번이지.

 그런데 그때 우연히 유튜브를 하자고 제안이 들어왔어요. 그래서 좋다, 그런데 무엇을 할 것이냐. 그러니까 그들도 별로 그게 없는 것 같더라고요. 어떤 준비라든지, 나를 통해서 어떤 유튜브를 할 건지 뭐 그런 게. 나도 그때 브이로그니 뭐니 처음 들었고. 그런데 처음에 해보는데 내 취향이 아닌 거예요. 나의 개인적인 삶을 보여주면서 해보니까 아닌 것 같았어요. 그건 아니고, 나는 품위 있게 음악만 좀 보여주고 싶더라고요. 그래서 생각한 게, 내가 할 수 있는 건 개인의 음악 역사에서 내가 발표한 모든 노래, 내가 불렀던 모든 노래를 라이브로 만든다. 라이브 영상으로 기록한다. 그때 아카이브라는 걸 생각했어요. 사실은 웃긴 얘기일 수도 있겠지만, 사람이 언제 어떻게 될지 모르잖아요. 언제 무슨 일을 당할 수도 있고 내 생이 끝나버릴 수도 있는데, 한번 기록은 해보자. 영상으로 라이브 하는 거, 좋은 음질 아니어도 하여튼 라이브 하는 거 찍어서 이 콘텐츠로 계속 밀고 가자. 그래서 12집까지 계속 유튜브 영상을 찍고 있는 거고, 다 찍어놨어요.

박준흠 : '안치환 TV'에 거의 다 올라가 있더라고요.

안치환 : 다 찍어놓고 아직 다는 안 올라왔어요. 그러니까 앞으로는 뭘 해야 할지 잘 모르겠지만, 나는 내가 해온 음악적인 역사를, 개인의 역사를 기록한다. 그것도 라이브로 기록한다. 내가 이렇게 했다는 걸. 그래서 지금은 어떤 노래를 할 때, 내가 내 유튜브를 찾아봐요. 그런데 기타는 어떻게 쳤지? 아 기타를 저렇게 쳤네 하면서·그렇게 치죠. 그거 하나 하기 위해서 굉장히 연습을 많이 하거든요. 생각도 많이 하고. 그때 이걸 어떤 식으로 칠까, 어떤 코드로 칠까, 어떤 보이싱을 할까를 고민했었기 때문에 그래요. 시간이 지나면 잊어버리고 하니까. 노래가 꽤 많잖아요. 12집인데, 그런데 지금 음원까지 하면 한… 음반마다 열세 곡 이상인데, 그러면 얼마야? 거의 170-180곡이 됐는데 이거 다 기억을 못 할 수도 있잖아요. 노래는 다 기억하지만, 코드 진행이나 보이싱 같은 거는 전부 다 기억 못 할 수가 있죠.

그래서 다음 겨울 공연 때 겨울 노래를 해봐야 하는데, 4집의 〈겨울나무〉를 부르고 싶어요. 내가 좋아하는 노래인데, 초창기 노래예요. 이거를 어떻게 기타를 했지? 유튜브를 딱 찾아보는 거죠. 그런데 이렇게 쳤네? 아, B마이너를 이렇게 쳤구나… 벌써 나에게 도움을 주는 아카이빙이 됐다니까요. 그래서 하긴 잘했다. 그런데 앞으로는 뭐 해야 할까.

박준흠 : 저는 여태까지 대중음악을 얘기할 때 창작과 창작자에 관련된 얘기가 저한테 가장 중요했는데, 이 부분이 음악씬에서 힘을 잃어가다 보니까… 결국에는 제가 그래도 잘 할 수 있는 아티스트 아카이빙 작업으로 약간 선회를 한 거거든요. 그래서 지금 '박준흠이 만난 아티스트' 시리즈 단행본 작업을 하는 겁니다.

안치환 : 좋은 거죠.

박준흠 : 제가 2주 전 정도에 보니까 구독자가 4만 4천 명 정도였는데. 구독자가 10만이 넘으면 굉장히 강력한 홍보 수단이 생기는 거잖아요? 수입도 발생하고.

안치환 : 구독자 늘리는 게 그렇게 쉽지 않더라고요.

박준흠 : 한 2년 운영해서 구독자를 5만 명 가까이 모았으면 그것도 어느 정도 성공한 건데.

안치환 : 사실 한 방에 늘 수도 있어요. 더 시끄럽게, 노래를 통해서. 그런데 그게 아니겠다 싶더라고요. 나는 내 음악을 하나하나 아카이빙 한 것 자체로 만족합니다. 그리고 앞으로 어떻게 할지는 좀 더 생각해볼게요.

박준흠 : 안치환 TV의 콘텐츠는 안치환의 노래여야 된다고 생각하시는 건가요?

안치환 : 당연히 그렇죠. 맨 처음에는 브이로그니 뭐니 얘기를 하더라고요. 구독자 많은 이상한 사람이랑 붙어서 구독자 늘리는 거 어떠냐? 난 다 거부했어요. 정말 같지도 않은, 미친 짓을 해서 구독자 많이 가진 사람들하고 내가 같이해서 그래서 올리는 구독자가 나한테 무슨 도움이 되겠나 싶죠.

박준흠 : 그러면 현재 제작 시스템은 외부 회사가 와서 만들어주는 시스템인 건가요?

안치환 : 친구랑 둘이 와서 같이 찍고 그 사람이 편집하고, 그 정도로 하고 있어요. 그냥 그 정도의 퀄리티로만 하자, 더 하지 말고.

5) 연남 스페이스

박준흠 : 이제 콘서트는 주로 본인 공연장인 '연남 스페이스'에서 하고, 외부 공연은 어떻게 하나요?

안치환 : 외부는 다른 기획사에서 하고 싶다고 그러면 거기랑 하면 되는 거죠.

박준흠 : 연남 스페이스에는 몇 명까지 들어갈 수가 있나요?

안치환 : 한 150명?

박준흠 : 그 정도 객석 규모로는 수익 내기가 쉽지 않을 텐데요?

안치환 : 그거야 뭐 어쩔 수 없죠. 내가 며칠 해서 밴드 개런티 가져가고 망하는 건 없으니까. 그래도 관객이 좀 와주면 고마운 거죠. 여기는 그냥 내 보험과 같은 장소라고 생각하면 돼요.

박준흠 : 내년부터는 연남 스페이스에서 공연을 어떤 식으로 하시고 싶으세요?

안치환 : 계절마다 한 3-4일씩. 3개월이라는 세월도 금방 가더라고요. 너무 자주 한다고 얘기 들을 수도 있어요.

박준흠 : 그러면 1,000석짜리 공연장에서 공연하는 것과 150석짜리 공연장에서 공연할 때 하고 느낌이 어떻게 다르나요?

안치환 : 많이 다르죠. 소극장은 소극장 나름의 그게 있고.

박준흠 : 그렇다면 150석짜리 공연장에서 계속 공연하는 거에 만족하실 수 있을까요?

안치환 : 나이가 들면 그렇게 해야 하지 않을까요? 내가 무슨 디너쇼 할 것도 아니고. 나이가 들수록 내 음악에 맞는 규모라고 생각해요. 좀 친밀

한 거리에서 음악을 섬세하게 들려주는 것도 좋다고 생각하고. 이거는 다시 말하지만 내가 가지고 있는 내 보험 같은 공연 장소고, 다른 장소는 얼마든지 계속하면 돼요.

박준흠 : 보험이란 어떤 의미인가요?

안치환 : 내가 그냥 뮤지션으로서 일상적으로 팬들을 만나가는 내 공간.

박준흠 : 올 초에 일부 보수신문들이 연남 스페이스를 걸고넘어지면서 불법 증축, 민중가수의 부동산 투기 의혹 이런 얘기들을 기사화했는데, 여기에 관한 얘기를 좀 해주시겠어요?

안치환 : 김건희 씨에 대한 보복이죠. (창문 밖을 가리키며) 저기 저 건물 보이시죠? 그 건물에 지하로 내려가는 계단 천정을 막고 쓰고 있어요. 비바람 눈보라를 막아주는 거죠. 4평 정도인데 그것이 불법입니다. 건물이 불법이 아니란 말입니다. 대한민국 공무원들을 모욕하지 말자고요. 일 년에 약 4백만 원 정도의 벌금을 내고 쓰는 공간입니다. 수구 언론의 프레임에 놀아나지들 않았으면 합니다. 건물주라는 게 죄라면 죄겠지만.

6) 마지막으로 하고 싶은 이야기

박준흠 : 인터뷰에서 마지막으로 하고 싶은 말이 있으신가요?

안치환 : 나는 가끔 내가 누구인가, 그러니까 명확하게 내 존재에 대해 인식해보고 싶을 때가 있어요. 한동안은 그냥 생존하는 것이 일이어서 열심히 노래하고 막 발버둥 치고 살아오는 나였지만. 어찌 생각해 보면 복 받은 것일 수도 있고. 어찌 보면 내가 음악을 해왔던 시작의 동기나 처음의 출발점이나 그리고 그 이후에 거쳐 왔던 삶이나 이런 것들이 남들하고 좀 다르잖아요. 그냥 음악이 좋아서 했던 건 다 비슷하겠지만 음악을 했던, 노래를 시작했던 동기가 다르죠.

노래운동의 중심인 「민족음악협의회」가 광복50주년 기념 대공연을 연다. 사진은 「노래를 찾는 사람들」과 「노래마을」의 합동 리허설 장면.

민족음악의 역사 한자리에…

내달1일 문예회관 「노찾사」・안치환등 출연

재야 음악운동의 중심인 민족음악협의회는 광복50주년 맞아 9월1일 문예회관 대극장에서 국악과 대중음악을 망라한 「민족의 삶, 뜻, 소리」대공연을 펼친다. ☎2083.

이번 공연은 한민족의 정서와 한을 담아낸 민족음악의 과거・현재・미래를 한자리에 모은다는 취지로 「우리 민족의 소리 이 여기에」라는 부제를 달고 있다.

이 공연에는 「김덕수패 사물놀이」「노래를 찾는 사람들」을 비롯, 국악인 안숙선, 재즈피아니스트 임동창과 한둘・안치환・정태춘・박은옥등 노래운동에 직・간접으로 몸담아온 음악인들이 총출연한다. 「김덕수패 사물놀이」와 북 그룹 「천지인」은 무속음악과 춤으로 엮어지는 「민족의 태동, 흙의 소리」무대로 우리 고유의 소리가 무엇인지 되새긴다.

또 「민족음악연구회」의 금관5중주로 김순남 곡「해방의 노래」를 연주한다. 마지막으로 전 출연진은 20여가지의 타악기로 웅장한 리듬을 구성하면서 백창우 곡 「우리의 노래가 이 그늘진 땅에 햇볕 한줌 될 수 있다면」을 연주, 대미를 장식한다. 〈權〉

저항가요의 역사인데, 이 저항가요의 역사에서 아티스트로서 1세대는 한대수, 김민기 이렇게 가잖아요. 그다음에 이제 1980년대로 넘어왔는데, 내가 2세대가 되는 건지 3세대가 되는 건지 모르겠어요. 내가 승현이 형이나 뭐 새벽이나… 어쨌든 아티스트로서는 그다음 세대라고 생각을 해요. 그것에 대해 약간의 책임의식도 좀 있고, 소명감 도 있고 그렇게 생각해요. 그래서 앞으로 내가 음악을 할 수 있는 한 그런 것에서 벗어날 수도 없고, 벗어나고 싶지도 않고. 안치환은 아티스트로 서 안치환이 가지고 있는 자기 정체성에 대한 명확한 자기 인식을 끝까 지 해나간다. 그리고 품위 있게 내 음악 인생을 이어간다.

어떻게 하면 내가 내 노래를 많이 알릴 수 있고, 어떻게 하면 내가 내 노 래를 사람들에게 금방 익숙하게 할 수 있는지에 대한 시스템을 잘 알고 있어요. 방송 매체를 이용해야 하고 사람을 쓰고 세상의 시스템과 타협해 야 하고… 다 알고 있어요. 그런데 그런 것이 언제부턴가 싫어졌어요. 그 래서 그걸 안 하고 하다 보니 힘든 부분도 많고, 내가 이렇게 하면 잘될 텐 데 아쉽지만 내가 또 포기해야 할 부분도 많아요. 그런데 하나 믿는 건, 나 스스로 검증해 보는 거죠. 내가 아직은 괜찮아. 노래를 만들고 부르는 나 로서 나는 아직 굳건하다. 다만 음악을 세상에 알리는 부분에서 옛날과 좀 다르다. 시대도 변했고 나도 변했고. 그 부분에서 내가 끝까지 내 생각을 고집하고자 할 것인지, 아니면 다시 무슨 부활을 꿈꾸며 또 홍보라든지 그 쪽으로 사람을 써서 해볼 것인지, 이런 고민을 다시는 안 할 것 같아요.

그냥 이렇게 계속 흐르고… 그런 부분에 대한 내 생각들이 어느 정도 정리돼 있고, 그리고 사실은 욕심을 많이 버렸어요. 나는 그냥 내 페이스를 지킨다. 딱 하나 지키는 건, 아티스트로서의 자기 검증을 스스로 해나가는데 이 정도면 괜찮다는 걸 매번 결정해서 하겠다. 아쉬운 점은 있지만.

박준흠 : 그리고 13, 14집이 나올 거니까. 나머지는 그때 생각할 수도 있고요.

안치환 : 그때 한번 해보죠. 사람을 만난다는 게 참 어려운 일이라서… 나는 만나는 사람에 대해서 실망을 한 적이 꽤 있어서 또 사람을 만나고 싶지 않은 거고, 그게 지금이에요. 지금은 열심히, 그냥 모든 걸 좀 접고 즐

겁게 살고 싶다고 생각합니다. 그게, 나만 건강하고 나만 좋으면 되고 그런 이기적인 것이 아니라 세상과 조금 거리를 두고 내 페이스를 지켜야겠다고 생각하는 중이라서. 앞으로 일은 모르겠어요.

 그런데 있잖아요. 노래하고 그러는 게 하나도 지겹지 않아요. 지겨울 법도 하잖아요. 내가 이렇게 며칠씩 인터뷰를 하고, 어디 다니고… 그런데 기타를 만지고 싶은 거예요. 혼자 기타를 치면서 노래 불러보고… 그런 거 보면 나는 참, 천상 딴따라고 내가 하고 싶은 일을 잘 선택해서 살아가는 행복한 놈이라는 생각도 들고 그래요. 그런데 이런 과정들을 좀 더 고민하고 생각해 봐서 멋있는 생의 후반기를 살아가면 좋겠다, 이런 생각을 하고 있습니다.

박준흠 : 드디어 장대한 인터뷰가 끝났습니다. (웃음)

안치환 : 4일간 꼬박 인터뷰하느라 고생 많았습니다. (웃음)

Ⅲ 연보 / 디스코그래피

● **1965년 (1세)**
- 1965년 10월 24일(음력), 경기도 화성시 우정읍 매향리 출생.
  아버지 안의영 씨와 어머니 이경님 씨의 4형제 중 막내아들.
  집 뒤에 바로 미 공군 '쿠니 사격장'이 있었음.

● **1972년 (8세), 초1**
- 읍내의 장안초등학교에 입학.

● **1973년 (9세), 초2**
- 초등학교 2학년 1학기 때 서울 제기동 홍파초등학교로 전학 감.
- 초등학교 2학년 2학기 때 시골집 근처에 있는 석천초등학교로 다시 전학 감.

● **1977년 (13세), 초6**
- 가을운동회에서 꽹과리를 배워 상쇠를 맡아 풍물을 선도함.

● **1978년 (14세), 중1**
- 삼괴중학교 입학.

● **1981년 (17세), 고1**
- 수원 유신고등학교에 입학. 2개월 뒤 서울 관악구에 있는 남강고등학교로 전학 감.

● **1983년 (19세), 고3**
- 남강고 축제인 남강제전에서 밴드를 결성해서 노래함.
- 당시 대학생이던 이두헌(다섯손가락)도 기타로 참여함.

CHRONICLE

안치환 20대 1984–1993년

● **1984년 (20세), 대1**

- 연세대학교 사회사업학과 입학.

- 당시 막 결성된 연세대 노래패 '울림터'에 가입함.

● **1985년 (21세), 대2**

- 연세대학교 100주년 가요제(무악 가요제)에서 〈그곳으로〉로 3등(민중상)을 차지함.

● **1986년 (22세), 대3**

- 노래패 '새벽'에서 활동 시작. 창작곡 〈솔아 솔아 푸르른 솔아〉를 만들어서 큰 인기를 얻음.

● **1987년 (23세), 대4**

- 〈잠들지 않는 남도〉, 〈마른 잎 다시 살아 나〉 창작.

● **1988년 (24세)**

- 대학 졸업 후 '노찾사' 가입.

● **1989년 (25세)**

- 노찾사 2집 [노래를 찾는 사람들 2] 발매.

● **1990년 (26세)**

- 영화 '파업전야'(1990년 4월 개봉)에 〈아무 일 없었다는 듯〉, 〈노동자의 길〉, 〈철의 노동자〉가 담김.

- 안치환 1집 [첫번째 노래모음] 발매.

● **1991년 (27세)**

- 안치환 2집 [노래 한마당] 발매.

- 초등학교 동창인 김미옥 씨와 결혼함.(주례는 문호근)

● **1993년 (29세)**

- 안치환 3집 [Confession] 발매.

● **1994년 (30세)**
- 안치환 [1+2] 발매. 1, 2집 판권을 갖고 있지 않아서 1, 2집 수록곡들을 다시 녹음함.
- 3월 1-13일, 마당 세실극장에서 故 김남주 시인 추모콘서트 개최.

● **1995년 (31세)**
- 안치환 4집 [안치환4] 발매.

● **1996년 (32세)**
- V.A. [김광석 - 가객 : 부치지 않은 편지]에 〈겨울새〉로 참여.

● **1997년 (33세)**
- 구전 저항가요 모음집 [Nostalgia] 발매. 〈신개발 지구에서〉 등 수록.
- 안치환 5집 [Desire] 발매. 〈사람이 꽃보다 아름다워〉로 큰 인기를 얻음.
- 5인조 밴드 '안치환과 자유'로 활동 시작.
- V.A. [하나뮤직 Project 1 : 겨울 노래]에 조동진 곡 〈진눈깨비〉로 참여.
- 한국 프로듀서 연합회 선정 가수상 수상.

● **1998년 (34세)**
- 전경옥 1집 [혼자사랑 I Artpop]에 〈배웅〉(작사:김혜화, 작곡:이건용)이
  [혼자사랑 II Classic]에 〈당신이었을까〉(작사:하종오, 작곡:이건용) 수록.

● **1999년 (35세)**
- 안치환 6집 [I Still Believe] 발매. 앨범 크레딧에 '안치환과 자유'가 정식으로 등장함.
- 문화관광부 '99 오늘의 젊은 예술가상' 수상.

● **2000년 (36세)**

- 故 김남주 시인 헌정 앨범 안치환 6.5집 [Remember] 발매.
- V.A. [김광석 - 김광석 Anthology 1]에 〈그날들〉 피처링으로 참여.
- 7월 1-31일, 서울 대학로 학전블루에서 '안치환과 자유 포크 콘서트 :
  우리의 소원은 통일'이란 장기공연 진행.

● **2001년 (37세)**

- 안치환 7집 [Good Luck!] 발매.
- V.A. [나팔꽃 - 제비꽃 편지]에 〈철길〉(작사:안도현 작곡:이지상),
  〈하수도는 흐른다〉(작사:안도현 작곡:백창우) 수록.

● **2002년 (38세)**

- [안치환과 자유 Live Best '01-'02] 발매.
  2001년 12월 연강홀 공연과
  2002년 5월 세종대 대양홀 공연을 기록한 안치환의 2장짜리 라이브 앨범.

● **2003년 (39세)**

- 문익환 목사 10주기를 추모해 중소도시 20개를 순회하는 '통일맞이 공연 대장정' 진행.

안치환 40대 　2004-2013년

● **2004년 (40세)**
- 안치환 8집 [외침!!] 발매. 처음으로 스튜디오 '참꽃'에서 녹음한 앨범.

● **2005년 (41세)**
- 대금을 2년 동안 배움. 이는 9.5집 [정호승을 노래하다]에 수록된 〈연어〉에 반영됨.

● **2006년 (42세)**
- [Beyond Nostalgia] 발매. 구전 저항가요 모음집 2탄. 〈해방가〉 등 수록.

● **2007년 (43세)**
- 안치환 9집 [안치환9] 발매.
- 6월에 1987년 6월 항쟁 20주년을 기념하는 공연 '그래, 나는 386이다'를
  연세대 백주년기념관에서 진행함.

● **2008년 (44세)**
- 정호승 시인 헌정 앨범 안치환 9.5집 [정호승을 노래하다] 발매.

● **2010년 (46세)**
- 안치환 10집 [오늘이 좋다] 발매. 2장짜리 CD로 발매함.
- V.A. [시인 오장환을 노래하다]에 〈상렬〉(작사:오장환 작곡:류형선)로 참여.

● **2011년 (47세)**
- 한돌 [한돌타래 우조 remake]에 〈완행열차〉(작사/작곡:한돌)로 참여.

● **2012년 (48세)**
- 싱글 [Single 2012] 발매. 〈카오스〉〈나의 꿈〉〈액맥이 타령〉 수록.
- [안치환 Live 혼자 부르는 노래] 비공식 발매.
  2002년, 2008년 8월에 제일화재 세실 극장에서 공연된
  '안치환 혼자 부르는 노래' 라이브 실황을 기록한 음반임.
- V.A. [노무현을 위한 레퀴엠/탈상(脫傷)]에 〈임을 위한 행진곡〉으로 참여함.

● 2014년 (50세)

- 직장암 수술. 1년간 투병 생활.
- [Anthology : Complete Myself / 6 CD Box Set] 발매.
  암 투병 가운데서도 총 97곡이 수록된 박스세트를 발매함.

● 2015년 (51세)

- 안치환 11집 [50] 발매.

● 2016년 (52세)

- [Anthology : Complete Myself] LP 발매.
- 디지털싱글 〈권력을 바라보는 두 가지 시선〉 발매.

● 2017년 (53세)

- 7월 5-8일, 서울 성수동 성수아트홀에서 콘서트 '혼자 부르는 노래' 개최.
  안치환의 '혼자 부르는 노래' 콘서트는 2002년, 2008년에 이어 3번째임.

● 2018년 (54세)

- 안치환 12집 [53] 발매.
  자신의 노래로 자신을 말하고, 세대를 말하고, 시대를 말하고, 인간을 말하는 앨범으로 평가됨.
- 제주 4.3 70주년을 기념하며 디지털싱글 〈4월 동백〉 발매.
- 4월 21일, 도쿄 '4.3을 생각하는 모임' 초청공연 진행.
- 12월 31일, 임진각 '평화의 타종' 행사에서 안치환은 〈철망 앞에서〉를 부름.
  1993년에 김민기가 발표한 이 곡은 2001년 안치환 7집에도 수록됨.

● 2019년 (55세)

- 3.1만세운동 100주년을 맞이하여 디지털싱글 〈백년의 함성〉 발매.

● **2020년 (56세)**

- 디지털싱글 발매 :

  〈바이러스 클럽〉, 〈봄이 오면〉, 〈아이러니〉, 〈여기에 있네〉, 〈11월〉, 〈새해 복 많이 받으세요!〉

- 안치환 가수 데뷔 30주년 맞음. 안치환은 1990년 솔로 1집을 가수 데뷔로 봄.

- 2020년 5월부터 유튜브 채널 '안치환TV' 운영.

● **2021년 (57세)**

- 디지털싱글 발매 : 〈봄길〉, 〈잠들지 않는 남도〉, 〈일단 한 잠 푹 주무세요〉, 〈빨갱이〉

● **2022년 (58세)**

- 디지털싱글 발매 :

  〈마이클 잭슨을 닮은 여인〉, 〈껍데기는 가라〉, 〈You're Not Alone〉, 〈이 감덩어리가….〉

- 8월 30일 - 9월 4일,

  연남스페이스(안치환 본인이 만든 소극장)에서 '너를 사랑한 이유 2022' 콘서트 진행.

● **2023년 (59세)**

- 4월 13-15일, '2023 혼자 부르는 노래' 콘서트.

- 4월 21-22일, 도쿄 콘서트.

● **2024년 (60세)**

- 안치환 13집 [Always in my Heart] 발매.

- 4월 27일, 'History' 콘서트 진행.

안치환 앨범

노래를 찾는 사람들 2집
노래를 찾는 사람들 2
1989 / 서울음반

안치환 1집
첫번째 노래모음
1990 / 서라벌레코드

안치환 2집
노래 한마당
1991 / 서라벌레코드

안치환 3집
Confession
1993 / 킹레코드

안치환
1+2
1994 / 킹레코드

안치환 4집
안치환4
1995 / 킹레코드

안치환
Nostalgia
1997 / 킹레코드

안치환 5집
Desire
1997 / 킹레코드

안치환 6집
I Still Believe
1999 / 신나라뮤직

안치환 6.5집
Remember
2000 / 신나라뮤직

안치환 7집
Good Luck!
2001 / Studio Azaled

안치환
안치환과 자유 Live Best '01-'02
2002 / studio azaled

안치환 8집
외침!!
2004 / 진달래

안치환
Beyond Nostalgia
2006 / 진달래

안치환 9집
안치환9
2007 / 진달래

안치환 9.5집
정호승을 노래하다
2008 / Soom Entertainment

안치환 10집
오늘이 좋다
2010 / Soom Entertainment

안치환
안치환 Live 혼자 부르는 노래
2012 / 참꽃스튜디오

안치환
Anthology :
Complete Myself (6CD Box Set)
2014 / 시샵코리아

안치환 11집
50
2015 / A&L ENT

안치환
**An Chi Hwan Anthology :
Complete Myself**
2016 / 시샵코리아

안치환 12집
53
2018 / A&L ENT

안치환 13집
Always in my heart
2024 / A&L ENT

안치환 주요 참여 앨범

OST
파업전야
1990 / 장산곶매

V.A.
김광석 - 가객 : 부치지 않은 편지
1996 / 웅진미디어

OST
나에게 오라 by 신대철
1996 / 글로벌미디어

V.A.
하나뮤직 Project 1 : 겨울노래
1997 / 하나뮤직

전경옥 1집
혼자사랑 I Artpop
1998 / KM MUSIC

전경옥 1집
혼자사랑 II Classic
1998 / KM MUSIC

V.A.
김광석 - 김광석 Anthology 1
2000 / 서울음반

V.A.
나팔꽃 - 제비꽃 편지
2001 / 현대문학북스

V.A.
시인 오장환을 노래하다
2010 / 숨엔터테인먼트

한돌
한돌타래 우조 remake
2011 / 숨엔터테인먼트

V.A.
노무현을 위한 레퀴엠 / 탈상(脫傷
2012 / 노무현재단

DISCOGRAPHY

안치환 디지털싱글

안치환
Single 2012
2012 / 참꽃스튜디오

안치환
권력을 바라보는 두가지 시선
2016 / 참꽃스튜디오

안치환
4월 동백
2018 / A&L ENT

안치환
백년의 함성
2019 / A&L ENT

안치환
바이러스 클럽
2020 / A&L ENT

안치환
봄이 오면
2020 / A&L ENT

안치환
아이러니
2020 / A&L ENT

안치환
여기에 있네
2020 / A&L ENT

안치환
11월
2020 / A&L ENT

안치환
새해 복 많이 받으세요!
2020 / A&L ENT

안치환
봄길
2021 / A&L ENT

안치환
잠들지 않는 남도
2021 / A&L ENT

안치환
일단 한 잠 푹 주무세요
2021 / A&L ENT

안치환
빨갱이
2021 / A&L ENT

안치환
마이클 잭슨을 닮은 여인
2022 / A&L ENT

안치환
껍데기는 가라
2022 / A&L ENT

안치환
You're Not Alone
2022 / A&L ENT

안치환
이 감덩어리가….
2022 / A&L ENT